林慶彰　總策畫

民國時期稀見期刊彙編

第一輯

哲學科研究年報 ③

臺北帝國大學研究年報

第九冊

臺北帝國大學文政學部

哲學科研究年報

第三輯

臺北帝國大學文政學部 哲學科研究年報 第三輯

目次

朱子の本體論

後藤俊瑞

目次

（以　上）

第一章　本體概念に於ける二表現形態

第一節　易學啓蒙研究の價値

朱子の本體概念を窺知すべき文獻資料の主要なるものは、成書に於いては太極圖說解・通書解・周易本義・易學啓蒙・正蒙解・西銘解・詩集傳・楚辭集註・玉山講義・四書集註・同或問・等が、[illegible]文集・語類中にも亦極めて多くの資料を發見することが出來るの[illegible]中[illegible]其の組織の全面的且つ系統的なる點に於いて、太極圖說解の右に出づるものは無い。故に朱子の本體概念を探求せんと欲する者は、先づ此の書を繙き、併せて他の資料を參照するのが普通であつて、從來の多くの學者は此の研究過程を辿つて來たのである。蓋し此の一過程は最も近路であり、最も手近かに其の門を臨み得て、研究の成果も容易に得られるかに見えるからである。ところが、事實は、全く之に反し、多大の困難と幾多の誤解と、苦しさからの曲解とは反つて此に胚胎するのである。何者、後に明かとなるように、周子の本體と朱子の本體とは其の名稱を同じくして等しく太極と呼ぶけれども、其の概念に至つては甚だ異なるからである。　周子が自己の本體概念から何の無理もなく自然に展開せしめた太極圖說の生成論に、朱子はそれとは異つた內容の自己の本體概念からの生成思想を無理に盛らうとした。　其處に文意の不通を生じ不可解を齎らした。　伊藤東涯が「不免於本文處々窒礙」[註一]といひ、馮友蘭が「在朱子系統中爲不通之論」[註二]などと難かしがつたように、今日まで該書の研究者をば常に困しめ每に災して來たのも、實に朱子の犯したその無理に起因するのである。　窒礙不通の所ありと爲しながら、それでも何とか解決したいと思ふものだから、各自の欲するまゝの解釋が生れ、各自の好むまゝの本體概念が構成せられ、餘儀なく誤解や曲解を犯すに至るのである。　かくて朱子の本體概念は古來の衆訟となつて歸一する所を知らぬのである。　今私が朱子の本體概念を探求せんと欲するに當り、若し多くの學者が出發點とした此の太極圖說解を又私の出發點とし、一向に此の圖說解を貫く道程を辿るならば、私も亦同樣の困難と弊害とを覺悟しなければならぬであらう。　故に私は從來の學者の態度を變へて、易學啓蒙を以つて私の出發點とし、傍ら上掲の諸資料を併せ考へ、然る後に始めて太極圖說解を顧みるの道程を辿らんと欲する。　若し之によつて萬一上述の弊害の幾分でも避け得られたならば幸である。

易學啓蒙爲作の動機に就ては朱子の自序に明かである。蓋し聖人易の卦畫を作るや、仰觀俯察遠く求め近く取つて、法象に形はれ圖書に見はれたる氣數の自然に於いて凾より超然として其の心に默契する所があつた。此の點を明かにせんと欲したのが卽ち啓蒙爲作の動機である。故に其の四篇中特に首篇の本圖書第一に於いては「易乃伏羲之所先得乎圖而初無所待於書範則大禹之所獨得乎書而未必追考於圖耳」の見地に立つて、專ら河圖洛書の有つ內容を生成論的に解說し、以つて易の生成思想の特に河圖に基く所あつて相一致することを闡明にし、併せて洪範の洛書と交涉する所あるを論じ、原卦畫第二に於いては、專ら易の生成思想を論じ、時に應じて圖書を顧み、其の易と交涉する所を指摘して居る。此の二篇に於いて最も力を注いだ所は、易と圖書との本體生成思想を比較して其の共通點を檢討し、以つて兩者の交涉する所を闡明するに在つた。故に朱子の本體思想を知らんと欲する者にとつては、此の二篇の比較研究は決して忽諸に附すべきものではない。朱子の生成思想が易の思想に負ふ所極めて大であるからである。しかも私には寧ろ此の研究が朱子の本體に關する古來の衆訟に何等かの曙光を與へるかに思はれるのである。

註一　伊藤東涯　讀近思錄鈔。
註二　馮友蘭　中國哲學史　九〇七頁

第二節　易學啓蒙批判

世には易學啓蒙の書が朱子の原作に非ざるの故を以つて其の思想を朱子のものと爲すべからずと極論する者もある。宋史儒林傳蔡元定の條に「啓蒙一書則屬元定起藁」とあるを見れば、論者の主張は一應は首肯出來るのである。然し、宋史の記する所によれば、蔡元定は生れて穎悟、八歲にして詩を能くし、日に數千言を記す。程氏の語錄・邵氏の經世・張氏の正蒙を窮めて、深く其義に通じ、辨析益〻精、往いて朱子を師としたが、朱子も大いに其の學に驚いて、弟子の列に置かず、老友として之を遇し、與に諸經の奧義を講論して每に夜分に及んだのである。若し四方から來つて朱子に學ぶ者あれば、朱子は必ず先づ蔡元定に從つて之を質さしめたといふ。或は又、朱子が四書を疏釋し、易詩傳・通鑑綱目を爲るや、皆元定と往復參訂したといふことである。以つて朱子が學問上元定に許すことの如何に大であつたかを知るべきである。而してこのことは他面元定の學が如何に深かつたかを示すのみならず、又其の思想が如何に多く朱子と相通じ相一致する所あつたかを物語るものである。故に現存の易學啓蒙が假令蔡元定の初藁其の儘にて、些の補訂をも加へざるものであつたとしても、此の書に見はれた思想に至つては朱子と相通じ相一致する所が極めて多く含まれて居ると見て差支ないであらう。加之、たとひ此書が蔡元定の起藁に屬すとしても、彼が其の起藁に當つて其師朱子に諮らず、專ら己の意を以つて之を爲作したとは考へられぬ。兩人相與に講論した平日の間柄から推しても、師の朱子の意見が多く其の中に加つて居ることは想像するに難くない。朱子の自序に「因與同志頗輯舊聞爲書四篇以示初學云々」と云つてあるのから推しても、此書の爲作は寧ろ朱子が主體となり、蔡元定等は彼を助ける地位に在つたといふべきである。たとひ元定が起藁したとしても、それは朱子の指畫に俟つたものに相違ない。從つて此の書の論述は朱子の思想を以つて一貫して居ると見てよからうと思はれる。加之、答趙都運書に「向來所呈啓蒙不審已蒙過目否近覺得有説未透處頗加改定旦夕修成別寄上也」（朱子集卷一八）といへる如く、その草藁を後々訂正し完成したものは蔡元定ではなくて實に朱子であつたのである。故に現存の易學啓蒙を以つて朱子の作と爲すに何等の異議もないであらう。答方賓王書にも「熹向來作啓蒙」（朱子集卷五五）とて此の書の自作たることを明言して居り、宋史列傳にも朱子の著はす所となつて居るのである。既に此書を朱子の作と爲すに妨げなければ、此の書の思想を以つて朱子のものと爲すにも亦何の妨げは無いかと思ふのである。

第三節　本圖書篇の研究

一　河圖洛書の生成思想

易學啓蒙の第一篇本圖書に於いては、朱子の見たる河圖洛書の生成思想が述べられてある。朱子によれば、河圖は洛書と共に數を以つて天地生成の現象を示したものであつて、時に先後あり、數に多寡はあるけれども、其の理は一にして其の思想は全く相同じい。而して洛書は固より易となるべく、河圖も亦範となり得るものではあるが、易は伏羲が先づ河圖に得た所のものであつて、初め洛書に待つ所はなかつたのである。故に朱子が易の原づく所となす河圖を如何に解するかを見ることは、易に關する朱子の見解を理解する爲めの一助となるであらうし、更には彼の本體生成思想を窺知すべき資料をも得るであらうから、此に一應朱子の河圖に對する見解を概觀し、併せて洛書の意義にも及び度いと思ふ。

河圖洛書の原圖が果して如何なるものであつたかの研究は勿論必要なことではあるけれども、然しそれは此の章の目的とする所ではない。 本章の目的は、河圖洛書に於いて朱子が見出した生成論的意義を明かにするに在る。 故に此の目的の遂行を助ける爲めに必要なものは、河圖の原圖其者ではなくて、朱子が以つて原圖と信じて採用した河圖洛書其者である。 而して朱子の以つて原圖と爲した河圖洛書についても、諸書によつて大同小異で必ずしも一致してゐない。 其れ等の中、朱子の說と最も適合せるものは周易折中に載する所のものであるから、上に其の圖を揭げ、其の圖を顧みつゝ朱子論述の迹を辿つて見度いと思ふ。 若し夫れ河圖洛書其者の研究に至つては之

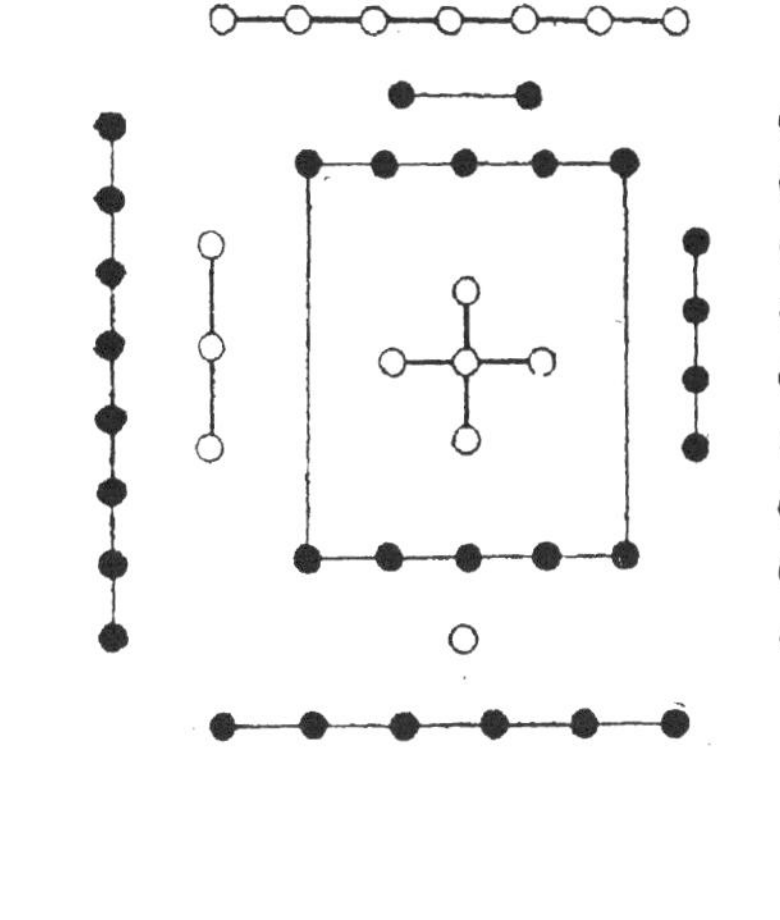
河圖

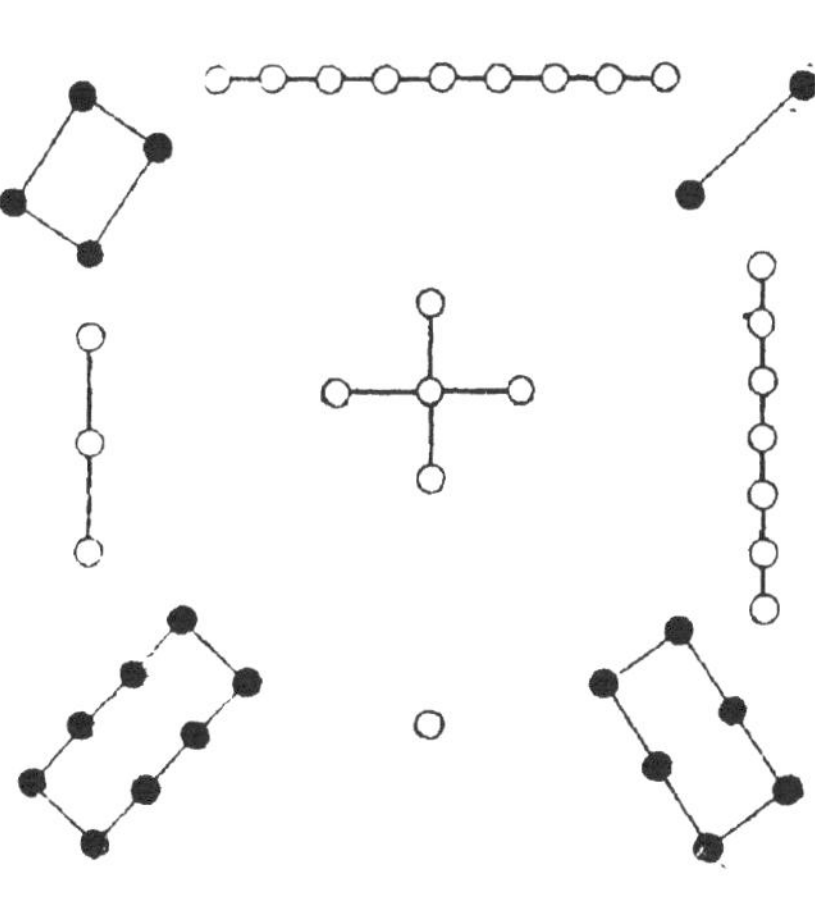
洛書

を先人諸學者の研究に讓る。

朱子謂へらく、河圖洛書は其數は、洛書は變を主とする故に一より九に至つて極まり、五奇四偶で、奇は其位五、其數二十五、偶は其位四、其數は二十であつて、其の合は凡て四十五、其の中を虛くすれば奇偶各〻二十であるが、河圖は之と稍や趣を異にして全を主とするが故に、一より十に至る。五奇五偶で、奇偶は其位各〻五、五奇の積は二十五、五偶の積は三十である。合して五十五が卽ち河圖の全數である。其の中を虛くすれば奇偶各〻二十である。奇は陽數、偶は陰數であり、所謂る天は陽の輕淸にして上に位する者、地は陰の重濁にして下に位する者故、陽數は皆天に屬し、陰數は皆地に屬して、天の數五、地の數五である。其の位を見るに洛書は一には六を、三には八を、五を中央に、七には二を、九には四を夫々相配して、奇偶各〻其處に居るが、河圖は稍や之と異なり、一には六を、二には七を、三には八を、四には九を、五には十を夫〻相配して、五生數は五成數を統べて、生成は夫〻相同じく其方に居る。其の一と六とは宗を共にして北に居り、二と七とは朋を爲して南に居り、三と八とは道を同じうして東に居り、四と九とは友を爲して西に居り、五と十とは相守つて中に居る。その九は生數一三五の積なるが故に、北から東、東から西へと進んで四の外に成り、その六は生數二四の積なるが故に、南から西、西から北へと進んで一の外に成る。其の七は九が西から南へ進んだもの、其の八は六が北から東へ進んだものである。かく陰陽の老少は互に其の宅の變を藏するものである。其の生數の內に在るものは、陽は下・左に居り、陰は上・右に居る。其の成數の外に在るものは、陰は下・左に居り、陽は上・右に居る。其の中央の五は三と二との合である。凡そ數の始めは一陰一陽に過ぎないもので、陽の象は圓、陰の象は方である。圓は直徑一、周圍三であり、方は直徑一、周圍四である。周圍三なるものは一を以つて一となす故、其の一陽を參にして三となり、周圍四なるものは二を以つて一と爲す故、其の一陰を兩にして二となる。是れ所謂る參天兩地である。此の三と二と合すれば五となる。河圖洛書の數が共に五を以つて中と爲す所以は此に在る。唯だ洛書は奇數を以つて主と爲すが故に、其の中央の五は五奇數の象を具へて居る。卽ち下の一點は天一の象、左の一點は天三の象、中の一點は天五の象、右の一點は天七の象、上の一點は天九の象と夫〻奇數の象を具へて居るに對し、河圖は生數を以つて主と爲すもの故、其の中央の五は五生數の象を具へて居る。卽ち下の一點は天一の象、上の一點は地二の象、左の一點は天三の象、右の一點は地四の象、中の一點は天五の象と夫〻生數の象を具へて居るのである。而して洛書の一三七九が各〻五の外に居り、二四六八が又各〻其の類によつて奇數の側に附いて居るのに對し、河圖は一二三四の各〻が五の外に居り、六七八九十が又各〻五に因つて數を得て其の生數の外に附いて居るのが稍や趣を異にするけれども、其の中に在る者が主となり君となり、側又は外に附く者が客たり臣たるに於いては圖書全く同じである。東北中に於ける數と位とは河圖は洛書と同じきも、其の西に在るものは洛書に於いては二七なるに、河圖に於いては四九であり、其の南に在るものは洛書に於いては四九なるに、河圖に於いては二七である。河圖の位數がかく異なる所以は、「蓋陽不可易而陰可易成數雖陽固亦生之陰也」（本圖書）なるが故である。其の所謂る成數云々については胡玉齋は之を解して、「陽不可易專指一三五陰可易統指二七四九成數雖陽指七九固亦生之陰指七爲二生數之陰九爲四生數之陰也二四以生數言雖屬陽然以偶數言則屬陰不得謂之陽矣故可易七九以奇數言雖屬陽然以成數言只可謂之陰矣故可易其曰成數雖陽固亦生之陰不曰生數雖陰固亦成之陽者蓋但主陰可易而言也」（通釋上）と言つて居る。即ち陽は易ふべからざるに、而も七九の兩陽が易り得る所以は、七は二生數の陰であり、九は四生數の陰であるからといふのである。其の意味は奇偶を以つて陰陽をいへば、二四は共に陰で七九は共に陽となるが、生成を以つて陰陽を言へば、二四は共に陽で七九は共に陰である。七は二に對する陰、九は四に對する陰である。之を玉齋は七は二生數之陰、九は四生數之陰といふのである。朱子の所謂る生之陰を解して生數之陰と爲すのである。七九既に生數の陰なるが故に易り得るといふのである。しかし乍ら若し玉齋の言ふ如く七九を生數の陰なるが故に易り得るといふならば、六八亦生數の陰なるが故に之も亦易り得ねばならぬこととなる。又、易り得る七九の陰に對しては、二四は陽なるが故に易り得ないといはねばならぬ。然るにも係らず、六八は易り得ず、二四は易り得る。故に玉齋の說では尙ほ通せざる所がある。彼の說のよつて起つた原因は、「生之陰也」を「生の陰なり」と讀んだところに在る。思ふに朱子の所謂る「生之陰也」は「生」之陰「也」と讀むのではなからうか。卽ち生數二は五にとつて七を生じ、生數四は五にとつて九を生ずる意ではあるまいか。かくて二四陰なるが故に勿論易り得るが七九亦陰より生ずるもの故に亦易り得るのである。六八の易り得ざる所以も之を推して知ることが出來る。偶〻語類卷六五の淵の錄に、生之陰也が本之陰也となつて居るのは、「生」之陰「也」の生が「生數」の意ではなくて「生ずる」意であることの傍證となりはすまいか。

劉雲莊が圖之一三五七九皆

奇數陽也而一三五之位不易七九之位易者亦以天地之間陽動主變故也然陽於北東則不動於西南則五遷者蓋北東陽始生之方西南陽極盛之方陽主進數又必進於極而後變也といへるは一說ではあらうけれども、朱子の成數云々の意とは相去る甚だ遠いものである。

若し生數の次を以つて之を言へば、洛書に於いては陽數は北に始まつて東中西南の順で、陰數は西南に始まつて東南・西北・東北の次をとるから、之を通じて言へば北から西南・東・東南・中・西北・西・東北・南の順なるに對し、河圖に在つては下に始つて上・左・右・中より復た下の順となる。其の運行の次について言へば、洛書が北の水から右旋して火金木土と相克して中央の土復た水に克つに對し、河圖は東の木から左旋して火土金水と相生して、北の水復た木を生ずるのである。

二　氣一元的表現形態

上に述べた所によつて知らるゝ如く、朱子によれば河圖洛書は共に一奇一偶・一陰一陽の兩儀から始つて五行の發生となり、進んでは萬物の生成發展をも默識自得せしめるものである。但、其の一奇一偶・一陰一陽の由つて生ずる所の根源に至つては未だ嘗て之を圖示する所がない。されば圖書の寓する生成論は、兩儀を以つて究極的存在と爲すかの如くに見えるのであるが、しかし朱子は決して左樣には考へなかつた。凡そ兩儀があれば更に此の兩儀の本づく所、由つて來る所がなければならぬと爲し、兩儀の本づく所をのべて「天地之間一氣而已分而爲二則爲陰陽而五行造化萬物始終無不管於是焉（第一本圖書）といつて居るのである。朱子は此に於いては一氣を以つて陰陽の由つて生ずる所の根源と爲したのである。卽ち彼の本體概念は此の本圖書篇に於いては明かに氣一元的形態をとつて表現せられて居るのである。

第四節　原卦畫篇に見はれたる卦畫成立の次第と太極一元的表現形態

朱子は原卦畫の一篇に於いて、周易の兩儀四象八卦六十四卦の生成より、更に進んで百千萬億への無限の發展を說いて、天地萬物無限の生成の意を漏らして居るのである。今其の主張の要を摘記せんに、彼謂へらく、凡そ天地の間に盈つるものにして太極陰陽の妙に非ざるはない。伏羲氏は此に於いて仰觀俯察して遠く之を物に求め、近く之を身に取つて、始めて八卦を作つたのである。其の兩儀に分れざるや渾然たる太極であつて、兩儀四象八卦六十四卦の理は已に燦然として其中に在る。太極より兩儀に分れると太極は固より太極であり、兩儀は固より兩儀である。此の兩儀が分れて四象となり、四より八、八より十六、十六より三十二、三十二より六十四となり、かくて百千萬億の無窮に至るのである。而して此の已定の形、已成の勢は固より已に渾然の中に具つてゐるのであつて、毫髮の思慮作爲を其の間に容れずして然るのである。其の「易有太極」といふ太極は「象數未形而其理已具之稱形器已具而其理无眹之目」であつて、之を象にて示せば○である。河圖洛書に在つては皆虛中の象である。周子の所謂る「無極而太極」邵子の所謂る「道爲太極」及び「心爲太極」は之に外ならぬ。其の「是生兩儀」とは「太極之判始生一奇一偶而爲一畫者二是爲兩儀其數則陽一而陰二在河圖洛書則奇偶是也周子所謂太極動而生陽動極而靜靜而生陰靜極而復動一動一靜互爲其根分陰分陽兩儀立焉邵子所謂一分爲二者皆謂此」のである。「兩儀生四象」といふは、兩儀の上に各〻一奇一偶を生じて二畫を爲す者太陽⚌少陰⚍少陽⚎太陰⚏の四を生ずることである。數を以つて之を言へば、九八七六である。今、河圖を以つて之を言へば、一と五とにて六となり、二と五にて七、三と五にて八、四と五にて九となるものである。洛書を以つて之を言へば、九は十より一を分ちたる餘、八は二を分ちたる餘、七は三を分ちたる餘、六は四を分ちたる餘である。「周子所謂水、火、木、金邵子所謂二分爲四者皆謂此」のである。其の「四象生八卦」といふは、四象の上に各〻一奇一偶を生じて三畫を爲す者八、乾☰兌☱離☲震☳巽☴坎☵艮☶坤☷を生ずることである。此の八者は河圖に在つては分れて乾坤離坎は四實に居り、兌震巽艮は四虛に居り、洛書に在つては四方に居り四隅に居るのである。

既に八卦を生ずれば、此の八卦の上に各〻一奇一偶を生じて四畫を爲す者十六となり（⚊⚊⚊⚊ ⚋⚊⚊⚊ の類）、更に四畫の上に各〻一奇一偶を生じて五畫を爲す者三十二となる（⚊⚊⚊⚊⚊ ⚋⚊⚊⚊⚊ の類）。又、此の五畫の上に各〻一奇一偶を生じて六畫を爲す者六十四となる（⚊⚊⚊⚊⚊⚊ ⚋⚊⚊⚊⚊⚊ の類）。此に於いて六十四卦の名立つて易道は大成する。若し更に其の各卦の上に於いて各〻一奇一偶を生ずれば、七畫を爲す者百二十八となり、更に七畫の上又各〻一奇一偶を生ずれば、八畫を爲す者二百五十六となり、更に之が繰り返へされて、九畫のもの五百十二、十畫のもの千二十四、十一畫のもの二千四十八、十二畫のもの四千九十六となる。若しかくして一奇一偶を生ずること息まざれば終局する所を知らぬ。易道の變化窮まり無きを見るべきである。斯く說き來つて朱子は更に邵子の六十四卦方圓圖を擧げ、且つ其の六十四卦の生成を太極より說

く所の邵子の文の一節をも引用して、以つて讀者の理解を助けて居る。引く所の邵子の文とは

太極既分兩儀立矣陽上交於陰陰下交於陽而四象生矣陽交於陰陰交於陽而生天之四象剛交於柔柔交於剛而生地之四象八卦相錯而後萬物生焉是故一分爲二二分爲四四分爲八八分爲十六十六分爲三十二三十二分爲六十四猶根之有幹幹之有枝愈大則愈小愈細則愈繁

といふのである。之を朱子が袁機仲に答へた所[註一]に考へると、四象八卦等の內容に於いて多少邵子と其の見を異にせる所があつたのであるが[註二]しかし朱子も其の太極から兩儀四象八卦六十四卦を生じ、更に無限の生成は發展すること、及び此の無限の爻象の中に天地無限の物事が具つて居ることは信じたので、八卦相雜つて萬物生ずといふ邵子の說には朱子も異論はなかつたのである。此の兩儀四象八卦六十四卦等はそれ自身單なる象數に過ぎないのではあるが、朱子はその兩儀を以つて周子の所謂る兩儀卽ち天地と同じとなし、その四象も亦周子の水火木金卽ち五行を意味すと爲す等、其他八卦より無限の爻象に至るまで皆同樣に天地無限の物事の一々を象徵すると考へたのである。故に爻象無限の此の生成は直ちに萬

物無限の生成を意味するものなのである。かくて朱子に在つては天地無限の萬物萬事は溯つて其の源を尋ぬれば陰陽の兩儀に歸し、兩儀は更に太極の一元に歸する。陰陽の兩儀は實に「太極之判」より生ずるのである。此に由つて之を觀れば、朱子は此の篇に於いては太極を以つて陰陽兩儀の由つて生ずる所の根源と爲して居るのであつて、彼の本體概念は此に於いては明かに太極一元的形態を取つて居るのである。

以上の論究によつて、私は朱子の本體概念が氣一元的形態と太極一元的形態との二つの表現形態を取つて居ることを知ることが出來たのである。此に於いてか私は此の二表現形態に於ける矛盾と統一、との問題に觸れなければならなくなつて來たのである。

註一　朱子集　卷三八。
註二　易學啓蒙通釋上小註參照。

第二章　本體概念の二表現形態に於ける外面的矛盾性と其の吟味

前章に說く所の如く、朱子に在つては或は一氣分れて陰陽となり、或は太極判れて陰陽となる。而して朱子は此の兩陰陽を以つて孰れも五行を生じ萬物を生ずる所のものと爲すが故に、一氣分れて成る陰陽と、太極判れて成る陰陽とは同一の陰陽で、異なつた內容の概念ではない。同一の陰陽が、或は一氣分れて成り、或は太極判れて成るのである。

此に於いてか一氣卽太極なるや否やが問題となつて來る。若し一氣と太極とが同一の本體であるならば、朱子の示した此の二表現形態の間には何等の矛盾も存しないわけである。之に反し、若し兩者が異なる內容を有つ概念であるならば、此の兩表現形態は矛盾するものか、さもなければ何等かの意味に於いて統一調和を有つものかでなければならぬ。思ふに朱子に在つては一氣卽太極ではない。太極は理であつて斷じて氣ではないのである。先づ四書集註を始めとして、凡そ朱子手定の諸註解を見るに、太極を理と爲すは比々皆然りであるに反し、太極を氣と爲すものに至つては未だ嘗て見當らぬのである。又、彼が知人門弟に應答して太極を論じた書にして文集に收錄せらるゝものも數十の多きに上つては居るが、これ又孰れも太極の理なるを說いて、未だ太極を氣と爲したと想像せらるゝが如き片言隻語をさへ見出し得ない。更に又門人錄する所の平常答問の彼の語中にも太極を論ずる者は實に夥しい數に上つては居るが、唯だ一條を除くの外はその何人の錄たるを問はず孰れも皆太極を理とし、氣に非ずと爲して居るのである。その唯だ一條といふは潘立之の錄するもので、「太極只是一箇氣迤邐分做兩箇氣裡面動底是陽靜底是陰又分做五氣又散爲萬物」（語類卷三八枚）といふのである。然し此の一條のみを以つてして朱子は太極を氣とも見たと斷ずることは危險である。何者、語錄は門人が各〻聞く所の語を錄したもので、朱子手定のものではないからである。門人の所錄なるが故に、記錄の誤が無いとはいへず、平常答問の語なるが故に、不用意の間に發せられた一時の言が無いともいへぬ。故に語錄は朱子の思想を窺ふべき絕好資料の一たるには相異ないが、しかし之を彼自らの手に成れる著作に比すれば、其の內容の確實性に於いて自ら逕庭があると見なければならぬ。若し語類の說にして其の手定の著作と相合はざるものがあるならば、前者を捨てゝ後者を取るべしとは先賢の誣ひざる言である。凡そ朱子が太極を氣となすもの、その手定の著作中に一もあることなく、語錄の中太極を說くもの亦數十百餘の多きに上つて、然も僅かに此の一條のあるを見るのみ。されば此の一條は朱子が不用意の間に發せる一時の言か、さもなければ記錄の誤であると見てよいかと思はれる。況んや、朱子手定の答程可久書には「今論太極而曰其物謂之神又以天地未分元氣合而爲一者言之亦恐未安也」（朱子集卷二九）と述べて、太極の一氣に非ざることを主張して居る。是れ明かに語錄のかの一條の說を自ら否定せるものである。されば太極卽一氣の思想が朱子の眞意に非ざるは疑ふべくも無いであらう。朱子に在つては太極は一氣ではなく、二者は異なるものであつたと見るべきである。

かく太極と一氣とが異なる二元であるならば、上述の二形態は互に矛盾相容れざるものではあるまいか。それにも係らず啓蒙の一書に此の兩表現形態が並び存する所以は何故であらうか。此の問題を吟味し之を解決すれば、朱子の本體概念は更に一段の明るさの中に置かれ、稍や其の眞に近い姿を呈露し來るかと思はれる。今此の兩形態の併存する所以の可能なる原因を求むるに、先づ、第一の可能なる原因としては太極・一氣の異なる二元が獨立に各々の側に於いて陰陽を生じ、その陰陽が又各々の側に於いて獨立に五行萬物を生じ、がくて陰陽五行萬物は一氣を本とするものと、太極を本とするものとの兩部に分れると考へた爲めではなからうかといふ點である。然し朱子は未だ嘗て陰陽五行萬物をかくの如く二部分に分つて考へたこともなく、又左樣に不統一、不徹底な思想家でもなかつたから、此の原因は認められないのである。然らば

第二の可能なる原因としては、其の「天地之間一氣而已云々」は、天地之間といふを以つて、それは天地開闢の當初を言はず、開闢以後既に天地有つてより後現在に至る間の生成を說くもので、その太極一元的形態は反つて開闢當初を說くものと爲した爲めではなからうか、といふ點である。若し果して然りとすれば、易・周子の說くところは開闢當初の生成をいひ、凡て一氣より陰陽の生成をいふものは、皆開闢以後現在に至る間の生成をいふものとなる。然る時その一氣は何から生ずるのであるか。若しこの一氣も亦究極本體で他の何物からも生せず、本來それ自身に存在するものであるとすれば、かゝる究極本體は過現未に渡つて無始無終永遠の存在でなければならぬ。かくてそれは當然に開闢の當初にも已に存在してゐたと考へねばならぬであらう。又、若しその一氣が太極より生ずるものとすれば、太

極は開闢當初には判れて直接陰陽二氣となるが、後に至つては別に一氣を生じ、更に此の一氣が分れて陰陽の二氣となることとなる。然るに朱子に在つては、太極は恆久不變の本體で、その萬物の生成に於いても時によつて作用を異にするものではない。或時は直接に陰陽二氣を生じて萬物を生成し、又或時は陰陽を生ずる以前に先づ一氣を生じ、此の一氣より陰陽二氣を生じて萬物を生成するが如きは考へられないことである。朱子は開闢當初とそれ以後とで太極の作用にかゝる變化のあることなどは何處にも言つて居らぬのである。加之、原卦畫篇を案ずるに、「太極之判始生一奇一偶而爲一畫者二是爲兩儀其數則陽一而陰二在河圖洛書則奇偶是也周子所謂太極動而生陽動極而靜靜而生陰靜極復動一動一靜互爲其根分陰分陽兩儀立焉邵子所謂一分爲二者皆此也」といつて居る。故に朱子に在つては、易及び周子の所謂る兩儀は即ち圖書の奇偶である。若し易周子の所謂る兩儀の生成を以つて開闢當初をいふものとすれば、之と同じものを意味する圖書の奇偶の生成も亦開闢當初についていふものと見ねばならぬ。而して圖書の奇偶兩儀は一氣の分より生ずといふのであるから、天地の間一氣のみ云々も亦太極判れて兩儀となるといふのと同じく共に開闢當初のことをいふと見ねばならぬ。かくて兩形態の矛盾對立は尚ほ未だ解けないのである。

第三の可能なる原因としては、一氣分れて陰陽となるといふ意味は、陰陽は二氣なるも陰も陽もともに氣なる故、兩者を合して一氣といふので、從つて太極一元論の思想とは矛盾しないものではなからうとの考へ方である。案ずるに、朱子は陰陽共に氣なる故に、之を總稱して一氣といふ場合もあるやうである。しかし又それと同時に、陰陽二氣に分るゝ以前、卽ち陰でもなく陽でもない未分渾沌の元氣を呼んで一氣といふ場合もあるのである。語類卷九四に太極圖說を論ずる所に「分陰分陽兩儀立焉兩儀是天地……一動一靜以時言分陰分陽以位言方渾淪未判陰陽之氣混合幽暗及其既分中間放得寛濶光朗而兩儀立」とあるは其の一例である。此の方渾淪未判陰陽之氣混合幽暗といふは、未だ陰陽の二氣に分れざる以前の一元氣を指すことは明かである。本圖書篇の天地之間一氣而已分而爲二則爲陰陽云云の一氣は、この陰陽孰れにも分れざる以前の渾沌未分の一氣をいふものなることは殆んど疑ひ得ざる所である。

第四の可能なる原因として考へられることは、河圖洛書の本體生成思想が本來氣一元なるが故に、之を明かにせんと欲して特に氣一元的表現を用ひたので、朱子自らはどこまでも周易周子と共に太極一元を信じたのではあるまいかといふ點である。今本圖書篇を通覽するに、先づ篇首に此の天地之間一氣而已云々の語を述べ、次に河圖洛書の思想を論じて易洪範との關係に及んで居るのである。思ふに此の語は天地生成の事實に於ける疑ふべからざる眞理を、先づ一般的に前提したものと解される。卽ち先づ首めに朱子の信ずる此の一般眞理を提起し、次に河圖洛書が全く此の眞理に符合することを分析縷述して其の價値の大なるものあるを闡明にし、以つて儒敎の重要經典たる周易がその河圖に基づき、洪範がその洛書に基いたことの決して所以なきに非ざることを論じたものである。若し一氣云々は河圖洛書其者の思想で、それは眞理ではなく、從つて信ずべからざるものであると考へたとすれば、此の語に次いで河圖洛書が全く此の思想であることを高調し縷述し、更に彼の甚だ尊重する周易・洪範が大いに之に基けるものなることを高調したことは、反つて儒敎を陷れることとなり、啓蒙の作は反つて儒敎の經典が眞理ならざる、信ずべからざるものに本づくものなることを天下に明かにする結果となる。純儒を以つて自ら任ずる朱子に左樣のことがあらうとも考へられない。彼が河圖洛書の氣一元的思想を眞理ならずと考へたとすれば、あれほどまでに之を重んせず、之を以つて又周易・洪範の由つて來る所とまで主張はしなかつたであらう。然るに彼が之を甚だ尊重し、加之、周易・洪範が之に本づくものなることをさへ高調したといふことは、反つて河圖洛書の思想を以つて眞理であると考へたればこそではあるまいか。故にかりに天地之間一氣而已云々を以つて河圖洛書其者の思想であるとしても、それを朱子自身も亦眞理として信じたものと考へてよいかと思ふのである。加之、袁機仲が河圖洛書を疑つて後人の僞作ではないかと言へるに對し、朱子は其の然らざる所以を力說したが、その中に古人の書の眞僞を識別する爲めの二標準を敎へ、河圖洛書は此の二標準に照して決して後人の僞作ならざることを說いて居る。即ち「熹竊謂生於今世而讀古人之書所以能別其眞僞者一則以其義理之所當否而知之、二則以其左驗之異同而質之、未有舍此兩塗而能直以臆度懸斷之者也、熹於世傳河圖洛書之舊所以不敢不信者正以其義理不悖而證驗不差爾、來敎必以爲僞則未見有以指其義理之繆證驗之差也而直欲以臆度懸斷之此熹之所以未敢曲從而不得不辨也」（朱子集卷三八）といふのが是である。河圖洛書は其の義理に於いて悖る所なく、之を事實に左驗して違ふ所がない故、之を信ぜざるを得ないといふのである。今若し天地之間一氣而已云々は河圖洛書のみの思想であつて朱子は之を信ぜず之を眞理とは認めなかつたとするならば、かゝる朱子が觀て以つて眞理ならずとする思想—殊にそれは河圖洛書の根本思想であるが—を含む河圖洛書を以つて、其の義理悖らず證驗差はざるを以つて敢へて信せずんばあらずなどといつて、其の眞理性を是認し推賞する筈がない。彼がその眞理性を是認し推賞した所に、反つてその氣一元的思想がひとり河圖洛書のものたるのみならず、又それは朱子の信じたものであつたといふ證左を得るのである。況んや文集・語類等に於いても幾多の氣一元的主張を爲して居るに於いておやである。

第五の可能なる原因として考へられることは、兩表現形態の孰れか一は朱子自身の思想ではなく、後人の竄入に係るものではあるまいかといふ點である。案ずるに、凡そ太極より陰陽五行萬物の生成を說くは周易・周子に於いて之を見るのであるが、この太極一元的形態は確かに朱子が晩年まで信じた所のものである。若し兩形態の中孰れか一が朱子のものではないとすれば、それは本圖書篇の氣一元的形態の方としなければならぬであらう。從つてこの方が後人の竄入と考へられ易いのである。然るに此の疑は同樣の氣一元的形態が彼の他の著作中に存するや否やを檢することによつて略ぼ解決が出來ると思ふ。今彼の他の著作を檢するに、この形態の語句が可なりに多く存在することに氣付くのである。例へば、かの周易本義にも「天地之間本一氣之流行而有動靜爾以其動靜分之然後有陰陽剛柔之別也」とあり、文集にも、答袁機仲別幅には「蓋天地之間一氣而已分陰分陽便是兩物」（卷三八）とあり、答王子合書には「二氣之分卽一氣之運所謂一動一靜互爲其根分陰分陽兩儀立焉者也」（卷四四）とある。又、語類にも、卷一には「一元之氣運轉流通略無停間只是生出許多萬物而已」註一（道夫錄）とあり、「天地初間只是陰陽之氣這一箇氣運行磨來磨去磨得急了便拶許多渣滓裏面無處出便結成箇地在中央氣之淸者便爲天爲日月爲星辰只在外常周環運轉地便只在中央不動不是在下」註二（淳錄）とあり、卷五三には「天地只是一氣便自分陰陽緣有陰陽二氣相感化生萬物」註三（明作錄）とある。更に又卷七四には「日陰陽雖是兩箇字然却只是一氣之消息一進一退一消一長進處便是陽退處便是陰長處便是陽消處便是陰只是這一氣之消長做出古今天地間無限事來所以陰陽做一箇說亦得做兩箇說亦得」註四（文蔚錄）と見えて居る。其他語類卷一、卷六五等に見ゆる陳安卿・蕭佐・文蔚等の錄にも之と相通ずるものがある。

其他、正蒙の解に於いても亦一氣の存在を信じた迹が窺はれるのである。張子作の正蒙の生成論は太和・參兩の兩篇に見えて居るのであるが、其の中此に特に深關係ありと思はれるものは太和篇中の「氣块然太虛云々」と「游氣紛擾云々」との二章である。此の二章は張子の生成思想を知る爲めに最も大切なる章であるから、朱子も最も意を用ひて其の微旨の闡明に力めて居り、且つ又其の思想の缺點をも指摘して以つて後人をして誤る所なからしめんと努めたのである。かの語類卷九八・九九の兩篇は張子の正蒙・西銘に關する朱子の意見を錄したものであるが、その中正蒙の生成論に關する語の大部分は上述の二章に係つて居るといつてもよい位である。二章とは、

氣块然太虛升降飛揚未嘗止息易所謂絪縕莊生所謂生物以息相吹野馬者歟此虛實動靜之機陰陽剛柔之始浮而上者陽之清降而下者陰之濁其感遇聚散爲風雲爲雪霜萬品之流形山川之融結糟粕煨燼無非敎也

游氣紛擾合而成質者生人物之萬殊其陰陽兩端循環不已者立天地之大義

である。朱子は氣块然太虛云々を說明して、「此張子所謂虛空卽氣也蓋天在四畔地居其中減得一尺地遂有一尺氣但人不見耳此是未成形者……及至浮而上降而下則已成形者若所謂山川之融結糟粕煨燼卽是氣之渣滓」（語類卷九八 道夫錄）といひ、「升降飛揚所以生人物者未嘗止息但人不見耳」（同上、德明錄）といつて居る。朱子が此の氣について升

降飛揚すといひ、渣滓といひ、清濁といひ、形を成すといひ、人物を生ずなどといふより推せば、彼は張子の所謂る太虚に坱然たる氣を以つて微物質と爲したことは想像するに難くない。蓋し無數の微物質氣が太虚に坱然として充滿して居ること、恰も塵の飛揚して際涯なきが如く、未だ聚まつて物形を成さず、常に升降飛揚して未だ嘗て止息しないと考へたのである。張子が「此虚實動靜之機陰陽剛柔之始」といふは、朱子によれば「此兩句只一般實與動、便是陽虚與靜便是陰但虚實動靜是言其用陰陽剛柔是言其體而已」「下文此虚實動靜之機陰陽剛柔之始此正是說陰陽之兩端」(語類卷九八、二枚)の意と解する。故に虚實動靜といひ陰陽剛柔といふは共に陰陽の兩端である。且つ「問升降者是陰陽之兩端飛揚者是游氣之紛擾否曰此只是說陰陽之兩端」(語類卷九八、二枚)といへば、升降飛揚も亦陰陽の兩端である。蓋し此等は皆相對的のもの故に之を陰陽の兩端といふのである。而して此の兩陰陽の關係を見るに「又問始字之義如何曰只是說如箇生物底母子相似萬物都從這裏生出上文說升降飛揚便含這虚實動靜兩句在裏面了所以虚實動靜陰陽剛柔者便是這升降飛揚者爲之非兩般也」(同上)といふ。故に虚實動靜等は升降飛揚より生出するものである。然るに升降飛揚するものは微物質一氣である。この微物質一氣が升降飛揚すると此に游氣が生ずる。「游氣是生物底」「游氣是氣之發散生物底氣游亦流行之意紛擾者參錯不齊既生物便是游氣」「只是晝夜運而無息者便是陰陽之兩端其四邊散出紛擾者便是游氣以生人物之萬殊、某常言正如麪磨相似其四邊只管層々撒出正如天地之氣運轉無巳只管層々生出人物其中有粗有細故人物有偏有正有精有粗」（以上、語類卷九八）。故に萬物は升降飛揚する初めの一氣から直接には生じない。初めの一氣が陰陽となり、更に此の陰陽から游氣が生じ、此の游氣が感遇聚散して風雨となり、雪霜となり、山川萬物となるのである。而して此の游氣を以つて朱子は五行とする。何者、彼は張子の游氣紛擾云々の文を評して「說得似稍支離」といひ、之を改めて當に「陰陽五行循環錯綜升降往來所以人物之萬殊立天地之大義」（語類卷九八、四枚）といふべしと言つて居る。その五行の文字が游氣紛擾云々の游氣を意味して居ることは、兩文を對比して一見明かなことである。加之、朱子の五行は一層渣滓なるもので、之が合して萬物を生ずるのであるが、横渠の游氣をも亦朱子は此くの如きものと爲すこと前に引く所の文の如くであるからである。張子が游氣と呼んだものを朱子は五行と呼んだまでである。されば朱子も萬物は五行より生じ、その五行は横渠の所謂る游氣で、從つてそれは陰陽より生じ、陰陽は一氣より生ずるが、此の一氣はもと太虛に坱然として升降飛揚する一氣であると爲すわけで、横渠と共に一氣の存在を認めたといへるのである。

由是觀之、啓蒙本圖書篇の氣一元的生成思想は亦朱子自身の思想であつて、後人の竄入に係るものでないことは殆んど疑を容れざる所である。然らば次に、第六の可能なる原因として考へられ得ることは、若し兩形態共に朱子自身のものであつたとしても、その孰れか一方は或は早年未定の論で、竟に改定するに及ばなかつたものではあるまいかといふ點である。今孰れか一方が早年未定の論とすれば、先づその氣一元的形態の方がそれではないかと考へられるのである。思ふに、此の疑問は啓蒙爲作の年代と朱子の晩年定說の確立期とを明かにして、兩者を時代的に比較することによつて自ら其の解決は得られるであらう。

抑〻易學啓蒙には淳熙丙午暮春既望の自序がある。丙午は朱子五十七歲の時である。故に此書の完成したのは彼が年五十七歲の頃であつたことが分る。而して彼の思想が圓熟完成したのは實に六十歲の頃であつた。彼は自說の搖ぎなきを見て、六十歲始めて學庸に序したのである。學庸章句の草案の如きは四十五歲以前既に出來てゐたのであるが、常に改訂を怠らず、六十歲漸く「心に穩洽なるを得て」遂に之に序したのである。故に朱子晩年の定說は六十歲に至つて完成したと見てよいのである。勿論四書は終生改訂を怠らなかつたものであるが、その六十歲以後の改訂たるや語句の末節に係るもので、決して彼の根本思想に觸れるものではなかつたのである。然し、言ふまでもなく彼の思想は六十歲成るの日に成つたのではない。その完成には積累の漸があつた。廿節の錄に「問論語或問曰是五十歲前文字與今說不類當時欲修後來精力衰那箇工夫大後掉了」（王懋竑朱子年譜所引）とあり、語錄姓氏には廿節の錄は癸丑以後に聞く所となつて居る。癸丑は朱子年六十四歲である　又、楊道夫の錄に「論語集註蓋某十年前本爲朋友間傳去鄉人遂不告而刊及知覺則已分裂四出而不可收矣其間多所未穩煞誤看讀要之聖賢言語正大明白本不須恁地傳註正所謂記其一而遺其百得其粗而遺其精者也」（語類卷一九）とあり、語錄姓氏には已酉以後所聞となつて居る。己酉は朱子年六十歲の時である。論語集註は朱子四十八歲の時始めて成つたものであり、且つ道夫の錄の文意から推して十年前とは略ぼ朱子五十歲の頃をいふと思はれる。以上の二例から推して五十歲以前と六十歲以後とでは彼の思想に格段の相異があつたことが窺はれる。蓋し彼の思想は五十歲までには未だ圓熟するに至らず、五十以後從來の不備は次第に改訂せられて年と共に圓熟して行つたのである。然し答詹帥書に「伏蒙開喩印書利病敬悉雅意然愚意本爲所著未成次第每經繙閱必有修改是於中心實未有自得處不可流傳以誤後學加以此道年來方爲群小反目云々」(朱子集卷一八)といひ、此書王氏朱子年譜によれば壬寅朱子年五十三歳のものなる故、五十三歳尚未だ其說に自信はなく、幾多改修すべき所があつたのである。又、答胡季隨書に「熹於語孟大學中庸一生用功粗有成說然近日讀之一二大節目處猶有謬誤不住修削有時隨手又覺病生此豈易事若恃一時聰明才氣略看一過便謂事了豈不輕脫自誤之甚耶」(朱子集卷五二)といひ、此書同氏朱子年譜考異によれば癸卯朱子年五十四歳以後間もなき頃のもの故、五十四五歳の頃略ぼ成說を得たが猶ほ一二重要なる點に於いて謬誤あるを發見して改訂を加へねばならなかつたのである。更に答潘端叔書に云ふ「今年諸書都修得一過大學所改尤多比舊已極詳密」(朱子集卷四六)と。又、答詹帥書に云ふ「中庸大學舊本已領二書所改尤多云々」(朱子集卷一八)と。此の二書は共に乙巳のもの、乙巳は朱子年五十六歳である。此の年更に改訂を加へて面目を一新したのである。思ふに此の五十六歳の頃彼の思想は漸く圓熟完成の域に達して自信が生じてゐたから、此の一大改修を斷行したのである。されば翌五十七歳潘恭叔に答へた書には「近年讀書頗覺平穩不費注解處意味深長修得大學中庸語孟諸書頗勝舊本」（朱子集卷四六）註五と述べて心に自得せし所あるの快適を漏らして居るのである。答詹帥書に云ふ「中庸序中推本堯舜傳受來歴添入一段甚詳」（朱子集卷一八）と。此書王氏の朱子年譜には乙巳のものとなつて居る。乙巳は朱子年五十六歲。故に學庸は己酉六十歲心に穩洽なるに至つて始めて序したのではあるが、其の序の草案に至つては既に五十六歲の頃略ぼ出來上つてゐたのである。既に五十六歲の頃序の草案を作つてゐたといふことは其の頃既に自説の完成に近きを信じてゐたことを示すものである。又、五十九歲戊申二月始めて太極圖説解及び西銘解を出して博く之を世に傳へんとしたのもその自説の完全を信ずることが出來たからであつたと思ふ。此等によつて彼は五十六七歲の頃既に自説の殆んど完全に近きを自覺してゐたことが推知出來るのである。かの王懋竑は語類に載する所の朱子の「六十一歲方始無疑」の語を以つて「謙己誨人有而不居之辭」註六と爲し、六十一歲以前早く既に其の説が完成してゐたことを述べて居るのである。以上に由つて之を觀るに、朱子の思想は五十歲以前は早年未定の論といふべく、五十歲乃至五十五歲頃に於いて其の未定の説は大いに改修せられて殆んど晩年の定説に近づき、五十五歲乃至六十歲に於いて更に之を精錬して、此に晩年の定說は完成したといふことが出來る。彼の定說は六十歳に至つて全く完成したのではあるが、然しその大體は既に五十六七歳の頃に出來上つてゐたのである。かの夏炘は「朱子一生之學大定於己丑以後」といつて、[註七]己丑四十歳を以つて朱子學說の定未定を分つて居る。夏炘は朱子の學に凡そ三轉ありとし、十五六歳延平に見えし時に一轉し、三十六七歳に再轉し、己丑四十歳に三轉したと爲し、此の第三轉以後を定說とするのであるが、[註八]之は主として朱子の中和の說・已發・未發の說についていふのであつて、朱子の思想全體の完成に就いて言ふのではない。李紱は五十一歳以後を以つて晩年の定論として居るが、[註九]之は稍や早きに失するの嫌がある。陳建が五十八歳以後を以つて晩年の定論として居るのは[註一〇]當れるに近いかと思ふのである。而して易學啓蒙の書が朱子五十七歳に成つたものであることは上述の如くであるから、此の書は彼の思想が漸く圓熟に達して定說が殆んど完成せんとする頃に成つたものである。故に易學啓蒙に見はれた彼の說は決して早年未定の論ではなくて、反つて晩年の定說か、或は殆んど定說に異ならぬものであるといつてもよいのである。從つて同書本圖書篇に見ゆる氣一元的形態は、彼が晩年尚ほ且つ執つてゐた所のもので、反つて彼の定說と見てよいのである。尤も朱子は劉君房に答へた書に於いて「啓蒙自今觀之如論河圖洛書亦未免有賸語」(朱子集卷五八)と云つて居る。此の書は王氏の説によれば慶元乙卯後のものであるから朱子六十六歳以後のものである。彼が六十六歳以後に於いて啓蒙を見た時、本圖書篇に尙ほ賸語の有るを發見したのであるから、其の時尙ほ啓蒙の文には彼の意に滿たざる所があつたことは明かである。しかしながら、若し其の所謂る賸語を以つて直ちに天地之間一氣而已云々を指すと爲し、其の賸語たる所以は彼は晩年に於いては專ら太極一元を信じて氣一元的思想は信じなかつたからであるとい ふならば、それは稍や極端の論かと思はれる。何者、太極一元が朱子の唯一の根本思想であるならば、太極に代ふるに一氣を以つてするが如きは彼に於いては絶對に許し得ざる思想である。之を許せば太極一元の自説は之を放棄せねばならず、自説を成立させんが爲めには之を葬り去らねばならぬほどの重要性を有つものである。故に其の思想は彼によつて飽迄も否定し排撃せらるべき性質のものである。なまやさしく唯だ單に賸語などと云つて放置せらるべきものではない。それにも係らず、彼は唯だ單に漠然と賸語あるを免れずといふのみにて、その賸語がかの氣一元的語句を指すとの片鱗をさへ示さざるのみならず、何ものを指して朧語となすや、人をして甚だ知り難く曉り易からず、ひいては氣一元的思想も亦朱子の思想であるとの誤認をさへ惹起せしめるやうな、そんな曖昧な言ひ方をして居ることは到底理解し得られぬ所である。されば依然として本圖書篇の氣一元的形態は朱子晩年のものであると信ぜざるを得ないのである。朱子が袁機仲に答へた書は文集に載れるもの前後十一あるが、孰れも皆易を論じ、其の應答する所互に相關係し相類似して居る點から推して、恐らくは十一書悉く殆んど同時のものと思はれる。而して其の中五條目を提擧して答へた一書は、其の末尾に啓蒙の爲作せられた所以を述べて居る點から推して、恐らくは朱子五十七歳又はそれ以後のものであると思はれる。王懋竑は此の一書を朱子五十七歳のものとして居るのである。此の一書既に五十七歳頃のものであるとすれば、他の十書も亦五十七歳前後のものと推定出來る。果して然らば前に引く所の答袁機仲別幅に所謂る「蓋天地之間一氣而已分陰分陽便是兩物云々」も亦朱子晩年の說であるといふことになる。朱子は袁機仲と易を論じて論難應答實に前後十一回の多きに及んだわけであるが、互に自說を固持して毫も譲らず、到底一致する所がなかつたので、遂に朱子は「今既未蒙省察執之愈堅則區々之愚尙復何說・竊意兩家之論各自爲家公之不能使我爲公猶我之不能使公爲我也不若自此閉口不談各守其說以俟羲文之出而質正焉」(朱子集卷三八)とさへ言つて居る。袁機仲に應答した自説に關しては、彼はかくも儼然固執して一歩も譲る所がなかつたのである。朱子が自説を信ずることの如何に深かつたかゞ窺ひ知れる。而もその應答中の一書に於いて、此の氣一元的主張が行はれて居るのであつて見れば、此の思想は固より彼の深く信ずる所のものであつたと考へざるを得ないのである。

以上論ずる所によつて之を觀れば、易學啓蒙本圖書篇の氣一元的主張は、決して朱子早年未定の論でもなく、又賸語でもない。否、反つて朱子晩年の定論で、彼の固く信じて一歩も譲らなかつたものであつたといつてよいと思ふのである。

第七の可能なる原因として考へられ得ることは、或は朱子が兩者の矛盾に氣付かずして二者を並べ説いたのではあるまいかといふ點である。しかしながら、此の兩思想が矛盾して居る位のことは常人に於いても亦極めて容易に氣付かるゝことである。況んや朱子の聰明を以つてしてこの見易き矛盾に氣付かぬ筈はないと思ふ。其の本體生成論は彼の最も重んずる實踐哲學に確固不動の理論的根據を與へん爲めに構成せられたものであるから、彼がその構成に力を極めたのも當然のことで、實に微に入り細を穿つて、深き統一と廣大なる組織とを有つて居る。かゝる本體生成論に於いて、若し此の兩者が矛盾相容れぬものならば之に氣付かぬ筈はないと思はれる。それも此の兩者が互に相顧み得ざるほどに遙かに時をへだて、處を隔てゝ偶〻唱へられて居るのならば、或はその矛盾に氣付かなかつたといふこともあり得ようが、啓蒙の一書中、氣一元的生成を說く本圖書篇第一と、太極一元的生成を說く原卦畫篇第二とは、互に篇こそ異にすれ、節に於いては相隣りして極めて近く、其の間相去る僅かに數行に過ぎぬのである。しかも此の兩篇たるや、互に相顧みて彼を以つて此を解し、此を以つて彼を闡かにして、兩者の思想の相通じ相類する所を比較闡明したものである。兩篇の關係此くの如く近密に、兩節の距離亦此くの如く隣接せるにも係らず、尙ほ彼が此の相容れぬ兩者の併存に氣付かなかつたとはどうしても考へられ難い所である。加之、朱子が太極一元的形態と氣一元的形態との兩者を同一書中に並說せることは、ひとり易學啓蒙に於いて之を見るのみではない。周易本義の一書に於いても亦之を爲して居るのである。即ち乾卦文言傳の本義には「天地之間本一氣之流行而有動靜爾……以其動靜分之然後有陰陽剛柔之別也」といつて居る傍ら、繫辭上傳の「是故易有太極是生兩儀」

の本義に於いては「一毎生二自然之理也易者陰陽之變太極者其理也」といつて居るのが是である。況んや其他の彼の著書・文集・語類等に於いて此の兩形態が可也多く併せ說かれて居るのを見れば、思ひ半ばに過ぐるものがあらうかと思ふ。

以上を要するに、七條の可能なる原因を想定して互に矛盾せるかの本體概念の二表現形態の併存する所以を考察して見たのであつたが、その孰れの場合も皆首肯し得るだけの結果は得られなかつた。獨り豫期の結果が得られなかつたのみならず、此の兩形態が共に朱子晩年のものであり此の兩形態を併說することが反つて彼の眞意であつたといふやうなことが明かとなつて來たのである。

註一　語錄姓氏云　已酉以後所聞已酉朱子年六十歲。
註二　語錄姓氏云　陳淳字安卿臨漳人庚戌己未所聞蓋庚戌朱子年六十一歲己未年七十歲。
註三　語錄姓氏云　壬子以後所聞壬子朱子年六十三歲。
註四　語錄姓氏云　陳文蔚字才卿上饒人戊申以後所聞蓋戊申朱子年五十九歲。
註五　朱子論學切要語云丙午。
註六　王懋竑著、白田草堂存稿卷一三、答朱宗洛書。
註七　夏炘著述朱質疑卷四、朱子己丑以後更定中和舊說攷。
註八　同卷五、與胡琡卿茂才論學蔀通辨及三魚堂集答秦定叟書書。
註九　李紱　朱子晩年全論參照。
註一〇　陳建　學蔀通辨前編參照。

第三章　本體概念の二表現形態に於ける內面的統一性

第一節　二表現形態の內面的關係

前章の論究によつて私の到達し得た結論は次の如くである。卽ち朱子の哲學に於いて發見せらるゝ本體概念の二表現形態、卽ち太極一元的形態と氣一元的形態とは、共に朱子めもので、而も朱子が定說として固く信じてゐたものであつて、彼は此の兩者を晩年まで並べ併せて主張したといふこと是である。私は此の結論の上に立つて、更に推究の步を進め、以つて彼の本體概念へ若干の接近を試み度いと思ふ。

抑も此の兩形態が互に外面的に矛盾相容れざる底のものなることは改めて述べるまでもないことである。兩者が矛盾相容れざる底のものであるにも係らず、尙ほ且つ朱子が此の兩形態を晩年まで併說したといふ事實、殊に易學啓蒙・周易本義等に於いては一書の中に此の兩者を並擧して、彼此互に相顧み易からしめて居る事實は果して何を物語るであらうか。若し朱子に於いて此の兩者が如何なる意味に於いても矛盾するものであつたのならば、彼が晩年まで此の兩者をかくの如くに併說したことはどうしても諒解することが出來ない。彼が之を併說した所に此の兩者が必ずや彼に在つては何等かの意味に於いて調和あり統一あるものであつたに相違ないとの感を起させるものがある。同一の陰陽が、或は太極から生ずといひ、或は一氣から生ずといふ。此の兩者は如何なる意味に於いて調和し統一せられてゐたのであらうか。此に於いてか私は先づ朱子が他の事物の說明に用ひた之と同樣の二表現形態を吟味して其の眞意を把捉することが、その解決に大きな效果を齎らすであらうことを思ふのである。

一　知覺に就いて

先づ知覺についての朱子の說明形態を見よう。朱子は知覺を分つて視・聽・嗅・味等の感官的知覺と、眞理の認識との二種とし、後者は前者に比して遙かに大にして深く、高尙にして複雜なるものであるが、しかし此の兩者は本質的には決して異なるものではないと考へて、答張欽夫書に於いては「上蔡所謂知覺正謂知寒暖飽飢之類爾推而至於酬酢佑神亦只是此知覺無別物也但所用有小大爾」(朱子集卷二四、又論仁說)といつて居る。然らば本質的に同一なる此の知覺は、如何にして發生し來るといふのであらうか。朱子はこの語に次いで「然此亦只是智之發用處」といつて居る。更に語類卷五には「所知覺者是理理不離知覺知覺不離理」(枚三)といひ、同卷六には「覺自是智之用(枚十九)といつて居る。又、吳晦叔に答へても「若夫知覺則智之用而仁者之所兼也……仁者五常之長故兼禮義智信此仁者所以必有知覺而不可便以知覺名仁也」(朱子集卷三八第十書)といひ、孟子綱領にも「且性之爲體正以仁義禮智之未發者而言不但爲視聽作用之本而已也」と主張して居るのである。されば朱子に在つては知覺は實に性中の智の理より發生し來るものと考へたのである。

然るに試みに語類卷三を見んか、其處には「見於目而明耳而聽者是魄之用」(枚八)の語を發見するであらう。更に又、答梁文叔第四書を觀んか、其處には「鼻之知臭口之知味非魄耶」(朱子集卷四一)との主張を見る。是れ知覺を以つて魄の作用と爲すものである。魄は彼に在つては魂と同じく微物質氣に外ならぬ。[註一] 故に此等の主張は知覺を以つて氣より發生するものと爲すのである。されば林德久に答へた第六書に於いては「知覺正是氣之虛靈處」(朱子集卷五九)といひ、廖子晦に答へた第二書に於いては「所謂精神魂魄有知有覺者皆氣之所爲也」(朱子集卷四二)といつて居る。其他、答程正思第十六書、語類卷三閎祖の錄(四枚)、同卷四枅の錄(四枚)等に見ゆるもの亦皆此の思想である。

由是觀之、朱子は同一の知覺を或は理より生ずと爲し、或は氣より生ずと說くのである。此の兩主張は明かに矛盾相容れざるものたることは、恰も彼の本體論に於けるかの二形態と同樣である。それにも係らず、彼は敢へて此の二種の表現形態を並べ併せて用ひて居るのである。されば此の兩形態は少なくとも朱子に在つては何等かの意味に於いて內面的に統一調和あるものであつたに相異ない。果せる哉、語類卷五には「問知覺是心之靈固如此抑氣之爲耶曰不專是氣是先有知覺之理理未知覺氣聚成形理與氣合便能知覺」(三枚、陳淳)といひ、「所以覺者心之理也能覺者氣之靈也」(三枚、甘節)と明言して居るのである。卽ち朱子が同一の知覺を、或は理から生ずといひ、或は氣から生ずといつて、說明上態〻二種の表現形態を用ひたのは、其の眞意は知覺は、理のみからも生せず、さりとて又氣のみからも生せずして、實に理と氣との共働によつて始めて生ずることを意味して居つたのである。兩表現は夫〻獨立的形態を備へては居るけれども、其の實各〻は獨立しては未だ完からず、兩者を合せ考へて始めて其義は全きを得るのである。されば朱子が知覺の生成を說くに當つて、かく理一元的と氣一元的との兩種の形態を取つた所以は、朱子の腦中此の兩種の思想が獨立に存在して居つた爲めではなくて、實に知覺は理と氣との共働から生ずるといふ彼の全一思想を、便宜分析抽象して之を二方面から夫〻說明したまでであつたのである。朱子の本體論に於ける二表現形態も亦全く之と同樣のものであつたと思ふのである。

二　人心・道心に就いて

朱子が全一の思想であるものを、便宜上分析抽象して恰も互に獨立せるものの如くに說いたことは、獨り知覺に於いて之を見るのみならず、彼が人心を說き道心を論ずる際に於いても亦同樣であつたのである。彼は人の心を分つて人心と道心との二つとしたのであるが、人心とは「且以飮食言之凡饑渴而欲得飮食以充其飽且足者皆人心也」（語類卷六二一〇枚）で、肉體的欲望を指すのである。中庸章句序には「心之虛靈知覺一而已矣而以爲有人心道心之異者則以其或生於形氣之私或原於性命之正而所以爲知覺者不同云々」といひ、語類卷六二には「問或生於形氣之私曰如飢飽寒煖之類皆生於吾身血氣形體而他人無與所謂私也」（八枚）と述べて居る。是れ人心を專ら形氣肉體より生ずるものと主張するのである。

しかるに彼は又他方に於いて、人心が氣のみからは生ぜずして實に性の理との共働によつて始めてよく生ずるものと爲して、語類卷六一には「惟性中有此理故口必欲味耳必欲聲目必欲色鼻必欲臭四肢必欲安佚自然發出如此」(六枚)と云つて居るのである。之が朱子の本意であるが、説明に當つて便宜分析抽象してその一面を説き出したのがその氣一元的形態である。その氣一元的形態は一見獨立せるものの如くであつても、其の實は全一思想の半面を表はすに過ぎないのである。

更に彼が道心を説くを見るに、四端の如き道德的感情を指して之を道心といふ。而して此の道心の由つて生ずる所のものを本然之性・理と考へたことは前に引く所の中庸章句序に「原於性命之性」といへるによつて知らるゝのみならず、孟子の四端を以つて性中の理・仁義禮智の端と爲して「惻隱羞惡是仁義之端惻隱自是情仁自是性性卽是這道理仁本難説中間却是愛之理發出來方有惻隱義却是羞惡之理發出來方有羞惡禮却是辭遜之理發出來方有辭遜智却是是非之理發出來方有是非仁義禮智是未發底道理惻隱羞惡辭遜是非是已發底端倪」(語類卷五三、十枚)などといへるに見ても明かである。若し彼の此の種の主張にのみ卽すれば、彼は道心の發生を專ら理の一元に歸せるが如くに思はれるのである。然るに彼は又曰く、「人性雖同稟氣不能無偏重有得木氣重者則惻隱之心常多而羞惡辭遜是非之心爲其所塞而不發有得金氣重者則羞惡之心常多而惻隱辭遜是非之心爲其所塞而不發水火亦然唯陰陽合德五性全備然後中正而爲聖人也」(語類卷四、一九枚)と。或特定の氣の多寡存否によつて、或特定の道心の發動に大小有無を生ずるといふのであるから、道心は氣の共働を俟つて始めて發動すると爲すことは明かである。道心と雖も理と氣との共働から生ずると爲す此の思想は彼の本意であるが、その一面を分析抽象して說き出したものが卽ちかの理一元的形態となつたのである。

かくて人心・道心共に理氣二元の共働より生ずると爲す朱子の全一思想は、その說明に當つては或は理一元的或は氣一元的の形態をとつたのである。たとひ其の表現に獨立自全の如き觀ある形態が用ひられたにしても、其の實孰れも理氣共働といふ全一思想の一半面を表現する抽象部分論に過ぎないのである。其の一つの表現形態を目して直ちに朱子の該思想全部の表現と斷ずるわけにはいかぬのである。彼の本體論に於ける二表現形態も亦全く之と同樣のものであつたと思ふのである。

朱子が同一の陰陽の生成を說くに當つて、太極一元的と氣一元的との兩表現形態を用ひたことを、上述の知覺・人心・道心の說明形態に思ひ合はせて考へて見るに、その二形態は夫々獨立しては其義未だ全からず、兩者を併せ考へて始めて其義は全きを得る底のものである。其の本意は陰陽は太極のみからも生せず、さりとて又一氣のみからも生ぜずして、實に太極と一氣との共働から生ずると考へたのである。太極と一氣との共働より生ずるといふ彼の全一思想を、便宜分析抽象して太極の上より說いたものが太極一元的形態となり、一氣の上より說いたものが氣一元的形態となつたのである。此の兩形態はそれ自體としては孰れも外形上は獨立して恰も各自に於いて絕對的一元論の觀をなし、互に他を容るゝの寸隙なきものの如くであるが、朱子の思想自體に立つて之を眺めるとき、此の兩形態は必ずしも各〻が絕對的一元の義を執つて他を排するが如き性質のものではなく、兩者は內面的には調和統一あるものであつたのである。故に彼の氣一元的形態は其の裏面には太極一元的思想を包含し、その太極一元的形態はその裏面には氣一元的思想を包含して居るのである。生成を說くに當つて其の主とする所が或時は太極に在り、或時は一氣に在つたが故に、或は太極から說き起し、或は一氣から說き起したので、太極顯れて表面に立てば、一氣は隱れて裏面に在り、一氣顯れて表面に立てば、太極は隱れて裏面に在つたのである。說明表現に際しては彼此互に隱顯表裏を爲したとはいへ、朱子自身の胸中に入つて見れば、兩者は常に相並び相合して調和統一ある全一思想を形成してゐたのである。

註一 拙著朱子の哲學第三篇第一章第一節二ノ二魂魄論參照。

第二節 陰陽と太極・一氣との關係

以上の如く考へ來つて、私は朱子の所謂る陰陽が太極と一氣との共同作用から生じて來るものであるとの結論に到達し得た。此に於いてか更に進んで私は太極と一氣とが如何なる關係共働によつて陰陽を生ずるかを探求しなければならない。併しその豫備として先づ朱子の所謂陰陽の概念を吟味しなければならぬ。

一 陰陽の概念

古く陰陽の文字の用例を見るに、其の內容は實に千差萬別であつて、使用範圍の廣いのには驚かされるのである。その一例を擧げて見ると、日之所照・日之所不及、山の南北、水の北南、山の東西、晝夜、日月、寒暑、隱顯、明闇、內外、開閤、淸濁、動靜、語默、公私、昇降、天地、上下、左右、四時、四方、天地の氣、天地の德、剛柔、生死、大小、夫妻、父子、君臣、德刑、前後、表裏、男女、望弦、晦朔、輕重、氣質、奇偶、仁義禮智、正偏、善惡等枚擧に遑がないのである。[註一]而して時代の推移と共に次第に其の使用範圍は擴大せられ、後世に至るに及んでは相對的名稱として遂に一切の事象に適用せられ、天地の間陰陽を出でずとさへ考へられるに至つた。程子の如きは「天地萬物之理無獨必有對、皆自然而然非有安排也每中夜以思不知手之舞之足之踏之也」(遺書)といひ、朱子も亦「陰陽盈天地之間其消息闔闢終始萬物觸目之間有形無形無非是也」(蘇氏易解辨)とさへいふに至つた。されば其の或は陰と呼び或は陽と呼ぶ所以の根據原理の如き、一見發見し難き感がある。しかし孰れを陰とし孰れを陽と爲すかは各人の勝手任意によるのではない。其處には陰陽を分つ所以の普遍妥當的原理がなければならぬ。然らばかゝる原理は何であらうか。私は先づ陰陽兩字の發生的意義を原ねて見度いと思ふ。

抑〻陰陽の文字は侌・昜が阝を得て出來たものであることは一見して明かである。その侌は說文には「古文或省」といひ、𠆼を擧げて「亦古文霒」といつて居る。侌と𠆼とは同字なること明かであり、云は雲と同じく、從つて侌と霒とは全然同一要素より成る同字にしてその同義たることも明かである。而して霒は説文には「雲覆日也从雲今聲於今切」とある。故に許愼は雲覆日を以つて侌の本義と爲したもので、朱氏が解して「見雲不見日也」といへるは説文作者の意を得たものといふべく、説文は朱氏と共に侌の字の主意を雲其者に在りとなさず、雲出でて日を見ざる義即ち曇りて幽闇なる義に在りとなせることを知るべきである。(註二) 而して昜は説文に「開也從日一勿」とあり、段注には「闢戸謂之乾故曰開也從勿者取開展意」といつて居る。朱駿聲は「雲開見日也」(説文通訓定聲)といひ、高田忠周氏は「日出テ開明ナリ。此レ旦ニ從フ。勿ハ朝輝ノ軌々タル意ナリ」(漢字詳解)といひ、朱氏の説の亦通ずることをもいはれて居る。思ふに其の旦に從ふは恐らくは日の現はれたるを示し、勿は燦然として射る日光を表はすものであらうし、且つ昜の對たる侌を以つて許愼は雲覆日也の義と爲せるを併せ考へると、説文に開也といふは其義朱氏の説に從ふべく、かくて私は侌は雲日を覆うて幽闇なるを以つてその本義とし、昜は日見はれて開明なるを以つて其の本義とすると考へて置き度い。換言すれば幽闇の義を表はさんと欲して侌の字が制定せられ、開明の義をあらはさんとして昜の字が創制せられたものと考へるのである。

次に陰陽の文字に就いては、説文に「陰闇也水之氣也水之南山之北也从𨸏侌聲」とあり、「陽高明也从𨸏昜聲」とある。陰に水之氣也といふは陰の一字素云(雲)について義を爲す。しかし此の雲其ものを陰の主意とは爲さず、この云見はれて起る闇を以つてその主意とする。故に陰は闇なりと先づ斷じ、又水の南・山の北なりとその闇の存在する場所を示したのである。その陽に水之北・山之南をいはざるは、陰より推して知るを得るからであらう。その阝は古文𨸏に作り、説文には「大陸也山無石者象形」といふ。蓋し陸は高平の地、故に厂を以つて山石の厓の巖にして高平なる表はし、彡を以つて岩層の重厚を表はせるものであらう。註三 是の故に昜は阝を得て高平なる地が日見はれて開明なるを表はし、侌は阝を得て高平なる地が日見えずして幽闇なるを表はすと爲すことが出來る。卽ち日の隱顯によつて起る明暗を表現せんとして侌昜の文字が造爲せられ、更にその明暗を山水の高平なる地に於いて認め、その高平なる地の明暗を表現せんとして此に陰陽の文字が造られたと思はれる。陰陽兩字の義中には山水の高平なる地が入り來るのではあるが、然しこの字の作爲せられた動機は、山水の高平なる地そのものよりも寧ろ明暗の方に重きがあつたので、説文に陰闇也、陽高明也といふも恐らく此の輕重を認めてのことであらう。そこで陰陽の文字も其の主たる意は依然として会易に在つて、從つて明暗が本來兩者を分つ主たる根據であるといへる。陰陽の本義は實に此に在る。[註四]

後世凡そ事物を相對的に見て陰陽の二者に分つものの中、此の明暗の原義がその分類原理となれるものの甚だ多いのは當然のことである。中には明暗を以つて直接の分類原理とはなさずして、之とは異なれる他の原理を以つて分類の直接根據と爲すものがある。しかしながら仔細に之を觀察するとき、それ等の中にも何等かの關聯に於いて明暗の原義と關係を有つものが甚だ多い。此等は畢竟は明暗が其の究局の原理となれるも、この原理から幾段階の類推を經て居る爲めに、直に明暗がその原理たることを知り難いのである。日之所照と日之所不及、晝夜、日月、山の南北東西、水の南北、内外等は明暗を以つて根據と爲すものの中の明瞭なるものであるが、天地、寒暑、四時、上下、左右、四方、表裏、前後、公私、清濁、輕重、開闔、隱顯の類は亦明暗が其の根據となつて居ると見ることが出來る。寒暑は溫度の高低をいふものであるが、溫度の高低は日光の强弱明暗を意味する。春夏を陽とし秋冬を陰とするも、東南を陽とし西北を陰とするも亦之と同じ。天と地、上と下は天・上は明にして地・下は暗なるが故に之を分ち、左を陽・右を陰とするは南面すれば左は東にして明、右は西にして暗なる故なるべく、表裏前後亦此くの如し。其他公私等皆明暗と相通ずるものがある。男女の如きも、思ふに男は常に屋外の明に在つて活動し、女が常に室內の暗に在つて靜かなるより之を陰陽に分つに至つたものであらう。既に男女を陰陽に分てば、之より男性的・積極的なるを陽とし、女性的・消極的なるを陰と爲すことも起り、また之が陰陽を分つ根據ともなつたのである。

次に數の奇偶にも陰陽が言はれる。周易では奇數を天の數として陽とし、偶數を地の數として陰としてあり、一般に亦之が信ぜられて來たのである。その奇數を陽とし偶數を陰とする所以の根據は果して何であらうか。一見その原理は見出し難い觀があるが、しかしこれとても結局は明暗を以つてその究極の原理とするものではなからうか。蓋し、數の始めを說く朱子の說によれば「凡數之始一陰一陽而已矣陽之象圓圓者徑一而圍三陰之象方方者徑一而圍四圍三者以一爲一故參其一陽而爲三圍四者以二爲一故兩其一陰而爲二是所謂參天兩地者也」(易學啓蒙本圖書)といふ。其の意は陽の象は圓であり、陰の象は方である。圓は直徑一にして周圍三、方は直徑一にして周圍は四である。圓の周圍三に於いてはその各自の一は獨立して耦を爲さぬが故に一奇は三にして三となり、方の周圍四に於いては上と下とが一耦を爲し、左と右とが亦一耦を爲すが故に、一耦が二にて二となるといふのである。今朱子の言ふが如くであるとすれば、一・三は陽の象より得た數であり、二は陰の象より得た數である。かくて推して一般に奇數を陽とし偶數を陰とする考が生ずるわけである。然るに陽の象を圓とし、陰の象を方とする所以は、天の象を圓とし地の象を方とするに基くものである。而して天の陽地の陰なる所以は明暗に據ると考へ得るのであるから、奇數の陽、偶數の陰は究極に於いては明暗がその原理となつて居るといふことが出來る。

以上述べた所によつて、凡そ物象を陰陽に分つ所以の原理が明暗であることは大體明かとなつたと思ふのであるが、然しそれはこの明暗が常に如何なる場合にも直接の原理としてはたらくことを意味するのではない。明暗以外に原理となるものは多い。又、一つの物象について陰陽をいふ場合、それの原理となるものは必ずしも一つとは限らない。色々の異つた原理から陰陽に分たれる場合もある。天地は明暗によつても陰陽に分ち得るが、周易に於ける如く剛健柔順・積極消極の性質によつても亦陰陽に分ち得る。春夏秋冬も明暗の外其の舒暢積極性と收斂・消極性とによつても亦陰陽に分ち得る。此等の類は他にも多いのである。然しそれ等の諸原理も要するに明暗なる原理から派生したものと考へられ得るように思ふ。而して明暗以下の諸原理は畢竟は知覺的性質であるから、凡そ陰陽は知覺的性質相互の反對對立の上に立つて呼ばるゝものであるといへる。而して此の場合或は此の相對的な知覺的性質其自體について陰陽をいふものがある。明暗・剛柔・清濁等にいふ陰陽は卽ち是である。或は又かゝる相對的な知覺的性質を所有すると考へられる物象について陰陽をいふことも甚だ多い。晝夜・天地・東西・君臣・父子・仁義禮智の類にいふ陰陽は卽ち是である。凡そ一切の陰陽は此の二つの場合孰れか一を出ないと思ふ。而して陰陽の名づけらるゝ所以の原理が相對的な知覺的性質である故に、それは當然に時間と空間との世界に於いて考へられ、從つて一切の陰陽も亦時間と空間との世界に於いて考へるのである。されば朱子は其の空間に於いて考へられたる陰陽を位を以つていふものとなして之を定位底といひ、其の時間に於いて考へられたる陰陽を時を以つて言ふものとなして之を流行底といつて居[註五]る。其の定位底といふは物象の占める空間的位置の對立に於いて考へられたもので、上下・高低の縦の擴がりと、前後・左右の横の擴がりとの中に於ける空間的位置の對立に於いて觀られたものであつて、縦の擴がりに於いて觀るを堅看と呼び、橫の擴がりに於いて觀るを橫看といつて居る。[註六]其の流行底の陰陽といふは、往來する寒暑、交代する晝夜の如く、兩者の異時的存在なるが、然も其の間には互に對立性を有ち、しかも兩者の間には些の間隙なく、時間的連續繼起を爲すもので、兩者は本質的に一なる氣の流行に過ぎぬと考へて、「陰陽若論流行底則只是一箇」「陰陽作一箇看亦得做兩箇看亦得若論流行底則只一箇消長而已如一動一靜互爲其根是也……若說流行處却只是一氣」（語類卷六五一枚）といつて居るのである。

而してまた一動一靜互爲其根といふように、其の時間的繼起又は時間的變化には因果的關係のあるもので、動は一轉して靜となり、靜は一轉して動となるが如くに見えるけれども、其の實は決して然らずして動の中に既に靜の根があり、靜の中に已に動の根があるのである。動の根は動ではなく、又靜でもない。靜の根は靜ではなく、また動でもない。根は動靜孰れにも屬せずして然も之を含むものである。此の根あるが故に動はよく靜となり、靜はよく動となり得るといふのである。而して此くの如き異時的對立、時間的繼起、因果的關係を有する此の種流行底の陰陽は、唯だ單に一回限り現はれ來る底のものに非ずして、永遠に反覆循環せらるゝも、のである。晝去つて夜來れば此に一つの對立繼起は完成すれども、唯だ此の一回のみで息むのではない。それは反復循環してその對立は永遠に繰り返されて行くものと考へたのである。而して此等の定位底・流行底の陰陽も、亦空間的又は時間的關係がその陰陽を分つ究極の原理となつてゐるのではない。尤も空間的位置の對立に於いて呼ばるゝ陰陽は、上下・左右等の空間的關係が陰陽決定の原理となつて、上・左の空間及び其の位に在るが故に之を陽となし、下・右の空間及びその位に在るが故に之を陰となすのであるが、しかしこれとても更に溯れば明暗が根據となつて居るのである。又、かの時間上の晝夜春秋等も之と同樣で、推しつめて見れば明暗がその陰陽を分つ根據となるのである。

抑〻一つの知覺的性質は之と對立に置かるる他の知覺的性質の如何によつて、其の相對的價値を變ずるものである。從つてかゝる知覺的性質の相對性に基づいてなさるゝ陰陽てふ名稱の適用も亦自ら變化せざるを得ない。明は暗に對しては明であり陽であるが、より強度の明に對しては暗となり陰となる。暗も明に對しては暗であり陰であるが、より強度の暗に對しては明となり陽となる。東もより東に對しては陰となり、西もより西に對しては陽となる。さればたとひ一つの知覺的性質又は此の性質をもつと考へられるところの物象自體が一つの變らざるものであるにせよ、之に附與せらるゝ陰陽の名稱は決して一樣不變ではない。唯だ此の名稱が附與せらるゝに當つて對立的に考へられた或特定の他の相對的性質又は物象が取り換へられざる限りに於いてのみ常に固定不變であるといひ得るのみ。若し一度び之とは異なれるものをその對立として選ぶ時、或は今までの陽は陰となり、陰は陽となり、陰陽の稱呼は轉倒變化するに至るかも知れないのである。朱子が太極圖說解に於いて、同一の五行の質も之を三つの異なれる立場よりして、水は或は陰・或は陽・或は陽となり、火は或は陰・或は陽・或は陰となり、木は陰・陰・陽となり、金は陰・陰・陰となるといひ、また同一の五行の氣も木は陽・陰・陽となり、火は陽・陽・陽となり、金は陽・陰・陰となり、水は陽・陽・陰となると說いて、其の陰陽の名稱が時によりて變化することを主張して居るのは其の例である。そして對立として選ばれる知覺的性質又は之をもつと考へられる物象は無限に異なり得るが故に、一つのものの陰陽を決定すべき立場は無限に存するといはねばならぬ。而して異なれる各立場によつて生ずる無數の陰又は陽は、たとひ其の名稱は陰陽の二字を出ないにしても、それが各々立場を異にせる限り何等かの意味に於いて一々は異なるものと考へなければならぬ。かくて或る一つの知覺的性質又は之をもつと考へらるゝところの物象は、それ自體無限に多くの相對的立場を有ち、從つて又無限に多くの陰陽を包含するものである。換言すれば、一つのものは無限に多くの陰陽の統一點であり、また無限に多くの陰陽に變化するのである。しかし一つのものが無限に多くの陰陽を包容するとしても、それ等無限の陰陽は畢竟は陰又は陽の孰れか一方に統括せられ得るものである。故に陰の中にも無數の陰があり、陽の中にも亦無數の陽がある。所謂る陰又は陽の名稱は、此等の異なれる無數の陰又は陽を總括包含するものである。又、或一つの立場によつて陰又は陽であつても、それはそのまゝにして立場の異なるにつれて無限に多くの陰となり陽となる故、陰の中にも無限に多くの陰陽があり、陽の中にも亦無限に多くの陰陽があるといへるのである。更に之とは稍や趣を異にして、陰の中に陰陽があり、陽の中にも陰陽が有ると考へられたものがある。それは既に陰又は陽と呼ばるゝ一つの物象の中に陰陽を含むものである。上述のものは一つのもの全體を他との對立に置いた場合であるが、此の方は一物象を他との對立に立たしめるのではなく、一物象の中に有つ所の部分相互の對立より來る場合である。語類卷六五に、「曰一物上又自各有陰陽如人之男女陰陽也逐人身上又各有這血氣血陰而氣陽也如晝夜之間晝陽而夜陰也而晝陽自午後又屬陰夜陰自子後又屬陽便是陰陽各生陰陽之象」(三枚)といひ、「統言陰陽只有兩端而陰中自分陰陽陽中亦有陰陽乾道成男坤道成女男雖屬陽而不可謂其無陰女雖屬陰亦不可謂其無陽人身氣屬陽而氣有陰陽血屬陰而血有陰陽」(十一枚)といふは是である。凡そ一物象は皆此くの如き陰陽を内に有つものと考へられたのである。

由此觀之、陰陽は一つの知覺的性質又はこの性質を有つと考へらるゝ所の物象を中心として無限に多く存在し、無限に複雜なる關係を保つて互に出入錯綜し、無限の變化を藏するものと考へられたのである。

之を要するに、凡そ陰陽は知覺的性質の或一つと、更に之と對立するものとして考へられた他の一つとの此の兩性質の相對的關係を認める立場から、此の兩性質其者を呼ぶ場合と、更にかゝる相對的知覺的性質を有つと考へらるゝ所の兩物象を相對的關係に於いて呼ぶ場合との二つがある。而して後者の場合、かゝる物象が陰陽と呼ばるゝ所以は、その物象が陰陽と呼ばるべき相對的知覺的性質を有つが故に、その性質についていふ所の陰陽を移して物象自體にも亦陰陽をいふのである。故に陰陽の內容は前者の場合に在つては知覺的性質自體であるが、後者の場合はかゝる知覺的性質を有つ所の物象が陰陽の內容となるのである。而して吾人の知覺は主觀客觀・物器非物器の兩世界に及ぶものであるから、陰陽は此の兩界に於いて知覺し得る限りの一切の相對的性質・物象について適用せられ得る名稱である。朱子は蘇氏易解にて「愚謂陰陽盈天地之間其消息闔闢終始萬物觸目之間有形無形無非是也而蘇氏以爲象立而陰陽隱凡可見者皆物也非陰陽也失其理矣達陰陽之本者固不指生物而謂之陰陽亦不別求陰陽於物象見聞之外也」(朱子集卷六九)といひ、語類卷七五にも「問陰陽如何是形而下者曰一物便有陰陽寒暖生殺皆見得是形而下者事物雖大皆形而下者理雖小是形而上者」(二三枚)と見えて居る。その見聞の外に求めずといひ、皆見得といふは陰陽が知覺の範圍を出でざるものなることをいひ、有形無形無非是也といふは陰陽が主觀客觀・物器非物器の兩界に亙るものなることをいふのである。古に在つては陰陽の語の適用せられた範圍はさまで廣きに渡らなかつたのであるが、人智の進步につれて次第に其の範圍は擴大せられ、後世に至つては殆んどあらゆる物象にまで陰陽がいはれ、かくて陰陽は獨り客觀・物器の世界に於いていはるゝのみならず、主觀・非物器の世界に於いても亦言はるゝに至つたのである。故に陰陽なる語は或特定の一物を意味するような固有名詞ではなくて、凡そ一切の知覺的性質又は之を有つと考へらるゝ所の一切の物象を相對的立場に於いて表はす所の普通名詞に外ならぬのである。されば用ひらるる語は同じく陰陽であつても、其の內容は時に應じて千差萬別である。同じく花といつても櫻の花があり菊の花もあつて、必ずしも花の語のもつ內容が常に同じではないのと同樣である。故に個々の場合に用ひられたる陰陽の語が果して何物を內容とするかを區別してかゝらねば、朱子の本體生成論も吾人をして不知不識迷路へ踏み込ませ、五里霧中に彷徨せしめるであらう。

註一　經籍纂詁、說文解字詁林等參照。

註二　田崎仁義博士は其著支那古代經濟思想及制度一三三頁に於いて侌は雲、昜は日を以つて最も重要なる字素を爲し、從つて其義も侌は雲、昜は日をその原義となすべきことをいはれて居る。

註三　高田忠周氏著漢字詳解參照。

註四　○田崎仁義博士は侌昜を以つて陰陽の本字となし、古來支那人は雲を水の氣、日を火の精と爲す故、陰を以つて水を表示し、陽を以つて火を表示するとなし、此の水火より濕潤乾燥天地父母等一切の相對が類推せられて夫々陰陽に配するに至つたと述べて居られる。 同氏著支那古代經濟思想及制度一三三—一三五頁參照。

○飯嶋忠夫博士は、陰はカゲであり陽はヒナタである、此の二つの語で二種の相對的活力を代表させたものである、それは消極と積極と言つてもよく、暗と明といつてもよく、柔と剛といつてもよいと述べられて居る。 同氏著東洋思潮陰陽五行說三頁參照。

○波斯教では明と暗と相對して居るといふことである。 希臘哲學者パルメニデスは天地の生成の初めに先づあらはれたものは明と暗とであるとなしたといふことである。明暗の對立に著眼することは他民族においてもあつたと見える。

○易の中孚の九二爻辭の鳴鶴在陰詩經谷風の以陰以雨、七月の我朱孔陽等其他明暗の義に用ひられたる陰陽は原義を存するものと思はれる。

註五 ○語類卷六五に云ふ、陰陽有箇流行底有箇定位底一動一靜互爲其根是流行底寒暑往來是也分陰分陽兩義立焉是定位底天地上下四方是也。

○性理大全卷七小注に云ふ、一動一靜以時言分陰分陽以位言。

註六 語類卷九四に云ふ、陰陽無處無之橫看竪看皆可看橫看則左陽而右陰竪看則上陽而下陰仰手爲陽覆手則爲陰向明處爲陽背明處則爲陰云々。

二 陰陽と太極・一氣との關係

然らば朱子が太極又は一氣より生ずと爲す所の陰陽は果して如何なる內容を

もつものであらうか。凡そ朱子の陰陽は其の内容は千差萬別で、試みに眼前の例を拾つて見ても、動靜・往來・消長・進退・聚散・寒暑・天地・上下・東西・南北・表裏・氣質・血氣・奇偶・清濁・輕重・正偏・明暗・春夏秋冬・晝夜・男女・牝牡・夫婦・君子小人・左右・上下・前後・向明處背明處・仁禮義智・剛健柔順・呼吸・弦望・晦朔・善惡・生殺等限りがない。蓋し彼は程子と與に陰陽は天地の間に盈ち、往くとして陰陽に非ざるなしと考へたからである。彼が折に觸れて說き出した陰陽のかゝる一切内容を一々吟味して之を列擧することは此處での問題ではない。本章の目的は朱子の本體論中特に太極と一氣との共働に於いて生ずる所のその陰陽が何ものを指し如何なる內容をもつてゐたかを明かにするに在るのである。以下暫らくその陰陽の內容を吟味して見よう。

彼によれば、その陰陽は變合して必ず五行を生じ萬物を生ずるものである。この事は既に述べた所で明かであるのみならず、これから述べる所によつても疑ひなきことである。しかして其の五行が木火土金水なる五物質であることも此處に改めて言ふまでもない。陰陽の變合からかゝる五物質が生ずると爲すのであるから、その所謂る陰陽も亦物質的なるものであることは想像するに難くない。加之、朱子は此の陰陽を兩儀とし、兩儀を天地となし、(註一)その天を清輕なる氣、その地を重濁なる氣と爲す故、その陰陽が淸濁輕重の氣であることも明かである。而してかゝる氣は「乾陽坤陰此天地之氣塞乎兩間而人物之所資以爲體者也」(西銘解)で、聚つて人物の形體を爲すもの故、たとひ「入毫釐絲忽裏去」(語類卷六二)ような極めて微細なるものであるにしても、必ずや量を有するものであり、天地の兩間に塞がるもの故に無數に存するものである。既に其の量が考へられ、その數が考へられるものであつて見れば、それが微物質であることは明かである。卽ち太極より生じ又は一氣より生ずる所の陰陽は微物質の氣を意味して居るのである。然し、それは單なる微物質氣ではない。既にそれが陰とか陽とか呼ばるる以上は、兩者の間に何等かの相對的な知覺的性質が豫想せられてゐなければならぬ。此の相對的な知覺的性質がその微物質氣に於いて考へられなければ、それは陰陽ではない。それが何等かの相對的な知覺的性質を有つと考へられるとき、此處に始めてその微物質氣に於いて陰陽の名稱が適用せられ得るのである。而して朱子に在つては天は氣の淸輕にして昇つて上に在るものであり、地は氣の重濁にして降つて下に在るものなることは既述の通りであるから、その陰陽は淸濁・輕重・上下等の相對的性質を有つものである。且つ之が昇降變合して五行を生ずるのであるから、又それは動靜・

聚散等の相對的性質を有つものである。故に太極と一氣との共働より生ずる陰陽は、清濁・輕重・上下・動靜・聚散等の性質を有つ所の微物質氣である。若し抽象分析して之を言へば、それ等の相對的性質と微物質氣自體との統一體である。かゝる兩者の統一體たる陰陽が、太極と一氣との共働から生ずると考へるのである。其處で私は後に論證する如く、朱子が主觀・客觀の兩界を通じて常に太極を形相因となして居る事實に據つて、此の陰陽に於いても亦彼はその相對的性質は之を太極から得來り、その微物質自體は之を一氣から得來ると考へたのであらうと推定するのである。換言すれば一つの陰陽は其の形相を太極に得、その質料を一氣に得來る。陰陽の生成に當つては太極は形相因としてはたらき、一氣は質料因としてはたらくと爲したと思ふのである。

私が此處に言ふ質料とは、第四章第一節で述べるような支那數千年來の傳統思想として萬物生成論に於いて考へられ來た所の氣で、それは今日普通に吾々が經驗界の事物の構成要素として漠然考へて居る所の微物質を意味するのであつて、質料因といふはかゝる物質の由つて來る根源を意味するのである。又此處に形相といふは、單に事物の形狀といふような狹義のものではなく、その中には狀態・

樣式・種別・關係・秩序・法則等より、更には動力・目的等に至るまで、凡そ此處に言ふ質料以外の一切を包含するような極めて廣義のものを意味するのであつて、形相因とはかゝる形相の由つて來る根源をいふのである。

朱子に在つては五行は陰陽より生ずる故、五行の質料に就いていへば陰陽の有つ質料がその質料因であるが、更に萬物は五行より生ずるが故に、萬物の質料について言へば五行の有つ質料がその質料因となる。萬物より五行、五行より陰陽へと溯つて考へて見れば、質料因は段階的序列を爲して居るのである。而してその究極の質料因はそれ自體質料ではあるが、しかしその質料は他の何物からも之を得來るものではない所の第一質料ともいふべきものである。かゝる究極質料を此で質料因といふのである。それが卽ちこの陰陽のもつ質料を提供する所の一氣なのである。朱子が天地陰陽の氣を生ずるとなす一氣は渾然たる一者で、言はば流動的なる全一體である。其の間には質や量の形相もない。這の一箇の氣が運行して磨し來り磨し去る。磨し得て急なれば許多の渣滓を裏面に拶して出づる處がない。その清輕なるものは上つて天となり日月となり星辰となるが、その重濁なるものは地となる。[註二] 一氣は運行動靜するが、しかし運行動靜は形相であるから、かゝる形相をもつ氣は既に相對的のものであつて一氣自體ではない。質料因たる一氣はかゝる形相を抽象し去つて後に殘る實體自身である。この無形相の一氣から、形相のある微物質氣の陰陽が生ずるのである。しかし、その陰陽から一切の形相を抽象し去つて後に殘るものは始めの一氣に外ならないと考へるのである。たとひ陰陽となり五行となり萬物となつても、その陰陽・五行・萬物のもつ一切形相の結び付く土臺ともいふべきものは終始一貫である。此の一貫の土臺となるものが所謂る一氣である。道家が無と稱したものも是である。この純無形相のものを假りに一氣と呼ぶのである。此の一氣は形相の因とはなり得ないが、しかし經驗界の一切事象の實體形骸の因である。かゝる意味に於いて朱子は一氣を質料因と考へたと爲すのである。此の一氣と結合する形相の相異によつて、陰陽ともなり五行ともなり、其他種々雜多に異つた物象を爲すのであるが、かゝる諸形相は太極によつて與へられるのである。太極は諸形相の根源であるが、それは個々の形相自體でもなく、又個々の一切形相の積累でもない。個々の一切形相を超越しながら、而もそれ等一切の根柢をなし、それ等を内面的に統一するもので、個々を潛在的に内に含むものである。それは形相の形相ともいふべきもので、相對を絶した形相である。一氣を第一質料といへば之は第一形相である。かゝる究極の形相を此處で形相因といふのである。朱子は此の意味で太極を形相因と考へたと思ふのである。

獨り此の陰陽とのみ限らず、凡そ五行・萬物に至るまで、それが經驗的實在たる個物である限りは、上述の如き意味での質料と形相との結合統一である。それは單なる質料からも成らず、又單なる形相のみからも成らぬ。質料形相二者の結合統一に於いて始めて個物は成るのである。その一切の質料は一氣から得、その一切の形相は太極から得るのである。而して既にこの陰陽となれば、それは勿論個物であり、經驗的實在であるが、その一氣に至つては說明することの出來ない不可知的な超驗的本體である。それは本體として有ではあるが、不可知的・超驗的なるが故に無と呼んでもよいであらう。しかしそれは無と名づけらるべき有である。かゝる有は僅かに一氣なる語を以つて之を表現し得るに過ぎぬ。此の一氣が形相と結合して陰陽といふ經驗的實在となれば、可知的對象として此に始めて諸種の說明が可能となる。吾々の認識は陰陽に始まるも、陰陽以前に溯ることは出來ぬ。陰陽以前は認識の限界である。朱子が太極圖說解に於いて天地萬物の生成を說くに、圖の第一圈○を以つて抽象とし、經驗的實在としては第二圈◎の外なしと爲して、陰陽(太極の內在する)を以つて說明の出發點として居るのは之が爲めである。而して彼は太極をも亦超越的本體と爲し、之をも無とよび得るといひ、而もその無が有であると爲すのである。そしてその太極をば太極圖の第一圈○に振り當てゝ居る。然るに同じ超越的本體たる一氣については何等圖示する所がなかつた。されば太極圖說解では一見一氣の存在は考へられなかつたかの如くに思はれるのである。しかしこれは朱子が一氣を考へなかつた爲めではなくて、周子の原圖がもと陰陽の上に唯だ一圈のみを設けて之を太極と爲し、且つ朱子は此の原圖を其儘にして之に當て篏まるように自己の思想を論述したものであるから、特に己の重んずる太極を此の一圈に振り當てて以つて周子の說にも逆はなかつたのである。既に第一圈を太極とすれば、一氣を表はし得るような圖象は周子の原圖にはどこにもなく、從つて一氣は之を圖示することが出來なかつたからであると思ふのである。而して質料と形相との結合統一によつて陰陽以下の經驗的實在が生れるのであるが、兩者の此の結合統一は勿論外部から偶然的に行はれるのではない。太極と一氣とは異なる二つの本體の如くに見えるけれども、此の二者は超越界に於いて本來內面的に結合統一あるもので、二元は渾然たる一つの本體を成すものと考へられた。此の二元の本體が既に本來此くの如き統一體なるが故に、之より起る形相と質料との間にも必然的に內面的統一が存するのである。

註一　○語類卷九五に云ふ、分陰分陽兩儀立焉兩儀是天地（三枚）。
○第五章第一節參照。

註二　語類卷一、五・六枚、淳、道夫の錄參照。

三　形相因としての太極

朱子の通書解に曰く「萬物之中各有一太極」（理性命）と。語類卷一に曰く「太極只是天地萬物之理在天地言則天地之中有太極在萬物言則萬物之中各有太極」（一枚）と。蓋し陰陽五行の氣が聚合して萬物の形體を爲せば、それと同時に太極は之に宿る故、天地萬物は一として太極を具せざるものはない。然も萬物個々に宿る太極は「不是割成片去只如月映萬川相似」（語類卷九四、四四枚）「本只是一太極而萬物有稟受又自各全具一太極爾如月在天只一而已及散在江湖則隨處而見不可謂月已分也」（同、四五枚）で、萬物の太極はもと渾然たる本來の一太極である。一箇眞の太極を其儘完全に內に具するのである。されば「蓋合而言之萬物統體一太極也分而言之一物各具一太極也」（太極圖說解）といひ得るのである。

而して萬物に宿つたこの太極が卽ち萬物の性であることは、答陳器之書に「性是太極渾然之體」（朱子集卷五六、玉山講義）といひ、太極圖說解に「至於所以爲太極者又初無聲臭之可言是性之本體然也天下豈有性外之物哉然五行之生隨其氣質而所稟不同所謂各一其性也各一其性則渾然太極之全體無不各具於一物之中而性之無所不在又可見矣」といへるによつて知ることが出來る。

而して朱子は天下の物皆必ず所以然之故と所當然之則との二種の理を具有すると考へ、[註一]その所謂る所以然の故とは卽ち物の性をいふとなし、[註二]天地のよく萬物を生育し、鳶魚のよく飛躍し、耳目のよく聰明なる、日月のよく運行する、晝夜寒暑のよく交代する等、其の間未だ嘗て一息の間斷あらず、一毫の差誤あらざる所以實に此の性の力によると爲して、「觀人物之生々無窮則天命之流行不已可見矣」（朱子集卷三四、答張欽夫）といひ、「四時行百物生莫非天理發見流行之實」（論語陽貨註）といひ、中庸或問にも「沖漠無朕而萬理兼該無所不具然其爲體則一而已矣未始有物以雜之也是以無聲無臭無思無爲而一元之氣春秋冬夏晝夜昏明百千萬年未嘗有一息之謬天下之物洪纎巨細飛潛動植亦莫不各得其性命之性以生而未嘗有一毫之差此天理之所以爲實而不妄者也」など述べて居る。然るに天地は淸濁輕重なる陰陽の氣であつて、天地が萬物を生育するといふは此の陰陽の兩物質がよく聚散することである。故に天地の性が天地をしてよく萬物を生育せしめるといふは、それが天地の二氣をしてよく聚散せしめることに外ならぬ。從つて聚散するものは天地の氣であり、之を聚散せしめるものはこの氣に内在する性である。語類卷一に「此氣是依傍這理行及此氣之聚則理亦在焉」(三枚)といふは卽ち是である。これ天地の二氣のもつ聚散てふ形相の因として太極を考へて居るのである。鳶魚のよく飛躍する所以が鳶魚の性に因るといふも亦鳶魚のもつ飛躍てふ形相の因として太極を考へて居るのである。耳目のよく聽明なる所以が性に因るといふも、耳目のもつかゝる形相の因として太極を考へて居るのである。日月の運行に於いても亦日月のもつ運行てふ形相の因として太極を考へて居るのである。晝夜寒暑はもと微物質たる五行の氣の流行變化に過ぎぬと考へるが故に、此の五氣をして流行變化せしめるものが、もとこの物に内在する太極といふことになり、ここでも太極は五行の氣のもつ形相の因となつて居るのである。其他山川の峙流、牛馬の耕馳に至るまで、一としてその性が物のもつ形相の因たらざるはないのである。かの陳北溪が「凡天下之物洪纖高下、飛潛動植青黄黑白萬古皆常、然、不、易、如以木葉觀之缺者常、缺、圓者常、圓、修者常、修、短者常、短、無一毫差錯便待人力十分安排撰造來終不相似都是、實、理、自、然、而、然」（中庸或問大全小注）といふは、天地萬物一として個々特殊の形相をもたぬものなく、而してその形相の因つて來る所のものは卽ち太極なることを說くもので、凡そ客觀・自然界に於いては太極は形相因として活くものとの朱子の思想を一層明瞭に補說したものに外ならぬのである。

獨り客觀界に於いて太極が形相因たるのみならず、主觀界に於いても亦太極は形相因となつて居るのである。かの人心卽ち肉體的欲望は朱子に在つては皆肉體より生ずるものであるが、然し之が形氣より起るにはその起る所以の理がなければならぬとし、その理を以つて性と爲すのである。註三 人心は形氣の作用であるが、その形氣をしてかゝる作用を爲さしめるものは卽ち性であるから、太極はかゝる作用の惹起因となるのである。かの知覺に於いても亦同樣である。蓋し、知覺が魄なる氣と智なる理との共働より起ることは既述の如くであるが、「所以覺者心之理」で「能覺者氣之靈」であるから、魄氣をしてかゝる知覺を起さしめるものが性で、性即太極はその惹起因となつて居るのである。凡そ朱子が精神作用を微物質氣より起るものと考へたことは、太極圖說解に「然形生於陰神發於陽」といひ、語類卷九四に「形既生矣形體隱之爲也神發知矣神知陽之爲也蓋陰主翕凡斂聚成就者隱爲之也陽主闢凡發暢揮散者陽爲之也」（十五枚）といへるによつて推知すべく、而も氣をしてかかる作用を爲さしめる所以のものを性となせることは疑ひなき所であるから、精神現象に於いても亦朱子は太極を形相因と爲すのである。

以上によつて、朱子に於いては客觀・自然界に於いても、將た又主觀・精神界に於いても、共に太極を形相因と見る可なりに强い傾向があつたと思ふのであるが、最後に今一つ他の例を擧げて之を補說して置き度いと思ふ。それは彼が楊子直に答へた言である。答楊子直書に曰く、「蓋天地之間只有動靜兩端循環不已更無餘事此之謂易而其動其靜則必有所以動靜之理焉是則所謂太極者也聖人既指其實而名之周子又爲之圖以象之其所以發明表著可謂無餘蘊矣」（朱子集卷四二）と。即ち易の太極も周子の太極も共に天地間の一切動靜の因であると爲すのである。天地之間只有動靜兩端循環不已更無餘事といつても、動靜なる形相の外何物もないといふのではない。天地より一草、一木に至るかゝる個物までが全然存在しないといふのではない。只此等一切の個物も凡て動か靜かの形相を有つものとしてその孰れかに分屬せしめ得るといふに過ぎぬのである。換言すれば、天地間一切の物象は動か靜かの孰れか一方の形相を有つと考へることが出來るといふのである。かくて一切物象をして動靜せしめるものが太極となり、太極は一切物象の根源ではなくて單にその物象の有つ動靜の形相因と考へられたと見るべきである。

以上の如く、朱子は殆んど凡ての場合太極を以つて形相因と考へて居るのであるから、陰陽の生成に當つても亦之をその形相因と考へたであらうことは推測し得べく、かくて朱子が太極判れて陰陽となるといつたのは、其の陰陽のもつ動靜等の形相が太極より生じ、既に形相をもてばその氣は陰陽と呼び得るものとなるのであるから、此の意味でその語を發したと考へられるのである。太極より陰陽五行萬物の生成を説くは、專らそれ等の形相的方面の上に立つて述べた語であると推定し得るかと思ふのである。

註一　大學或問に云ふ、於天下之物則必有所以然之故與其所當然之則所謂理也。
註二　論語爲政篇註に云ふ、天命卽天道流行而賦於物者乃事物所以當然之故。
註三　孟子梁惠王下集註參照。

第四章　本體概念に於ける二表現形態の存在原由

先秦より漢唐を經て宋初に及ぶの間、凡そ力を致して宇宙の本體を考竅し、精を盡して天地萬物の生成を論じた者は概ね道家に多かつた。儒家に在つては周易を始めとして之を論じた者は其數に乏しくはなかつたけれど、其の思想の深さに於いて、又其の探求の旺盛さに於いて、道家に一籌を輸するの感あるは免れ難い。蓋し此の間儒家は概ね現實の人倫道德を說いて、實踐躬行に專心なりし故に、其の眼は常に現實の世界に注がれ、其の想は常に現實の世界を出でなかつた。現實世界の奥、幽玄眇冥の世界を尋ねて、現實世界との交涉を窺ひ察するが如きは彼等にとつては直接の重要問題ではなかつたのである。宋儒出づるや、道佛二敎の影響に伴ふ哲學的思索の進步と、自己の理想主義・精神主義的傾向とによつて、人倫道德の偶然人爲性を否定除却してその絕對必然性を肯定確立せんと欲するに至り、次第に現實の奥・超經驗界に深き思を寄せ始めるに至つたのである。私は先秦より朱子に至る約二千年の間に行はれたる儒道二家の本體論を概觀し、以つて朱子の本體思想との交渉を窺ひ、朱子の本體論に氣一元的及び理一元的の兩表現形態の存在する所以の決して偶然に非ざることを明かにして見度いと思ふのである。

第一節　先秦宋初間諸家の本體思想

思ふに先秦孔老二子の古より、五代末宋初に至るまで約二千年の間、支那の儒道二家によつて主張せられた本體論は種々雜多ではあつたけれども、其の間概ね一貫して相一致せる所は、孰れもが物質的本體を立てゝ之より天地萬物の生成を主張せることである。今儒道二家の間に行はれたる本體思想の迹を辿り、時に其他の諸家の説をも附記し、以つて朱子の本體論に氣一元的形態の存する所以を明かにする爲めの一助としよう。

一　道家の本體思想

此に道家といふは老莊一派に屬する學者と、漢代に始めて起つた道敎一派の學者とを合はせていふ。

（一）　老莊派（其他）の本體論

老莊派に於ける本體論は、若しその本體に名づけられたる名稱によつて之を分てば、大要道一元的本體論と渾沌一元的本體論との二つとなるかと思ふ。其他雜家の呂不韋が太一一元的本體論を爲したことも見遁がしてはならないことである。

イ　道一元的本體論

道一元論を主張した人はいふまでもなく先秦に在つては老子と莊子とである。而して此の本體論は漢代に入つて淮南子之を承け、南朝の儒家の間にも亦行はれたものである。

老子　老子の哲學が道を以つて本體とすることは、東西古今の諸學者が等しく認める所であつて、恐らく何人も異議なきことと思ふのであるが、其の道が何であるか、その道と一との關係は如何等に至つては自ら觀る所を異にして、學者必ずしも意見を同じくしない。今、道と一との關係について、諸學者の說を大別すれば、一を道より生出するものとし、從つて道を以つて一の上一段高き本體と爲すものと、道卽一にして兩者は異名同實なりと爲すものとの二者に分つことが出來る。而して此等の學者には老子第四十二章の「道生一一生二二生三三生萬物萬物負陰而抱陽沖氣以爲和」の首句の「道生一」の三字を老子の原文と爲す者と、後人の竄入と爲す者とがある。之を原文と爲す者の中には、道は一の上に在りてこの道より一を生ずと爲す者があり、[註一]又、道卽一と爲す者もあるが、[註二]其の竄入說を取るものは皆道卽一と考へたのである。[註三]

今、此の「道生一」の三字を後人の竄入なれば當に削除すべしと爲す說を觀るに、主として淮南子の精神訓・天文訓に引用せられたる老子の此の章が「一生二」より始まれること、一卽道と爲さずして更に一の上に道を置かば、老子の文中其の義に於いて通せざる所を生ずること、思想發達の順序より觀て老子は二より溯つて一に到達し、老子以後に於いて一より更に道に溯つたと見るが自然なること等が其の根據となつて居るようである。[註四] 若し此くの如くんば、老子の道が卽ち一であることは明かである。而してその一の何物たるかについては、或は未だ氣形質に分れざる以前の渾一體で、これより陰陽二氣を生じ、陰陽より更に沖氣を生ずると爲し、或[註五]は「沖氣以爲和」の沖氣が卽ち一にして、又道であり、之より陰陽二氣を生じ、この二氣と初めの一氣とにして三となるとする。[註六]孰れにしても、老子の道を一とし、之を物質的の氣とするのである。此の外「道生一」の三字を老子の原文としながら尙ほ道卽一と見る學者も多いが、それ等は、或は理を以つて之を道といひ、數を以つて之を一といひ、體を以つて之を无といふ、道・无・一は同實異名であるから、故に道生一は道卽一の意であるといふ者もあれば、[註七]或は道の絕對なるより之を一といふと爲し、[註八]或は一と稱せざれば夷・希・微を統一することが出來ないからといひ、[註九]其他諸種の根據から道卽一と說くのである。[註一〇]而してその道の何たるかは此等の人々の中にも勿論道を一氣とするものもあるのである。然し同じ原文說を持する人の中にも道を以つて一よりも更に一段高き本體と爲す者もある。これは孰れも皆「生」の字を以つて生出の義と解するより生ずる所の考方であることは言ふまでもないが、唯だ其の道を如何なるものと爲すかに至つては、或は一なる沖虛の氣の現はれ來る所の本體であると爲し、[註一一]或は道は宇宙の實在であり、同時に一切萬物の法則であつて、此の實在の道より陰陽二氣が生じ、二氣と沖和の氣との三より萬物を生ずると

[註一二]爲し、或は服部博士は「老子の道は宇宙の原則且つ本體なり。原則としては宇宙の法則又自然の法則にして、本體としては希臘哲學者が混沌と稱せるものに近し。卽ち本體としては易乾鑿度及び列子天瑞篇に見ゆる語を用ひて說けば、氣形質三者の混沌として相雜はり未だ剖判せざる原始的情態を言ふものなり。而して時間の經過に隨ひ、道の裡より氣先づ分出す。氣とは今日の科學に於いて謂ふところのエレクトロにも比すべきものなり。眼に見るべからず、手に執るべからずと雖も耳に聞くを得べし、其は人の呼吸の氣又は風卽ち大塊の噫氣の例にて知るべし。氣は未だ形有らずと雖も形此より分出す。形は見るべくして執るべからず、執るべきに至つては之を質といふ。質は形より分出す。形は天、質は地、天を陽氣と爲し、地を陰氣と爲す、天は陽にして動き、地は陰にして靜なり、動くものは精、靜なるものは粗なり、故に質は粗にして跡あり、形は精にして象あるのみ、形質卽ち天地の二氣相合して一氣其の間に行はれ、人物此に生成す。氣形質の次第的分出、三者の合するによりて人物の生成するは皆自然法卽ち道なり。此く老子の所謂道は自然法たり、又宇宙の本體たり。孔子の所謂道の專ら人道を意味すると異なり」[註一三]と述べられ、フォルケ博士は謝无量の說を參考して、「無なる道が現れて有なる一とな

るが、この一は冲虛の氣卽ち Fluidum der Leere で、Urkraft 又は Uräther ともいふべき活動的なるものである。此の一が分れて二となる。二は陰陽で Ursubstanzen である。此の陰陽の二が更に相作用して三を生ずる。三とは Formen, kräfte, Stoffe である。こゝにいふ Kräfte とは事物の中に活ける多樣の力を意味する。凡そ生けとし生けるものは陰と陽とより成るものにして、陰は形體を成し、陽は神を成す」[註一四]といふ意味のことを說いて居られる。兩博士が老子の三を列子の氣形質によつて解かるゝは同じきも、その氣形質の概念と出現の次第とは必ずしも一致してゐない。しかし、一を以つて冲氣とし、沖氣を物質的のものとし[註一五]、それが道より出現し來るとせらるゝは互に一致する所である。かくて兩博士が本體として見られたる老子の道は著しく物質的のものであつたかと思はれるのである[註一六]。

若し「道生一」を老子の原文と見て、之を老子思想の繼承者にして、而も老子と時を近うする列莊二子の思想に據つて觀るとき、老子の本體たる道は、又渾沌たる物質的のものであつたと解さねばならないかと思はれる。蓋し、道生一、一生二、二生三、三生萬物、の三はすぐ下文の萬物負陰抱陽沖氣以爲和といふより推して、陰·陽·沖氣の三者を意味せることは服部博士を始め諸學者の言はるゝ通りであり、二が陰·陽を意味することも亦明かであらうかと思ふ。然らば一とは何であるか。之を列子・莊子の二子の說によつて考へて見よう。列子天瑞篇では本體を太易と呼び、太易は未だ氣を見ない。之を視れども見えず、之を聽けども聞えず、之に循へども得ず。故に之を易といふ。易は形埒がない。この易が變じて一となるといつて居る。是れ老子の道を太易といひ、老子の一を一といつたと思はれる。太易の次に現はれるものを太初と爲して居る所から推せば、その所謂一は卽ち此の太初であらう。所が此の太初を氣之始也といつて居る故、列子では老子の一を以つて氣と爲したかと思はれる。又、莊子は大宗師篇に於いて本體を道とよび、此の道を有情有信無爲無形といひ、自本自根といひ、天地に先だつて生ずといつて居るから、此の道は老子の道と同じものと考へられる。更に天地篇では本體を泰初の無とし「一之所起有一而未形」といつて居る。莊子が本體を或は道といひ、或は泰初の無となし、しかもその無から一が生ずると爲すを、老子の道生一に對比して考へると、莊子の泰初の無は卽ち道であり、それは又老子の道を言つて居るかと思はれる。且つ莊子が「物得以生」といへるは上文より推して物がその一を得て始めて生れ來ることをいふので、之は老子第三十九章の「萬物得一以生」と全然同じである。老子の一も物が得て以つて生ずるものであり、莊子の一も亦物が得て以つて生ずるものである。此等の點から推して莊子の道又は泰初の無が老子の道である如く、又莊子の一は卽ち老子の一であると思はれる。更に莊子は至樂篇で人間の出生を說いて居るが、そこでは「雜乎芒芴之間變而有氣氣變而有形形變而有生」といつて居る。芒芴の間とは卽ち泰初の無で老子の道の境地をいふと思はれる。所が之から氣が生ずるといふのであるから、此の氣は泰初の無から生ずる一と同じものであらう。かくてそれは老子の一と同じものとなり、從つて莊子は老子の一を以つて氣と考へたと見られ得るかと思ふ。

然らば列莊二子は一の由つて出づる老子の道を如何なるものと考へたのであるか。列子は太易を氣形質三者の渾淪たる一體で、三者未分の一層抽象的な超驗的本體と考へた。しかし氣形質が多くの學者の考へるやうな物質的のものであるとするならば、其等の渾淪體は如何に超驗的なるものであるにしても猶ほ依然として物質的のものである。而して此の太易が卽ち老子の道なのである。莊子が雜乎芒芴之間といつたのも亦此の渾淪の消息を漏らしたものではなからうか。故に列莊二子を通じて觀ても老子の說は道一元の物質的本體論であつたと考へられるのである。

思ふに老子の原典に「道生一」の三字が有つたか否かは大きな疑問であつて、此の疑問を解決することは勿論必要なことである。然し、竄入を信ずる人でも、莊子の天地篇や列子の天瑞篇等を根據とすれば或は此の三字は後人の竄入ではないとも考へられ得るであらうが、その疑を存して居られる[註一七]位であるから、その有無孰れを眞とすべきかの決定は相當困難であるかと思ふ。從つて此では此の問題に深入りする暇を有たぬのみならず、必ずしもかゝる考證を成し遂げなければ本章の目的が果せないといふのでもないから、その考證は省略に從ふ。蓋し本章は老子の本體が物質的のものであるといふ點が明かとなればそれで目的は達せられるのである。而して此の目的は既に達せられたのである。此の三字を原文とするも將た又竄入とするも結局は老子の道は物質的本體となるからである。

註一　李息齋註。謝无量の中國哲學史。服部宇之吉博士の孔子及孔子敎。宇野哲人博士の支那哲學概論。Prof. Forke の Geschichte der alten Chinesischen Philosophie (S. 267)等。

註二　蘇子由註。呂吉甫註。小柳司氣太博士の老莊の思想と道敎。飯嶋忠夫博士の東洋思潮陰陽五行說。Richard Wilhelm の Chinesische Philosophie (S. 24) 等。

註三 竹內義雄博士の老子原始、老子の研究。今村完道氏の新觀老子等。

註四 竹內義雄博士著 老子原始一三四頁。今村完道氏著新觀老子五三—五九頁參照。

註五 竹內義雄博士著 老子の研究二五四頁。

註六 今村完道氏著 新觀老子七五—七八頁。

註七 孔穎達 周易繫辭上傳正義。

註八 蘇子由註。呂吉甫註。

註九 小柳司氣太博士著 老莊哲學一〇〇頁。又は老莊の思想と道教七四頁。

註一〇 飯嶋忠夫博士の同書には、生ずといふは言葉の綾に過ぎぬとあり、葛洪の抱朴子內篇地眞卷第十八には、道起於一其貴無偶といつて道卽一と爲し、玄一の道などともいつて居る。Strauss の Lao-Tse (S. 197) は道が有に變ずる限りに於いて道卽一であるといふ。

註一一 謝无量 同書第一篇下五—一〇頁。

註一二 宇野哲人博士 同書九二頁。支那哲學史講話一一四頁。

註一三 服部博士著 孔子及孔子教三二六頁。

註一四 Prof. Alfred Forke; Geschichte der alten chinesischen Philosophie S. 267.

註一五 James Legge も The work of Lao Tsze に於いて、二は二つの要素で、一は此の二つの要素の未だ分化せざる原エーテルであるといつて居られる。

註一六 Fiedler は Tâo-Ti k-King に道を Gut と譯し、G. G. Alexander は Lâo-Tsze に道を God と譯して居る。

註一七　今村完道氏著　同書五六―五八頁。

莊子　莊子も亦老子に本づいて道を本體と爲した。大宗師篇に云ふ「夫道有情有信無爲無形可傳而不可受可得而不可見自本自根未有天地自古以固存神鬼神帝生天生地在太極之先而不爲高在六極之下而不爲深先天地生而不爲久長於上古而不爲老云々」と。彼は老子と同じく道を無と呼んだ。道は無窮無止の絕對者で、自ら中に根をもち本を有つて、己以外の他の何物にも依存せざる獨立者であり、天地萬物以前に既に存する無始無終の本體である。かゝる本體は無爲であり無形であつて超經驗的であるから之を無といはざるを得ない。此の本體から天地が生じ萬物が生ずるのである。然らばその生成過程は如何。莊子は之に對へて「泰初有無無有無名一之所起有一而未形物得以生謂之德未形者有分且然無間謂之命留動而生物物成生理謂之形形體保神各有儀則謂之性云々」（天地篇）といひ、又其の妻の死を顧みて「察其始而本無生非徒無生也而本無形非徒無形也而本無氣雜乎芒芴之間變而有氣氣變而有形形變而有生今又變而之死是相與爲春秋冬夏四時行也云々」（至樂篇）といひ、又知北遊篇には「人之生也氣之聚也聚則爲生散則爲死若死生爲徒吾又何患故萬物一也是其所美者爲神奇其所惡者爲臭腐臭腐復化爲神奇神奇復化爲臭腐故曰通天下一氣耳聖人故貴一」といつて居る。更に田子方篇には「至陰肅々至陽赫々肅々出乎天赫々發乎地兩者交通成和而物生焉」といつて居る。

泰初に存する無(イ)は本體で、之を形容して雜乎芒芴之間(ロ)といふ。此の本體が變じて一を生ずるが(イ)、此の一は卽ち氣である(ロ)。此の氣は渾沌未分の流動的一氣である。此の一氣は始め未だ形はれずして道の中に具つて居る。[註一]既に道より分化顯現すればそれは一といひ氣といひ得るも、未だ道の中に在つて形はれざる間は一とも氣ともいひ得ないものである。道より分化すれば此の一氣は變じて萬物の形體を生ずる。既に形體を生じて然る後此に始めて萬物は生存する(ロ)。もと此の一氣は陰陽に分るべき運命を有するも、未だ分れずして些の間隙がない(イ)。既に道より分化して一氣となり、一氣分れて陰陽となれば、陰は地の氣陽は天の氣にして、天地陰陽の兩氣は交通成和して此に萬物を生ずる(ニ)。渾沌の一氣から萬物となるまでにはその間に陰陽の一段階を經るのであるが、陰陽二氣は卽ち渾沌的一氣の分なるが故に、通じて之を氣とも一氣ともいひ(ハ)、又渾沌の一氣が萬物を生ずるともいひ得るのである(ロイ)。以上の如く萬物は陰陽二氣より生じ、陰陽二氣は一氣より生じ、一氣は道より生ずるが、その一氣は素と道の中に具はるが故に、莊子の本體としての道は多分に物質的のものであつたと言ひ得る。物質的本體たる老子の道の思想を承くる莊子の道が亦多分に物質的本體の色彩をもつは當然のことかと思はれる

註一　フォルケ博士は有一而未形を既に道より分化して一となつた時に在つては未だ諸種の形相はなかつたと解し、服部博士は泰初纔かに氣あるも未だ氣として形はれざる意と解された。

淮南子　淮南王劉安の編纂に係る淮南子は古來の諸說を網羅した感があるが、之に載れる本體論は主として老子の思想に基いて居るので、老子と同じく道一元論といふことが出來る。原道訓に「夫太上之道生萬物而不有成化像而弗宰」といひ、天文訓に「天地未形馮々翼々洞々灟々故曰大昭道始於虛霩虛霩生宇宙宇宙生氣氣有漢垠清陽者薄靡而爲天重濁者凝滯而爲地淸妙之合專易重濁之凝竭難故天先成而地後定天地之襲精爲陰陽陰陽之專精爲四時四時之散精爲萬物云々」といひ、精神訓には「古未有天地。之時惟像無形窈々冥々芒芠漠閔鴻濛鴻洞莫知其門有二神混生經天營地孔乎莫知其所終極滔乎莫知其所止息於是乃別爲陰陽離爲八極剛柔相成

萬物乃形煩氣爲蟲精氣爲人是故精神天之有也而骨骸者地之有也」とある。蓋し道は本體で虛霩無形の窈々冥々たるものである。此の道より宇宙を生じ、宇宙より氣を生ずる。氣の淸陽なるものは天となり、重濁なるものは地となる。天地の氣の精合して陰陽となり、陰陽の精合して四時となり、四時の精散じて萬物となる。水火といひ日月星辰といひ皆陰陽の氣より生ずるものである。此の本體たる道は老子の道に基けるものであることは明かである。所が詮言訓には呂氏春秋大樂篇(禮記禮運にも見ゆ)が太一を以つて本體と爲せる思想にも基いて「洞同天地渾沌爲樸未造而成物謂之太一同出於一所爲各異有鳥有魚有獸謂之分物」と述べてゐる。淮南子に在つては道は太一卽ち一であるから、天文訓には「道曰規始於一一而不生故分而爲陰陽陰陽合和而萬物生」といひ、原道訓には「所謂無形者一之謂也所謂一者無匹合於天下者也卓然獨立塊然獨處上通九天下貫九野員不中規方不中矩大渾而爲一……布施而不旣用之而不勤是故視之不見其形聽之不聞其聲循之不得其身無形而有形生焉無聲而五音鳴焉無味而五味形焉無色而五色成焉、是故有生於無實出於虛云々」といつてある。その太一は大いに渾じて一となれるもので、分れて陰陽二氣となるものの故、それは物質的氣の渾沌的本體であり、而して此の太一が卽ち道故、その道も亦同様に物質的のものである。淮南王劉安は、實に老子や呂氏春秋の本體論を取つて自分も亦同じく道一元の物質的本體論を奉じた人といふべきである。而して淮南子が當時の諸學者の論せしものを編纂せる書であり、而もかゝる書にのせられたる本體論が上述の如きものであつて見れば、物質的本體思想が廣く當時一般學者の間に信せられてゐたことは略ぼ想像が出來るのではあるまいか。

ロ　渾沌一元的本體論

此の本體論は先秦時代に列子が主張したものであるが、易緯乾鑿度、孝經鉤命決等にも見えて居り、漢、魏、晉の一部儒家の間にも亦信せられたのである。

列子　列子の本體思想は老子の本體論を說くとき既に之に觸れたのであるが列子天瑞篇には、子列子曰昔者聖人因陰陽以統天地夫有形者生於無形則天地安從生故曰有太易有太初有太始有太素太易者未見氣也太初者氣之始也太始者形之始也太素者質之始也氣形質具而未相離故曰渾淪渾淪者言萬物相渾淪而未相離也視之不見聽之不聞循之不得故曰易也易無形埒易變而爲一一變而爲七七變而爲九九變者究也乃復變而爲一一者形變之始也淸輕者上爲天濁重者下爲地沖和氣者爲人故天地含精萬物化生」といつて居る。列子の本體は老子の本體道の思想に基けるもので、道一元論といつてもよいのであるが、列子は道を言はざるに非ざるも寧ろ太易といひ渾淪と呼んで居る點が人目を惹くので、且らく之を太易一元論としたのである。列子の言ふ所によれば、太易なる本體は獨立自存のもので、生・化・形・色・智・力・消・息・陰・陽・剛・柔・長・短・圓・方・浮・沈・暑・涼・甘・苦等凡そ一切の形象となつて現はれる所の超驗的本體である。今此の太易が經驗界への發展過程を見るに、太易より先づ現はれるものは太初である。此の太初は氣の始である。次に太始が見はれ、次に太素が分出する。太始は形の始であり、太素は質の始である。變じて七となる一は卽ち太初で一氣である。此の一氣は何等界限なき一體をなす物質である。此の一氣が變じて太始の形となり、形が變じて太素の質となる。形は陽にして質は陰である。既に陰陽を生ずれば、陰陽が互に交はつて五行となる。陰陽と五行とにて七、是れ一變じて七となるのである。此の七の淸輕なるものは上つて天となり、重濁なるものは下つて地となる。七より天地の二を生ずれば七と二とにて九、是れ七變じて九となるのである。既に一氣より陰陽・五行・天地の九となれば之より一つの經驗的全世界が生ずる。是れ九復た變じて一となるのである。註一 而して氣・形・質三者の未分渾淪的一體が卽ち太易で本體である故、かゝる本體は物質的のものであるといふべきで、彼は太易一元の物質的本體を信じてゐたといへる。毛奇齡の如きは「易卽太易也變而爲一者氣變而後有太極也」といつて明かに太易を以つて氣と爲して居るのである。

註一 ○易緯乾鑿度鄭氏註は、太初を氣とし一とし、太始を形とし天とし、太素を質とし地として居る。

○毛奇齡は太極本と一にして太極より陰陽五行を生ずれば則ち一變じて七となると考へた（河圖洛書原舛編）。

○謝无量は一を氣、七を陰陽と五行としてゐる（中國哲學史第一編二八頁）。

○フォルケ博士は一を氣とし、一變じて七を生ずるとは一氣より陰陽を生じ、陰陽より五行を生じて陰陽五行にて七とし、七變じて九となるとは七より天地の二となつて七と二とにて九、九より生ずる一を全宇宙を意味する一とせられた。而して氣・形・質の三者をば萬物のもつ主要素と考へられた（支那古代哲學史二九一―二九四頁）。

○服部博士は太初の一を氣とし、太始の形を陽の氣卽ち天とし、太素の質を陰の氣卽ち地として居られる（孔子及孔子教三二六頁）。

易緯乾鑿度 之にも亦上に引く所の列子の文と全然同一のものが見えて居り、

孝經鉤命決　これも亦太易一元論で「天地未分之前有太易有太初有太始有太素有太極是爲五運形象未分謂之太易元氣始萠謂之太初氣形之端謂之太始形變有質謂之太素質形已具謂之太極云々」といふ。太素の次に更に太極をあげて五運を立つる點は列子と異なる所であるが、その思想は主として列子にもとづくもので、所謂る太易が列子と同じく形象未分の物質的本體であることは其の文意を下より上に推し溯つて考へるとき容易に首肯出來ることである。

八　太一一元的本體論

呂不韋は太一一元的本體論を爲したが、此の思想は漢魏晋唐の一部儒家の間にも信せられたのである。

呂不韋　呂氏春秋大樂篇に曰く「太一出兩儀兩儀出陰陽陰陽變化一上一下合而成章……萬物所出造於太一化於陰陽」と。而して其の太一の狀を說いて「道也者視之不見聽之不聞不可爲狀道也者至精也不可爲形不可爲名彊爲之謂之太一」と述べて居る所から觀れば、其の太一は卽ち禮記の大一、老子の道で、從つてそれは又物質的本體と考へられる。[註一]

以上老莊派の本體思想の主なるものを觀たのであるが、その孰れも皆物質的本體を信じて居つたようである。

註一　惠棟周易述繫辭上傳疏云呂氏春秋曰太一出兩儀太一者極大曰太未分曰一太極者極中也未分曰一故謂之太一云々。

（二）道敎徒の本體論

物質的本體思想が先秦以來老莊派の人々に信せられてゐたことは上述の如くであるが、獨り老莊派のみならず、漢代に其の端を發して次第に漢民族の間に勢力を得、今日尙多數の信者を擁する道敎に於いても亦此の思想は連綿として繼承せられて來たのである。

抑、道敎は後漢順帝時代の人張道陵が長生の術を學んで人の諸病を禱癒した所に其の源を發するのであるが、其の子張衡・孫張魯・曾孫張盛等皆其術を修めて次第に多くの信者を得、其の後江西の龍虎山に道統連綿として絕えずといふ。（註一）而して彼等の組織せる敎團では、老子五千言を以つてその經典とし、老子を誦することを敎へたのである。凡そ道敎が老子五千言を取り來つて之と關係を保ち、老子を以つてその創始者たるかの如き觀をなさしむるに至つた所以は、老子の不老長生獨善等の思想が、彼等の主旨と相合致するところがあつた爲めと、老子を開祖とすることによつて道敎に千鈞の權威を加へんと欲したるとに在つたことは否む能はざる所であるが、又彼等の修丹が老子の物質的本體思想から其の成立の理論的根據を得來るの便もあつた爲めである。蓋し道敎が修丹を說くは人體が陰陽二氣より成り、此の陰陽二氣を調和すれば眞元の一氣を養ひ得て長生福壽を得べしと信じた爲めであるが、眞元の一氣より陰陽二氣を生じ、一氣と二氣とより萬物を生じ、萬物は二氣に還り、二氣は一氣に還元し道に復歸することを哲學的に說けるものは、實に老子の本體論であるからである。獨り老子と限らず、凡そ一氣より萬物の生成を說くものならば、彼等は之を借り來つて自己の理論的根據を固めるに躊しなかつたのである。かの魏伯陽が始めて金液還丹の大旨を理論付けんと欲して參同契を著はすや、周易に託して之を論じたるが如き、或は後世幾多の道士によつて撰著せられたる多くの道經又はその注解中に屢〻周易の太極思想や呂氏春秋、禮記等の太一思想が取り入れられて居る如き、皆實に之が爲めではなかつたらうか。斯く彼等が終始老子を重んじ且つ屢〻周易等を援用したことと、彼等の修丹が眞元の一氣に還るを以つて終始究極の目的としたこととは、歷代道士の本體思想が物質的一元氣的のものであつたことを暗示するものではあるまいか。

魏伯陽 は後漢桓帝の頃の人ともいはれて居るが、彼は其著參同契によつて張道陵創始の道敎に先づ理論的敎義を附與したのである。彼の敎義を見るに、道敎一貫の目的たる性命を延べて長生不死を得ることを以つて目的とせることはいふまでもない。而して彼は云ふ「將欲養性延命却期審思後末當慮其先」（將欲養性章第六十二）卽ち人若し己の性命を延べ死期を却けんと欲するならば、須らく身の始末を知るべきであるといふのである。その始末が元精を意味して居つたことはすぐ次に「人所稟軀體本一无元精雲布因氣託物」といへるによつて知られる。彼は眞元の精氣を元精と呼んで居るのである。註二 人の形體は素と無涯眞元の精氣を稟けて成るもの故、此の精氣こそ人の始末根本で、若し能く此の精氣を養はゞ天地と壽を同じくすることが出來るのである。而して「乾坤者易之門戶衆卦之父母」（乾坤易之門戶章第一）で、獨り人間のみならず、凡そ天地萬物の生成變化は一として乾坤に本づかざるものはない。而して其の乾坤はもと混沌の精氣である。混沌眞元の精氣が兩儀となり、乾坤陰陽となり、五行萬物となるのである。註三 人身の元精も此の精氣に外ならぬ。

しかし、元精は眇として覩難く、之を搏れども得ず、之を視れども見えず、既に窈冥覩難きもの故之を內に養はんと欲すれば、當に天文を觀、地理を察し、人心に稽へて、動容周旋一に自然の度に循ふべし。然らば鼎內よく元精を生養するを得る。[註四]且つ又神藥を用ふることも亦其の效ありと爲したのである。かくて彼の元精は天地萬物の根源本體にして、修丹といふも此の本體を內に養ふことに外ならぬ。されば魏伯陽の理論的教義は一氣元精の本體を以つて根基とし出發點として居るのであつて、かくて物質一元的本體觀は道教を理論付けた最初の人魏伯陽によつて既に道教に採り入れられたのである。

註一　小柳司氣太博士著　老莊の思想と道教二九二―二九四頁參照。
註二　第十六章にも元精眇難覩云々とある。
註三　彭曉　周易參同契分章通眞義卷上第一章參照。
註四　彭曉　同上第十六章參照。

黃庭內景玉經　東晉の初めに著作せられて多くの道家に愛讀せられた書は此の黃庭內景玉經三卷であるが、其の思想は參同契と殆んど異なる所はない。唯だ參同契がかなり多く仙藥を論じて居るのに反し、此の書は殆んど之を論じて居らぬ所が注意を惹く位のものである。此書の主とする所は「呼吸元氣以求仙」(巻中呼吸章第二〇)に在る。元氣を呼吸して以つて五臟六腑の氣を養ひ、之を失はざるように力むれば、乃ち仙となり得るといふのである。而して「出日入月呼吸存」(巻上上有章第二)の日月は「出清入玄二氣煥」(巻上、天中章第六)の清玄と共に陰陽の二氣を意味する故、呼吸する元氣とは卽ち陰陽の二氣に外ならぬ。されば「元氣所合列宿分」(巻上、上有章第二)ともいへるのである。全體を無二の一氣として見たるとき之を元氣といふのである。此の二氣は合して列宿となる。五行を生じ萬物を化生するのも此の二氣である。[註一] 五行も二氣に外ならず、二氣も一氣に外ならぬ故、「五行相推反歸一」(巻下、五行章第二五)といふ。人も亦同じく天地の元氣を稟くるが故に元氣を呼吸することによつて內に之を養ひ得るのである。斯くて道家愛好の本書の著者も亦元氣の物質的本體觀を有つてゐたといふべく、加之、此の本體觀は此書を通して其後の多くの愛讀道敎徒の腦裏に植え付けられたわけである。

註一　巻下紫淸章第二十九に云ふ、紫淸上聖大道君大玄大和俠侍端化生萬物使我仙云々。

葛洪　道敎に理論的根據を與へた人は先づ魏伯陽であつたが、其後東晉の頃に至り、葛洪なる者出で、其著抱朴子に於いて復た大いに爲僊の可能なると、其の合理的方法とを主張したのである。其の論ずる所、其の詳遙かに魏伯陽の參同契を凌ぎ、其論據亦必ずしも同じではない。彼の說の師承については、彼自ら抱朴子內篇金丹卷第四に之を述べて、左元放は從祖葛玄に授け、從祖は鄭思遠に授け、鄭思遠は余に授けたと言つて居る。鄭思遠は其著「眞言妙道要略」に於いて「欲委丹道之來宗但思自身及萬物從何而來卽悟聖理」といひ、而して又「凡人本從元氣成身再得靈元之精氣補之可以長生身合純陽永超陰界是還丹」といへば、彼も亦元氣一元の物質的本體觀を抱いてゐたことが窺はれるのである。然らばその弟子なる葛洪は果して如何なる本體觀を有つてゐたのであらうか。

抱朴子內外七十二篇を通覽するに、彼謂へらく、天地の大德を生と曰ふ。故に道家の最も祕して重んずる所の者は長生の方である（勤求第十四）。然らば長生の方は如何。其の途二ある。一は玄道を知つて之を守ること、一は元氣を養ふことで、前者は玄道の概念を以つて根基とし、後者は元氣の概念を以つて根基として居るのである。その玄道を知つて之を守るについて云ふ「其知玄道者可與爲永不知玄道者難與爲存」「夫玄道者得之者內失之者外用之者神忘之者器」、之を體得すれば至妙の作用を爲し得て恢蕩浩茫能く神僊となる。[註一] 而して玄道は卽ち一なるが故に彼又云

ふ「余聞之云人能知一萬事畢知一者無一之不知也不知一者無一之能知也故僊經曰子欲長生守一當明思一至饑一與之糧思一至渴一與之漿云々」(地眞卷第十八)と。

其の所謂る玄道又は一とは何か。玄道は自然の始祖、萬殊の大宗であつて、その深遠測るべからず、その高曠は比なく剛柔動靜も亦比なし。形體なき故之を視れども見えず聽けども聞えず、恍たり惚たり。兆類によつて有とし、潛寂によつて無と爲すのである。元一を胞胎し兩儀を範鑄し萬類を陶冶し草昧を匠成す。よく秋毫に周流し、よく太虛に彌綸す。聲の聲、響の響、形の形、影の影で、方なる者は之を得て靜、圓なる者は之を得て動、降る者は之を得て俯し、昇る者は之を得て仰ぐ。乾は之を以つて高く、坤は之を以つて卑く、雲は之を以つて行き、雨は之を以つて施し、山は之を得て峙ち、川は之を得て流れる。强ゐて名づけて之を道といふ。(註二) 故にその所謂る道とは老子の自然法の方面より觀たる道と同樣の概念で、それは一切の物象をしてよく自然法に循はしめるもの、換言すれば一切形相の根源卽ち所謂る形相因に外ならぬのである。而してかゝる玄道を知つて之を守るとは、既に魏伯陽が言へると同樣に、玄道自體は知るべからず執るべからざるもの故、唯だその發現たる天文・地理・人心の一切自然に從つて、決して自然の法則に逆らはざることである。若し自然法に逆へば夭折不幸を免れず、よく自然法に從へば乃ち長生を得るのである。其の元氣を養ふの途は攝生と服藥とに在る。攝生とは臥起には四時の早晩を守り、興居には至和の常制あり、筋骨を調利するには偃臥の方を守り、杜疾閑邪には呑吐の術を行ひ、流行榮衛には補瀉の法あり、節宣勞逸には與奪の要を失はず、忍怒以つて陰氣を全うし、抑喜以つて陽氣を養ふをいひ、服藥とは以上の攝生を善くして然る後始めて先づ草木を服して以つて虧缺を救ひ、後に金丹を服して以つて無窮を定めるをいふのである。攝生と服藥とにして長生の理此に盡くといふべきである(極言卷第十三)。而して彼は攝生の諸法中主として呑吐の術を以つて養氣と結合させて說いて居り[註三]、且つ其他の諸法も亦玄道を守るの目とも考へられ得るのではあるが、しかし此ではそれ等が皆形體を養ふものなる點より、且らく之を養氣の法として守玄道と區別して見たのである。彼がかく元氣を養ふの必要を說くは、思ふに彼の氣一元的本體觀に基けるものである。彼は「澄濁剖判庶物化生」(識惑卷第二十六)といひ、「淸玄剖而上浮濁黄判而下流」(君道卷第五)といひ、或は「夫人在氣中、氣在人中自天地至於萬物無不須氣以生者也」(金丹卷第四)といふ等天地萬物の生成根源を混沌の一氣なりとする物質的本體觀を抱いてゐたから、人間の根源本體たる此の氣を養ふことを說いたわけである。

以上の如く、彼は道の存在を信じて玄道の守るべきを說き、一氣の存在を信じて元氣の養ふべきを主張したのであるが、道と一氣との關係については竟に之を明かに說くことをしなかつた。されば彼に在つては道と一氣とは兩存し、一氣よく萬物の形體を生じ、道よく一切の形相を生ずると考へたと見る外はないかと思はれる。かの魏伯陽が專ら元精の物質一元的本體を立てたるとは趣を異にするものといはねばならぬ。然し物質一氣の存在は葛洪も亦之を信じ、且つ彼によつて亦道敎々義中にもそれが取り入れたことを知るべきである。

註一　抱朴子暢玄卷第一。
註二　同暢玄卷第一。道意卷第九。明本卷第十。地眞卷第十八の諸篇參照。
註三　金丹卷第四。極言卷第十三。祛惑卷第二〇附別旨參照。

李筌　唐代の有名な道家李筌は陰符經[註一]及び同疏を著はした。故に陰符經疏を觀ることによつて陰符經の思想を知り得ると共に李筌自身の思想を察することが出來るわけである。李筌は天地陰陽の道を明かにし、興廢の理を察して、動容周旋一にその機宜に合して然る後に身を修め行を鍊るときは聖人と成り得ることを主張するが、此の思想の由つて來る所の本體思想を觀るに、彼謂へらく、天地の間には陰陽の二氣がある。「陽之精氣輕淸上浮爲天陰之精氣重濁下沈爲地相連而不相離」故に「天地則陰陽之二氣」である。而して「氣中有子曰五行五行者天地陰陽之用也萬物從而生焉萬物則五行之子也」（卷上以上）。萬物が陰陽より生ずるを見て人は之を神といふも、その陰陽が不神より生ずることを悟らぬ。不神とは何ぞ。「至道」である。是れ「至道虛靜寂然而不神此不神之中能生日月陰陽三才萬物種々滋榮而獲安暢皆從至道虛靜中來」（卷中）の意である。而して「天地萬物自然有之此皆至道之所含育」「迅雷者陰陽激搏之聲也烈風者莊子言大塊噫氣其名爲風凡此風雷陰陽自有」（以上卷下）といへるより推せば、その至道虛靜中より生じ來るといふは陰陽萬物が自然に生成し來ることを意味したようである。若しさうとすれば、彼は本體として陰陽二氣を立て此の二氣が一切萬物の質料形相の兩因であると爲す所の物質的本體觀であつたといへるかと思はれる。

註一　陰符經は黃帝撰太公・范蠡・息谷・子張・諸葛亮・李筌等註として傳へられて居るのであるが、晁公武の讀書志、朱子語類（卷一二五）等には李筌の僞託となし、四庫提要も亦其の作者を疑つて居る。今日では大體此書は李筌の作と考へられて居るようである。

玄宗皇帝　唐朝は天子相次いで道教を信奉せられたが、玄宗帝の如きは親ら道徳眞經注及び疏を著作せられた程であつた。今此の二書によつて皇帝の本體思想を一瞥しようと思ふ。老子四十二章の疏に曰く、「道者虛極之神宗一者沖和之精氣生者動出也言道動出和氣以生於物然應化之理由自未足更生陽氣以就一故謂之二也純陽又不能更生陰氣積陰就二故謂之三生萬物者陰陽交泰沖和化醇則偏生庶彙也」之を同章の注に參考するに、皇帝は道を以つて本體とせられ、此の道先づ沖和の元氣を生じ、次に陽氣を生じ、次に陰氣を生ずる。一は沖和の氣、二は沖氣と陽氣とで、三は二に陰氣を加へて三である。三氣互に作用して萬物を生ずると考へられたようである。然らば道は如何なるものとせられたのであらうか。道を或は虛極之神宗、或は虛極妙本之强名といはれて居る。道は勿論超驗的な本體で、此の「妙物混然而成含孕衆象」（二十五章疏）陰陽沖氣の渾然として具はるもので、それはやはり老子の考へたような物質的本體であつたかと思はれる。

雲笈七籤　宋朝に入るや天子は多く道教を信じたまひ從つて道教の勢力も大であり、有名な道家も多く出たのであるが、就中張君房の雲笈七籤と徽宗皇帝の西升經及び道德眞經解とについて其の本體思想を窺つて見ようと思ふ。

雲笈七籤百二十二卷は北宋眞宗皇帝の頃の人、張君房の編纂に係り、道教に於ける重要問題に關する諸説を道家の經典四千五百六十五卷の多數より拔萃分類したものであるから、道教の重要問題は本書によつて其の奥を知ることが出來るのであつて、抱朴子と共に最も重要なる資料といはれて居る。その第二卷は題して「混元混洞開闢劫運部」といひ、道家の本體思想を收錄せるものであるから、今其の中に收められたる本體思想を觀、以つて宋初までの一般道家の本體思想が大體に於いて如何に物質的のものであつたかを明かにしようと思ふ。此の第二卷は六項に分れて居るが、その第一項混元に於いては「混元者記事於混沌之前元氣之始也元氣未形寂寥何有至精感激而眞一生焉元氣運行而天地立焉造化施張而萬物用焉混沌者厥中惟虛厥外惟無浩々蕩々不可名也」の語が見えて居る。之は此の項の重要部分を成して居るのであるが、明かに元氣を包含する混沌一元の物質的本體觀である。第二項の空洞に曰く、「道君曰元氣於眇莽之内幽冥之外生乎空洞空洞之内生乎太無太無變而三氣明焉三氣混沌生乎太虛而立洞因洞而立無因無而生有因有而立空空無之化虛生自然上氣曰始中氣曰元下氣曰玄玄氣所生出乎空元氣所生出乎洞始氣所生出乎無故一生二二生三三者化生以至九玄從九反一乃入道眞氣清成天涬凝成地中氣爲和以成於人三氣分判萬化稟生日月列照五宿煥明上三天生於三氣之清處於無上之上極乎無極也」是れ其の全文である。難解の箇所もあつて文意に於いて一二未だ釋然たらざる所もあるけれども、然し太無又は太虚を以つて本體とし、此の本體を始・元・玄（上・中・下）の三氣の未分混沌とし、此の太無が變じて三氣分判し、三氣よく天地萬物を生成するといふ程度の思想ならば、之を此の文から汲み取ることはさして困難なことでもないように思はれる。そして三氣の未分混沌たる太無が物質的のものであることは想像し得られる所であるが、更に靈寶經にては此の太無の語に代ふるに一氣の語を以つてして「一氣分爲玄元始三氣而理三寶」といへるによつてもその然るを證することが出來るかと思ふ。

第三項の混沌に於いては始めに太始經の説を擧げ次に靈寶經の説を引いて居るのであるが、その太始經の説といふは、古昔二儀の未だ分れざる時は鷄子の如き狀のもので、之を混沌といふ。此の混沌の中に精眞なるものがある。之が現はれて一氣となる。一氣化生の後に三氣を化生し、次に無上、次に中の二氣、次に中の三氣、次に玄老、次に下の三氣、次に太上と夫々順次に生成するといふのである。靈寶經の説は一氣分れて玄・元・始の三氣となり、三氣より九氣を生ず。三氣之を育し、九氣之を導いて始めて天地萬化は生ずるといふのである。されば二經共に其の本體は物質的であるといへる。

第四項は混洞であるが、此には太眞科の說が擧げられて居る。即ち混洞の前に在つては道氣未だ顯れず、恍莽の中に無形象天尊がある。之は本體に象の察すべき無きをいふのである。其の後一劫を經て無名天尊が有る。之は質の觀るべきものあるも名づくべからざるをいふ。又一劫を經て元始天尊を生ずる。之は名あり質あり萬物の初始たるをいふ。此の無形象天尊が即ち道であるといふのである。第五項劫運は天地陰陽の二氣より劫運を論じて居つて、直接本體論に觸れてはゐない。第六項は太上老君開天經であつて、此に於いては太淸虛無の時より分出して洪元の時となり、洪元より混元、次に太初・太始・太素・混沌・九宮・元皇・太上皇・地皇・人皇・尊盧・句婁・赫胥・大連・伏羲・女媧・神農等の時へと下つて來たことが論じてある。太始の時に萬物が生じ、太初の時に淸濁二氣が分出し、淸氣は上つて天となり、濁氣は下つて地となり、日月も生じ人も生じた。混元及び洪元の時には淸濁二氣も分出せず、天地も未だ生せぬ渾然たる世界である。而して此の世界は太淸虛無といふより外なき時に於ける本體より漸次に分出し下つて微妙を成して世界となつたものであるといふのである。されば太清虛無の時に於ける本體は渾然たる一氣の如きもので、やはり物質的本體が考へられて居つたように思はれる。

以上は雲笈七籤卷二に收錄された全部の概要であるが、その孰れを親ても皆物質的本體觀である。其他卷二十一、二十二、二十三或は卷二十九、三十等にも亦同樣の本體觀は見えて居るのである。

徽宗皇帝　徽宗皇帝の本體思想も亦道家に於いては見逭すべからざるものである。皇帝の本體思想は其著道德眞經解の第二十五章及び第四十二章に見はれ居るが、此の兩章の解は莊子列子等の思想に基いて居られるようで、第四十二章の道生一云々の御解は西升經虛無章第十五道生一云々の御注を參考することによつて始めて其の大意が明かとなる。今兩者を併せ考へるに、皇帝は「泰初有無無有無名一之所起」とて、道なる本體を無とし、此の本體が變じて一となる。「一者形變之始也清輕者上爲天濁重者下爲地天地含精萬物化生萬物以精化形一者精之數也原其始則得一以生要其終則抱一而成通天下一氣爾自有形以至無形自有情以至無情神奇臭腐與時更化皆氣使之然也聚則生散則死盛則榮衰則悴搏之不得幽而難測可謂徼妙矣」（西升經註）。故に一は精なる一氣、此の一氣が分れて淸輕なるものは上つて天となり、重濁なるものは降つて地となる。二は天地である。此の天地の二氣交和して人物を生ずる。三とは天地人三才である。三才具はつて萬象は分れるとの考である。且つ第二十五章の有物混成云々の御解に於いては道を氣形質具而未相離曰渾淪……易所謂太極者是也天地亦待是而後生故云先天地生……萬物恃之以生といつて居られる。故に皇帝にあつては道卽ち無は氣形質三者の渾沌的一體で、それは列子と同じく物質的本體であるわけである。

以上煩を厭はず時代を追うて道家の本體觀を概觀して來たが、その結果道敎徒の本體論が終始物質的本體論を以つて一貫せることが明かとなつた。小柳博士は凡そ道敎にて崇拜する數多い神名をあげて元始天尊を先づ第一に列し、且つ元始天尊または玉皇上帝ともいふ此の神は、天地未だ分れず陰陽なほ混沌たるときに一元氣の神化したるもので卽ち天地の精である。此の元始天尊が分れて三尊となり三精に住する。老君卽ち老子も亦元始天尊の化身である旨を說いて居られる。[註一] 思ふに一元氣の神格化せるものがかくも極めて重要なる神として道敎徒の間に信ぜられて居るといふことは、道敎徒の信ずる本體が物質的のものであることを證するに足るものであらう。蓋し後漢の頃張道陵が其の端を開いた時既に老子の物質的本體思想が取り入れられ魏伯陽と共に東晋の葛洪も亦此の種の本體思想を堅持して之を以つて後來發展の道教々義の鞏固なる基礎たらしむるに至り、かくて南北朝、隋、唐の間道家の本體觀は一に此の範圍を出でず、宋朝に及んで張君房が雲笈七籤を撰するや、諸經に見はれたる本體論を蒐集し、之を一卷に收めて見易からしめた爲め、道家の本體の物質的なることが益々明瞭となつたのみならず、それによつて此の種の本體思想の普及の上にも不少貢獻したのである。次いで徽宗皇帝も亦同樣の本體觀を主張して居られるのであるが、皇帝は佛教を抑へて大いに道教を重んじ、自ら教主道君皇帝と稱せられたほどの道教信者で、王位の高きに在つて自ら道家の中心勢力ともなられた方である。されば其の本體觀は獨り皇帝御自身の本體觀たるのみならず、それは直ちに當時の道家一般の代表的本體觀であつたと考へられるのである。且つ徽宗皇帝は紹興五年朱子六歲の時に崩御遊ばされた方であるから、從つて其の本體思想は朱子の當時廣く一般道家の間に信奉せられた思想であつたといひ得るかと思ふのである。

註一　同博士著　老莊の思想と道教三四〇頁參照。

二　儒家の本體思想

先秦より宋初に至るまで儒家の間に奉せられた本體論を、若し其の本體に名づけられたる名稱によつて大別すれば、太極一元的本體論、太玄一元的本體論、元氣(一氣)一元的本體論の三つは特に目立つたものである。此の外、太一一元、渾沌一元等の本體論を擧げることも出來るかと思ふのである。

(一)　太極一元的本體論

此の本體論は先づ周易繫辭傳の說之に屬し、漢書律歷志にも見え、鄭玄・許愼等の碩學亦之を奉じ、降つて北朝の間に行はれ、唐に入るや孔穎達亦此の說を採り、かくて宋の周濂溪に及んだのである。

周易　周易經に「大哉乾元萬物資始乃統天」(乾卦象)といふは一陽の氣が萬物生成の本で、萬物は其氣を受けて資つて以つて始まるをいひ、「至哉坤元萬物資生乃順承天」(坤卦象)といふは一陰の氣が萬物生成の本にして萬物其の氣を受けて資つて以つて生ずるをいふ。而して咸卦の象に「咸感也柔上而剛下二氣感應以相與」といひ、泰卦象に「則是天地交而萬物通也上下交而其志同也」といひ、姤卦象に「天地相遇品物咸章也」などあるは陰陽二氣より萬物の生成することを示せるものであるが、繋辭傳の作らるるに及んでは二氣の上に太極を立てゝ「易有太極是生兩儀兩儀生四象四象生八卦云々」といひ、太極一元の本體論となつたのである。しかし、其の太極が如何なるものなるやについては繋辭傳では未だ分明でない。後世之を以つて或は氣となし或は理となす者の生じた所以である。太極を理と解することは宋代に至つて漸く現はれて來た思想で、程朱等に始まると考へられるが、殊に朱子は力を極めて最も盛んに之を唱道したのである。然るに宋以前に於いて概ね易の太極を解するに氣を以つてし、太極の一元氣より陰陽二氣を生じ、萬物を生ずるとなし、之を以つて太極一元の物質的本體論と考へたようである。漢唐の大儒鄭玄・孔穎達等は其の代表者といふことが出來るかと思ふ。[註一] 次に

前漢書律歷志 にも亦「太極元氣函三爲一（孟康曰元氣始起於子未分之時天地人混合爲一故子數獨一也師古曰函讀與含同後皆類此）極中也元始也……此陰陽合德氣鐘於子化生萬物者也」と見え、

鄭玄 が周易繋辭上傳を注して「極中之道淳和未分之氣也」といふもの、皆太極を以つて未分の一氣とする太極一元の物質的本體論である。

許愼　は說文に一を解して「惟初太極道立於一造分天地化成萬物」と云つて居るが、段注訂補は此の意を推して「然太極之初元氣雖壹壹未判而天地人之道固已先立於一矣故云道立於一」といひ、繫傳は「一者天地之未分太極生兩儀……必横者象天地人之氣」と解して居る。以つて許愼の太極が一であり、一は卽ち天地未分の一元氣なることが分り、彼も亦太極一元氣の物質的本體を信じてゐたといへるのである。

北朝　に於いては博士の敎授せし所の五經の說は易・書・禮は皆鄭康成、左傳は服子愼、詩は毛詩を採つた故、北朝學者にして周易の生成論を解するものは皆鄭玄の說に據つて太極一元氣の物質的本體を信じたであらうことが想像せられるのである。

孔穎達　彼は周易繫辭上傳の太極を解するや「太極謂天地未分之前元氣混而爲一卽是太初太一也故老子云道生一卽此太極是也」(正義)といふ。蓋し彼謂へらく、道は无、无は虛无、虛无は卽ち太虛にして分別すべからざる唯一無二の者、故に一は卽ち无にして道卽无卽一といふべく、理を以つて之を道といひ、數を以つて之を一といひ、體を以つて之を无といふのみ。道・无・一の三者は同實異名のみ、老子の道生一といふは道卽一の意にて是れ卽ち易の太極、混沌未分之元氣である。此の元氣分れて陰陽となり、陰陽精靈の氣氤氳積聚して萬物と爲ると。故に彼は一氣の太極一元を信ずる物質的本體論者であつたのである。彼の太一說は太一一元的本體論の條に讓る。

註一 ○高田眞治博士は易の大極は孔穎達の正義に大極謂天地未分之前元氣混而爲一とあるのが恐らく最も古義を得て居ると爲して太極を一元氣となして居られる。岩波東洋思潮易の思想二九頁。

○太極を物質的本體と見るは獨り漢唐の儒家に於いて之を見るのみならず、道家に於いても亦多くはかく解して居るのである。蓋し道家は老子の道・無を以つて本體とし、之を概ね物質的のものと見たが、他方易の太極をも取り來つて、徽宗皇帝が道德眞經解に有物混成先天地生の混淪をば「易所謂太極者是也」といはれて居る風に、屢〻太極を道・無と同一視して來たからである。

○阮元は太極乾坤說に於いて、虞翻易註の「太極太一也」と鄭康成註乾鑿度の「太一者北辰之神名」によつて、太極卽北辰とし、更に爾雅に「北極謂之北辰」とあるより、太極卽北辰卽北極と爲し、之を以つて古語とし、兩儀を天地として居る(揅經室集卷二)。

○毛奇齡は太極を北辰となす說を評して「且其稱太極爲北辰本漢儒易緯習說然而北辰生天地可乎北辰樞機轉旋天地謂之運猶可謂之生則豈其然」といつて居る(易小帖卷二)。

(二) 太玄一元的本體論

楊雄は本體を太玄と名づけた。玄は老子の道の如く超驗的の本體で、此の玄から天地萬物が發展して來る。而して天地萬物が發展して來るには、三起三生の二形式によるが、しかし凡そそれの資材・實體となるものは實に陰陽であると爲して「一晝一夜然後作一日一陰一陽然後生萬物」(玄圖)「玄者幽攡萬類而不見其形也……攡措陰陽而發氣一判一合天地備矣」(玄攡)といつて居る。其の所謂る陰陽二氣は易に本づくもので、物質的二氣であり、此の二氣が玄から生ずると爲すのである。されば本體の玄は周易の太極老子の道の變名ともいふべく、從つて彼も亦渾沌未分の一氣を本體と考へたと想像せられるのである。

(三)　元氣(一氣)一元的本體論

漢代に在つては董仲舒・王充・何休・王符等之を說き、南北朝にては賀述、唐代に於いては成伯璵・李翺等亦之を主張したのである。

董仲舒　彼の本體論は春秋繁露に見えて居る。「天地者萬物之本先祖之所出也」(觀德第三十三)といひ「天地之合而爲一分爲陰陽判爲四時列爲五行」(五行相生第五十九)といへば、合して一となるものも天地の二氣であり、分れて陰陽となるものも亦天地の二氣である。此の天地の二氣が卽ち五行萬物の本である。然るに二氣は卽ち一氣に外ならぬ故に王英篇には「謂一元者大始也……元猶原也……故元者爲萬物之本而人之元氣在焉安在乎乃在天地之前云々」とて本體の一元なるをいひ、王道篇に於いては「王正則元氣和順風雨時」とて其の一元が氣なることを示して居る。是れ元氣一元の物質的本體論である。

王充 彼も亦元氣一元の本體論者であつた。其の著論衡に曰く「陰陽之氣凝而爲人」(論死)「天地幷氣故能生物」(說日)「天地合氣萬物自生猶夫婦合氣子自生矣」(自然)と。天地の二氣は卽ち陰陽の二氣で、此の二氣凝積して乃ち萬物を生成するのである。而も訂鬼篇に「夫人所以生者陰陽氣也陰氣生爲骨肉陽氣生爲精神人之生也陰陽氣具と言つて、形體精神兩方面が氣より生ずると考へたのである。而して彼は或は「萬物之生皆受元氣」(言毒)といひ、或は「一天一地並生萬物萬物之生俱得一氣」(齊世)といへば、其の陰陽の二氣は畢竟するに一元氣に外ならぬのである。以つて彼を元氣一元の物質的本體論者となすことが出來ると思ふのである。

何休 春秋隱公元年解詁に云ふ「變一爲元元者氣也無形以起有形以分造起天地天地之始也」といふ。

王符　其著潛夫論の本訓篇に云く「上古之世太素之時元氣窈冥未有形兆萬精合幷混有爲一莫制莫御若斯久之翻然自化淸濁分別變成陰陽陰陽有體實生兩儀天地絪縕萬物化淳」と。王符の說も亦何休と共に元氣一元の物質的本體論である。

賀述　南北朝の儒者は其數甚だ多く、其著書亦少なくなかつたのであるが、當年の著述は多く散佚して今に殘れるものは極めて少ない。しかしその僅かに殘れる中に於いて尙ほ禮統に「天地者元氣之所生萬物之祖也」といふ賀述の語を發見し得るのである。

成伯璵　唐に於いては成伯璵は禮記外傳に「天以一氣化萬物」といひ、

李翺　は復性書下に於いて「受一氣而成形一爲物而一爲人」といつて居る。此の二人も亦一氣一元の物質的本體論を唱へたのである。

（四）　太一一元的本體論

先秦に在つて雜家の呂不韋が此說をなしたことは旣に述べた所であるが、漢代に入るや禮記禮運に見はれ、魏晉の間虞翻此の說を持し、唐に入るや孔穎達は亦之をも採つたのである。

禮記禮運に曰く「是故夫禮必本夫太一分而爲天地轉而爲陰陽變而爲四時云々」と。太一は卽ち天地剖判以前の本體である。

虞翻其著周易集解に於いて、易の太極を解して「太極太一也分爲天地故生兩儀也」といつて禮記禮運及び呂氏春秋の説を採つて居る。

孔穎達は周易正義に於いては太極一元論を主張したことは既に述べた如くであるが、彼は又禮記正義に於いては太一一元論を主張して居るのである。彼曰く「必本於太一者謂天地未分混沌之元氣也極大曰大未分曰一其氣既極大而未分故曰太一也」と。又曰く「分而爲天地者混沌元氣既分輕清爲天在上重濁爲地在下云々」と。蓋し周易繫辭傳は太極一元論であるが故に、之を解するや太極一元論を爲し、禮記禮運は太一一元論なるが故に、之を解するや又太一一元論を爲したわけである。從つて自然の勢として彼は易の太極と禮記の太一とを同一なるものと觀、共に混沌の一元氣と爲したのである。要するに彼は一氣の太極卽太一の一元を說く物質的本體論であつたのである。虞翻の説も亦同様に物質的本體論であつたと思ふのである。

(五)　渾沌一元的本體論

此の本體論は前述の如く老莊派に在つては列子に備はれる說であるが、儒家に在つても漢代の白虎通は之を取り、魏晉の間廣雅亦之を採つて居るのである。

白虎通　其の本體論は之を渾沌的一元論といふことが出來る。蓋し、同書釋天地之名章に云く[註一]「天地者元氣之所生萬物之祖也」。又、論天地之始章に云く「始起先有太初然後有太始形兆既成名曰太素混沌相連視之不見聽之不聞然後剖判清濁既分精曜出布庶物施生精者爲三光[註二]號者爲五行五行生情性情性生沖中沖中生神明神明生道德道德生文章故乾鑿度云太初者氣之始也太始者形之始也太素者質之始也陽唱陰和男行女隨也」との渾沌相連なり、視れども見えず聽けども聞えずといふは太初太始太素の三者具つつて未だ分化せざる以前の渾沌的本體をいふことと列子の渾淪と同じ。但、列子・鉤命決・乾鑿度等は此の渾沌を太易ともいへるが、白虎通は唯だ混沌といふのみにて特に太易の名は用ひなかつたようである。廣雅の釋典も亦之に倣つて太易の名を擧げず、三氣相接の語を以つて混沌的本體を表はして居るのである[註三]。而して此の混沌より先づ生ずるものを太初とし次に太始次に太素と分化する點や、乾鑿度の說によつて其の太初を氣の始とし、太始を形の始、太素を質の始とする點などは、又列子・鈎命決とも一致する。混沌より先づ生ずる太初は卽ち陰陽未分の一氣にして天地を生ずる所の元氣である。此の一元氣が淸濁に分れるが、淸なるものは陽氣にして形、濁なるものは陰氣にして質、陽氣は上つて天となり、陰氣は降つて地となる。天地旣に生ずれば萬物は之より生出するのである。以上の如き三氣の混沌的本體が亦物質的のものなることは明かである。

廣雅 魏の張揖撰の廣雅は廣く漢儒の箋注及び說文等の諸書を採つて爾雅を增廣したものといはれて居るが、其の廣雅の釋天に「太初氣之始也生於酉仲淸濁未分也太始形之始也生於戌仲淸者爲精濁者爲形也太素質之始也生於亥仲已有素樸而未散也三氣相接至於子仲剖判分離輕淸者上爲天重濁者下爲地中和爲萬物」と見えて居る。是れ亦太初太始太素の三氣相接して未だ分れざる一體を以つて本體とする渾沌的物質本體論である。以つて漢以來かゝる本體思想が如何に廣く行はれて居つたかを知るに足るであらう。

註一　白虎通疏證云當脫一天字。

註二　同疏證云號者二字疑衍珠林引虞喜天文論云精者爲三光爲五行五行生情性云々。

註三　白虎通が特に太易を言はず、乾鑿度の文を引用するにも太初以下に留めて特に太易をいふ所を省略に附したることは或は儒者の論が列子、更には老莊等異端の說と相同じからず、老莊列が一氣の上更に道又は太易を立つるに反し儒者は太極元氣を以つて本體とすることを明かにせんと欲する意に出でたのであつて、從つて其の混沌相連云々といふも太易一元氣の狀を表はせるものと考へられはせぬかとも思ふのであるが、且らく廣雅釋天より推し且つ陳立の疏證の說に從つて此では三者の未分を渾沌とし本體として置くことにする。

以上先秦より宋初に至る間に行はれたる儒道二家の本體思想を概觀したのであるが、其の何人たるを論せず、一貫して孰れも物質的本體を信じてゐたことは特に注目すべきことである。思ふに物質的本體觀は實に漢民族數千年來の傳統思想ともいふべきもので、此の思想は全漢民族の思想中に一つの大きな潮流となつて流れ來つたものであつたと考へられるのである。朱子と雖も漢民族の一人である以上、そして此等古來の本體思想を汲める學者である以上は此の潮流に逆ふことは出來なかつたのである。この思想より朱子が受けた影響については後章に述べることにする。

第二節　先秦宋初間諸家の理法・形相思想

凡そ天地萬物の間に理法・形相の存在することを認めたことは先秦儒家を始め漢唐の諸儒皆然りである。獨り儒家のみ然るに非ずして道家も亦勿論之が存在を認めたのである。以下之を略述し以つて朱子の本體論に理一元的表現形態の存する所以を明かにする爲めの一助とし度いと思ふ。

一　道家(其他)の理法・形相思想

老子の本體道は渾沌的一元の物質的本體であつた。それは物質的のものであつたけれども、然し唯だ單に純然たる物質性のみのものでは決してなかつた。それは「獨立して改まらず、周行して殆からず」「其中に精あり、其精甚だ眞、其中に信ある」ものである。道はかゝる性質、力ともいふべきもの即ち廣義の形相を有つものである。道自身がもつ此等の形相は道以外の何物からも與へられるものではない。又、此の道から沖氣陰陽萬物が生ずるが、之を生ずること自身がまた既に形相であり、この形相は道自體から起るものである。加之、生じた陰陽萬物は一として同じものはなく、各々特殊であるが、此の特殊相自體亦形相であり、此の形相も道以外の何物からも生じない。其他、物芸々各々其根に歸つたり、曲は常に全く、枉は常に直く、窪は常に盈ち、敝は常に新たであつたり、至柔は常によく至堅を馳騁したりする、此等不變一貫の形相も亦道から起つて來るのである。道は凡そ此等一切形相の因でもある。道は一切のものの實體形體の因であると同時に、又形相の因である。かくてハンスハース博士が道は萬有のもつ力の表示でもあるといひ、[註一]フォルケ博士が道生一の一をUrkraft、二生三の三の中の一つのものをKräfteなどと譯して、力の根源を道そのものの中に見出だされた所以も諒解出來るのである。[註二]若し此の形相因の方面を重んじて、唯だ形相因としてのみ道を觀る時は、韓非子の如く道を萬理の總合と說くようにもなり、[註三]謝无量の如く無を指して理と爲す吳草廬の說を「此又一說なり」と許すようにもなる。[註四]小柳博士が老子の道を元氣ではなく理法であつて宋儒の所謂る所以然之理ともいふべきものとせられたのも[註五]亦此に其の因があるかと思はれる。老子の道は一切の質料と形相との混一的根源であるから、或は理氣渾一體ともいひ、或は天地萬物の生ずる所以の總原理[註六]ともいひ得ようが、然しそれは道の發展した迹に基いて之から推しての考方であつて、若し老子自身の心持ちからすれば、老子の道はどこまでも物質的本體で、それが理法・形相の因でもあるとあつさり考へてゐたように思はれる。彼は天地萬物の間に理法・形相の存することは十分に認めたが、しかしその一切の理法・形相が物質的ならざるが故にその因も亦理的のものでなくてはならぬとして、特にかゝる方面を本體の中に於いて分析的に考へるまでには進んではゐなかつたと思はれる。畢竟は唯物論の範圍を脱してはゐなかつたといへるのである。

註一　Hans Haas: Lao-tszŏ und Konfuzius, S. 47.

註二　Alfred Forke; Geschichte der alten chinesischen philosophie, S. 267.

註三　本節韓非子の條參照。

註四　同氏中國哲學史第一編下一〇頁。

註五　同博士老莊の思想と道教七四、七八頁。

註六　馮友蘭中國哲學史上二二一頁。

列子の理法・形相觀念については、天瑞篇に「故有生者有生、生者有形者有形、形者有聲者有聲、聲者有色者有色、色者有味者有味、味者生之所生者死矣而生、生者未嘗終形之所形者實矣而形形者未嘗有聲之所聲者聞矣而聲聲者未嘗發色之所色者彰矣而色色者未嘗顯味之所味者嘗矣而味味者未嘗呈皆無爲之職也能陰能陽能柔能剛能短能長能圓能方能生能死能暑能涼能浮能沈能宮能商能出能沒能玄能黃能甘能苦能羶能香無知也無能也而無不知也而無不能也」といつて居る。形形・聲聲・色色・味味

の各下の形・聲・色・味の字は形一般色一般といふような抽象的なものではなくて、形は方・圓・長・短、聲は宮・商、色は玄・黄、味は甘・苦等夫々特殊個々の一々を包含する。無即ち太易は既に萬物を生ずる原理であり、形・聲・色・味をして、形は聲に非ず色に非ず、聲は形に非ず、色に非ずといふように夫々特殊たらしめる原理である。加之、此等形・聲・色・味の各々に於いて更に萬種あらしめる原理も亦太易であるが故に、彼は凡そ一切形相の因を太易と爲したことは明かである。然るに列子の太易は渾沌の物質的本體であるから、それは萬物の實體・形骸の因であるが、それと同時に又形相の因でもあるから、太易は理をも含むと考へてそれを理氣の抱合體と爲す者もある。しかしこれも老子と同じで、若し太易發展の迹に基いて之より推して考へれば或は左様のものとも考へられないこともないが、恐らくは太易はどこまでも物質的のもので、唯物論の範圍を脫しなかつたのであらうと思はれるのである。

莊子も亦理法・形相の存在することを認めて曰く「吾師乎吾師乎、齊萬物而不爲義澤及萬世而不爲仁長於上古而不爲老覆載天地刻彫衆形而不爲巧此之謂天樂已」(天道)「夫道有情有信無爲無形……維斗得之終古不忒日月得之終古不息」(大宗師)「今彼神明至精與彼百化物已死生方圓莫知其根也……陰陽四時運行各得其序惛然若亡

而存油然不形而神萬物畜而不知此之謂本根可以觀於天矣」（知北遊）と。されば莊子の道は萬物の秩序を生み萬形の特殊を生じ、日月星辰陰陽四時にその運行とその運行の不變性とを與へる。此等の諸形相の原因たる道は老子と同じく物質的本體である。彼は萬物の間に諸形相を認め、之が道より生ずることは認めたが、諸形相のためその因をその本體中に特に考慮するといふまでには至らず、やはり唯物論の世界に止まつてゐたのである。

韓非子は謂へらく「物有理不可以相薄物有理不可以相薄故理之爲物之制萬物各異理」（解老）と。而してその理とは何ぞ「理者成物之文也」（同上）「凡理者方圓長短麤靡堅脆之分也」（同上）「有形則有短長有短長則有小大有小大則有方圓有方圓則有堅脆有堅脆則有輕重有輕重則有白黑短長大小方圓堅脆輕重白黑之謂理」（同上）と。故に彼の所謂る理とは物のもつ個々特殊の形相である。個々のものをして其の物たらしめることによつて之を完成せしめる所以の形相である。而して其の理・形相と道との關係について曰く「道者萬物之所然也萬理之所稽也……道者萬物之所以成也」（解老）「萬物各異理而道盡稽萬物之理故不得不化不得不化故無常操是以死生氣稟焉萬智斟酌焉萬事廢興焉天得之以高地得之以藏維斗得之以成其威日月得之以恆其光五常得之以常其位列星得之以端其行四時得之以御其變氣……以爲近乎其光暉々以爲明乎其物冥々而功成天地和化雷霆宇內之物恃之以成云々」(同上)と。されば老子の道は韓非に在つては萬物の理を悉く稽留貯合するもの、卽ち萬理の總合統一體である。宇宙の物は此の道を恃んで以つて成る。道は萬物の成る所以である。而して成るは生ではない。生は草木の土上に生出するを以つて本義とし、轉じて萬物の生出に用ひられ、初めて物の生出する意である。しかるに成るは歲晩極寒の頃に及んで草木の形體が完備するの意であり、既に生出したるものの完成終備を意味する。先づ生出せる物があつて而る後に始めてその物の完成終備がある。故に彼に在つては道は萬物の實體を生出する根源本體ではなくて、既に生出したるものをして完備せしめる原理である。天は道を得て以つて高く、地は道を得て以つて藏し、日月は道を得て以つて其光を恆にし列星は道を得て以つて其行を端しくするが如き、皆道が物を成すの例である。故に道は萬物の成因ではあるが生因ではない。而して個々の理・形相は個々の物を成すの原理と考へる故、道が萬物を成すは個々の理を通して成すのである。道は一切の理法・形相の統合體であるから、一切の理法・形相の根源である。かくてそれは唯だ形相因たるに止まり、萬物の實體の根源本體ではない。老子に在つては道は萬物の生因であると同時に成因でもあつたが、韓非は法家であつた故に、其の重んずる所は法刑に在つて、法刑の概念は自ら天地自然の理法・形相の概念と結合するに至り、かくて彼は萬物の間に存する理法・形相の方面に著眼し、それの原因根源を探ねて道と爲したのである。彼が特に形相因のみを求めて道とするに止まり、物の實體・形骸の生因を明かにしなかつたことは本體論としては物足らぬ所であるが、然し形相因を道とし、理法・形相が理的のもの故にその因も亦理的のものでなければならぬと考へて、道を理の總合統一體と爲した點は確かに思想の一發展で、此の發展は後に宋儒程朱が一切の理法・形相の因は理的のものでなければならぬとして之を太極とし、太極を萬理の統一體と爲した思想の先驅となつたものと思はれる。而して韓非の足らざる方面は一氣の物質的本體を考へることによつて之を補ひ、太極の形相因と一氣の質料因とを合せたものを本體とし、以つて從來の本體論の唯物論的傾向が犯してゐた質料形相兩者の根源の混同から免れ得たのである。

淮南子は道家ではないが亦理法・形相の存在を認めて居る。原道訓に「夫太上之道生萬物而不有、成化像而弗宰」「夫道者覆天、載地、廓四方、析八極……山以之高、淵以之深獸以之走、馬以之飛、日月以之明、星歷以之行、麟以之游、鳳以之翔」といへば、天地萬物に理法・形相の存在することを認め、その理法・形相が物質的本體たる道から生ずると考へたのであるが、彼は道を物質的と見るに止まり、それが理法・形相の因ともなる故に特にその爲めにその本體の中に何か理的のものを認めねばならぬといふまでには考が進んではゐなかつた。彼も亦唯物論者であつたのである。

道敎徒　道敎の目的とする所は不死長生を得るに在つて、之を得る道の主なる一つは自己の元氣を養ふことである。故に本體を考へ生成を論ずるにしても、自ら氣・物質の方面が主となつて居ることは既に述べた道敎徒の本體思想を通じて明かに知られることであるが、然し魏伯陽・葛洪等も主張したように、天・文・地・理を察して動容周旋一に自然の理法に順ふべきことをも亦重んずるのであるから、道敎徒と雖も全然理法・形相の存在を認めなかつたのではない。之を認めては居るのであるが、唯だその修丹の術とはさして關係がなかつたから、此の方面はあまり說かず、從つてかゝるものゝ根源を物質的本體の中に探し求めようともしなかつたのである。

二 儒家の理法・形相思想

儒家も亦古くから理法・形相の存在を認めて居るのである。

詩經には「維天之命於穆不已」(維天之命)とあり、鄭箋には「命猶道也天之道於乎美哉動而不止行而無已」といふ。「天生烝民有物有則、民之秉彝好是懿德」(烝民)ともある。前者は日月星辰の運行作用と其れの不變性とをいひ、後者は自然人間兩界の理をいへるもので、是れ天地の間に理法・形相の存在を認めるものである。

四書 中庸にも第三十章に「仲尼祖述堯舜憲章文武上律天時下襲水土辟如天地之無不持載無不覆幬辟如四時之錯行如日月之代明萬物並育而不相害道並行而不相害小德川流大德敦化此天地之所以爲大也」とある。天地の持載・覆幬や四時の錯行、日月の代明の類皆是れ自然界の理法・形相の方面を言へるもので、上律天時下襲水土といふは此等の理法・形相を認めて之に因り遵ふことをいふのである。又、孟子にも「天之高也星辰之遠也苟求其故千歳之日至可坐而致也」(離婁下)といふ。是れ天地自然の形相及び形相因の存在を認めるものである。其他四書(ひとり四書と限らず、凡そ經書)に見ゆる諸多の人道は人間界の理法・形相を説くものである。詩經四書に理法・形相をとくこと此くの如くであるが、其の理法・形相の由つて來る所については、只天なる語を以つて之を示するに止まるのである。その天は萬物の本體と考へられてはゐたのであるが、未だ其の中に於いて形相の因を特に考へることはしなかつたのである。

周易　更に周易を觀るに、恆卦には「天地之道恆久而不已也……日月得天而能久照四時變化而能久成聖人久於其道而天下化成觀其所恆而天地萬物之情可見矣」と見え、繋辭上傳には「動靜有常……方以類聚物以群分……日月運行一寒一暑云々」とあるが、此等は天地間の物象のもつ作用とその恆久不變性とを認めるもので、これ理法・形相の觀念である。而して易に在つては物象自體は氣が之を生ずるのであるが、しかし物象のもつ理法・形相の根源は何と考へたのであらうか。それについての特別の説明はない。蓋し周易は太極てふ物質的本體から天地萬物の實體・形骸と理法・形相との兩方面を生ずと爲す所の唯物論と思はれるのである。

荀子は萬物の生成については殆んど之を説かず、唯だ天論篇の楊注より推して其の本體が物質的氣であつたであらうことが想像せられる位のものであるが、萬物の間に理法・形相の存することは之を認めて「天行有常」(天論)「天有常道矣地有常數矣君子有常體矣」（上同）「列星隨旋日月遞炤四時代御」（上同）などいつて居る。しかしその形相の由つて生ずる所以の根源に至つては彼も亦未だ何等說く所がない。蓋し當時の一般學者の如く、彼も亦物質的氣を以つて萬物の實體形相兩方面の根源と考へた唯物論者であつたのであらう。

董仲舒が春秋繁露に「天之道有序而時有度而節變而有常反而有相奉云々」（天容第四十五）「天之道終而復始」（陰陽終始第四十八）「天道之常一陰一陽」（陰陽義第四十九）「天覆育萬物既化而生之有養而成之事功無已終而復始」（王道通三）などいへるは卽ち亦理法・形相を認めるものである。彼が賢良對策三に「道之大原出于天天不變道亦不變」といひて專ら天を本とする所より推せば、右の理法・形相の由つて來る所以の根源も亦實に天なりと考へたと思はれる。而して既述の如く彼に在つては天は宇宙の本體で、然もそれは元氣一元の物質的本體なる故、彼は萬物の實體・形骸も理法・形相も共に此の本體より生ずと爲す唯物論者である。

揚雄も亦太玄經一〇卷に於いて日月星辰晝夜陰陽の往來、一寒一暑春秋冬夏の循環、君臣父子夫婦の道等、天地間に諸多の理法・形相を認め、天道・地道・人道の存することを說いて居り、此等の理法・形相の由つて來る所の根源を以つて本體の太玄と爲して居る。然るに太玄は物質的本體であるから彼もやはり唯物論に止まつたと考へられる。

王符が潛夫論に高辛氏の行を述ぶる所に「迎送日月順天之則能敍三辰云々」（五德志第三十四）といへるも亦理法・形相を認めた言である。

王充は論衡に於いて「人稟氣於天氣成而形立……形已成定何可復更也」（無形）といひ、「天之行也施氣自然也……日月五星之行皆施氣焉」（說日）「天之動行也施氣也體動氣乃出物乃生矣」（自然）といふ。若し彼の言ふ如く人物の形は氣成つて立ち、立てば他の形に變更すべからざるものとすれば、萬物の形態に於ける空間的諸限定は氣から來る。又、天地の動行、日月星辰の運行が氣を施すより來ると爲せば、その運動の原因も氣である。彼が儒增篇にて「氣乃力也」といへるを併せ考へれば形體の空間的特殊限定及び運動等の如き、凡そ一切の形相は其の因は氣に在ると爲したことは想像するに難くない。而して彼は氣の物質的本體を信ずる故に、彼も亦唯物論者たるに止まり、未だ理法・形相の爲めに特に非物質的なる因を考へるまでには至らなかつたのである。

孔穎達　唐代に於いては孔穎達は「至如天覆地載日照月臨冬寒夏暑春生秋殺萬

物、運、動、皆、由、道、而、然、（周易繫辭上傳正義）といつて道を以つて天地間一切の形相因と爲して居るのである。然るに彼の所謂る道は卽ち太極であり太一であり、それは天地陰陽未分以前の混沌一元氣である。故、彼も亦先秦以來の儒家の如く一切の理法・形相と一切の實體・形骸とを共に物質的本體より來るものと爲す所の唯物論の立場を超えなかつたのである。

以上論述せる所は先秦より宋初に至るまでの儒道二家の中、主として本體思想を有つてゐた人々について、その理法・形相思想を尋ね、時に法家・雜家の說にも及んだのであるが、其の何人たるを問はず、天地の間に理法・形相の存在することを認めた點は皆一致する所である。しかも其の理法・形相の根源に至つては各自の信ずる本體を以つて之に當つるものの多く、從つて概ね唯物論の域を脫しなかつたのである。理法・形相の思想は物質的本體の思想と共に夙に漢民族の間に連綿として信奉せられて來たものであつた。朱子の理法・形相の思想が此の古來の傳統思想と何等交涉がなかつたなどとは殆んど考へられないことである。

萬物の實體・形骸と理法・形相との兩方面の生成は上述の如く唯物論の形に於い

て一應は統一されてゐたのであるが、他方、禪學の唯心的思想の隆盛や、哲學的思索の進步等によつて、從來の唯物論も早晚何等かの新展開を試みねばならぬ機運に向ひつゝ世は宋朝に入つたのである。

第三節　朱子以前宋儒の本體思想

朱子の著伊洛淵源錄は宋學の系統を述べて卷頭第一に周濂溪を擧げて居る。宋學といつても性理に關する方面と象數に關する方面との二大潮流があつて、周濂溪は前者の祖と考へられ、邵康節は後者の祖と言はれて居るのである。但、性理方面は有名な學者が相次いで現はれた爲めに益〻熾んとなり、宋學といへば直ちに性理の學を想像する程になつた。大儒朱子も亦特に此の方面に力を用ひた學者故彼が宋學の系統を述ぶるに當つても此の方面の祖周子を先づ第一に選んだことと思はれる。しかし若し象數の學を主としていふならば、邵子を宋學の開祖といふことも出來るわけである。以下性理・象數兩方面に於ける朱子以前の宋儒の主なる者に就いて其の本體思想を概觀し、以つて朱子の本體論の本づく所を明かにし度いと思ふ。

周濂溪 程子・朱子等は周子を評して彼は師に就いて學ぶことはしなかつたが、其の穎悟はよく道體を默契して遂に宋學の開祖となり得たと云ひ、餘り其の學の源流を探求することをせぬ。恐らく其の思想系統を探求すれば周子の思想が道佛二教に基いて居ることを言はねばならなくなり、從つて周子の學のみならず、其の周子の學に本づく自己の學が專ら孔孟の教であると言へなくなるような結果に陷ることを恐れたためでもあつたであらう。しかし周濂溪に師のあつたことは多くの學者の研究によつて明かであり、しかも道佛二教に其の師承を發見し得るとすれば、彼の思想が悉く彼の獨創に出でたと考へることは妥當を缺くものである。彼は本來儒者であつて、其の本體論は周易の思想を根幹とするけれども、更に之に配するに道佛二教の思想を以つてして此に彼の本體論が建設せられたのである。

彼の本體生成論は太極圖說に備つて居るが、太極圖說は首句に於いて、自爲の二字の有無が朱子以來の問題となつて居るのである。「無極而太極」を周子の原文となす者は無極卽太極と爲し、「自無極而爲太極」を原文と爲す者は太極の上更に無極ありとし、無極を以つて究極の本體と爲すのである。今假りに「無極而太極」を以つて彼の原文とし、朱子の言ふ如く無極卽太極として、それが果して何であつたかを考へて見よう。周子によれば陰陽が變合して五行を生じ萬物を生成する。故に此の陰陽は數千年來儒道二家の傳統思想たる物質的二氣に外ならぬ。然るに太極が動いてその陽を生じ、靜つてその陰を生ずるといふ。陰陽二氣が太極より生ずるといふは、周易繫辭に本づくものであることは言はずして明かである。而して「生」とは伊藤東涯が「分生之生」で生出の生ではない「漸分漸細」をいふのであると解して居るように、[註一]それは動靜することによつて太極が陰陽の二氣に分れることである。故に周子に在つては太極は卽ち未分の一氣である。而して無極は卽ち太極なる故、周子は氣一元の物質的本體論者となる。伊藤東涯も古來儒道二敎の唱ふるところの太極は皆一元氣なるが故に、周子の太極も亦之を元氣と見るべきであると主張し、並木栗水も荻原博士も皆一氣として居られる。[註二]而して此の太極より陰陽二氣の生ずる思想が周易に本づき、然も周易にては太極は混沌の一元氣なることを思へば、愈〻周子の太極の一氣であつたであらうことが領かれるのである。

加之、私の考では周子の圖は之を陳搏に承け、陳搏は之を唐の道士作上方大洞眞元妙經圖に得來りたるものと思ふ。而して妙經圖の說は其の太極を以つて眞元の一氣とし、此の一氣に動靜あることを說いて居る。この本體觀は古來道家に一貫して信奉せられた中心思想であるが故に、妙經圖を取つた陳搏は恐らくは又此の說をも併せ取つて之を周子に傳へたであらうことが想像せられる。此の點からしても周子の所謂る太極が一氣であつたであらうことはまた首肯し得られるかと思ふ。

次に又、假りに自爲の二字あるものを原文として考へて見よう。陳希夷の本づいたと思はれる上方大洞眞元妙經品は無極てふ虛無より太極てふ眞元の一氣の生ずることを說いて居る。而して周子が此等に本づいて圖及び說を立てたものとすれば、太極圖說の原文に自爲の二字ありたりとする方が反つて當れるに近いようにも思はれる。況んや朱子の當時現に「自無極而爲太極」となれる通行本もあつて流布せられ、史官も一旦は之に據つたほどである。若し自爲の二字があつたとすれば周子の本體論が道教に本づけることは愈〻明白であつて、その太極は周易の太極であると同時に、又眞元妙經品の太極である。而して兩者は元氣であるが故に周子の太極も亦元氣であつたと考へられるのである。且つ周子の無極も亦經品の所謂る太極なる眞元の一氣を生ずる虛無なる無極を意味するのである。而して道家の所謂る無極は是れ老子の無極・卽ち道の概念に本づくものである。然るに道は沖氣以前の渾沌の物質的本體であるから、周子の無極も同樣の物質的本體であつたと解されるのである。周子が自無極而爲太極といへるは經品の說に一致するのみならず、又老子の所謂る道生一にも一致する。且つその太極生陰陽といふは「一生二」及び周易の「太極生兩儀」と一致する。此の意味に於いて周子の本體生成論は周易のみならず道家の說にも基いて居るといへる。蓋し周子は道家の本體生成論に於ける原頭數段の所を借り來つて、儒敎本來の本體生成思想を補塡完成せんと試みたものと思はれるのである。かくたとひ周子の原文が「自無極而爲太極」であつて、無極を究極の本體としたとしても、尙ほ依然として周子は物質的本體論を奉じたものとなるのである。自爲の二字の有無孰れが正しいかは此に之を吟味する必要はない。此では唯だ有無孰れにしても周子の本體は漢民族傳統の物質的のものであつたといふことに注意すれば足りるのである。

周子は又他方理法・形相の思想をも有つて居つた。太極が動靜するといひ、陰陽が變合するといひ、交感するといひ、眞と精とが妙合而凝といひ、變化無窮といひ、四時運行といひ、又は陰陽五行萬物の夫々の間に特殊差別相を認めるなど皆是である。彼が唯だ僅かに太極のもつ動靜なる形相を太極自身から起ると爲したことは明かであるが、其他の一切形相が何から起り來るかについては詳細なる說明が無い。思ふに彼も亦諸種の形相・理法の存在することは認めたが、進んでそれの根源を求めるまでには考が進まず、依然として古來の唯物論の立場に止まつてゐたようである。

註一　同氏　讀近思錄鈔、太極圖說十論參照。
註二　伊藤東涯著　太極圖說十論管見、古今學變參照。
　　　並木栗水著　宋學源流質疑。
　　　萩原擴氏著　周濂溪の哲學四一五頁。

張横渠は明かに氣一元的本體論の主張者である。彼は太虛に坱然たる一氣が升降飛揚して陰陽の淸濁二氣となり、此の二氣の感遇聚散によつて天地の萬物萬象が生成することを述べて「太虛不能無氣、氣不能不聚而爲萬物萬物不能不散而爲太虛」(正蒙太和)「氣坱然太虛升降飛揚未嘗止息……浮而上者陽之淸降而下者陰之濁、其感遇聚散爲風雨爲雪霜萬品之流形山川之融結糟粕煨燼無非敎也」(同上)といつて居る。氣は太虚に坱然として聚散するが、それは太虚が氣を生ずる意味でもなければ、又太虚があつて其の中に別に氣が存在するといふのでもない。「知虚空卽氣則有無隱顯神化性命通一無二云々」(同上)「氣之聚散於太虚猶冰凝釋於水知太虚卽氣則無無云々」(同上)太虚卽ち氣である。氣の全一體を太虚と呼ぶに過ぎぬのである。以つて彼が物質的本體論者であつたことを知るべきである。

而して彼も亦諸種の理法・形相の存在を認めたことは、氣が聚散し升降飛揚するといふ一例にても知られるのであるが、然らば彼は此等の理法・形相の由つて起る所の根源を何と考へたのであらうか。彼は云ふ「鬼神者二氣之良能也」(同上)「若陰陽之氣則循環迭至聚散相盪升降相求絪縕相揉蓋相兼相制欲一之而不能此其所以屈伸無方運行不息莫或使之不曰性命之理謂之何哉」(參兩)と。是れ氣の有つ一切形相の根源を氣自身の中に認めるもので、良能といひ性命之理といふは特にかゝる形相因を呼ぶ所の語である。既に述べた如く横渠以前數千年來の本體論は唯物論で、特に理法・形相の因を其の本體の中に求めて之を分析說明するまでには至らなかつた。然るに張子に至つて始めて從來の物質的本體論を奉じながら、然も其の氣なる本體の中に特に形相の因を認め、之を分析して說き出す端を開いたのである。しかしながら張子の良能は物質一氣に内在する氣の屬性で、氣よりは遙かに下位に立ち、未だ實體の氣と對立するほどまでの重要さを有たなかつたのである。故に彼の思想全體から觀れば尙依然として氣一元の唯物論的傾向が非常に强いといふべきである。然るに彼の此の氣の論を、又理をも說けるものとして甚だ愛好した朱子は、從來の物質的本體の中に特に理法・形相の因を求めた橫渠の考方を見逃がさず、橫渠の良能又は性命之理なる語に代ふるに易・周子の太極なる語を以つてし、太極を以つて一氣に内在するものとしながら、然も彼は此の太極を以つて氣の屬性とはいはず、反つて氣よりも重要視し、氣を太極の從として遙かに下位に立たしめたのである。されば朱子の思想全體よりすれば太極一元論の如き觀を呈して居るのである。しかしながら彼は尙は從來の物質一元の本體思想を捨て得ずして一氣の自存を認め、太極を以つてその一氣に内在するものとし、一氣を質料因とし太極を形相因と見て、理氣二元の渾一體を以つて本體とする立場に止まつたのである。

邵康節は術數を以つてする象數學者で、易に精通してゐた人である。而して彼の本體論は其の說朱子に比して遙かに簡ではあるけれども其の根本に於いては朱子と殆んど異なる所がなく、朱子が如何に多く邵子の思想にも基いて居るかを深く思はしめるものがある。邵子云ふ「一氣才分兩儀已備圓者爲天方者爲地變化生成動植類起人在其中最靈最貴」（擊壤集卷一、觀物吟）「一氣分而爲陰陽判得陽之多者爲天判得陰之多者爲地是故陰陽半而形質具焉陰陽偏而性情分焉形質又分則多陽者爲剛也多陰者爲柔也」（皇極經世書觀物外篇上）。一氣分れて陰陽となり、天地の兩儀となり、萬物の變化生成となると爲すを以つて、故にこれだけならば彼は氣一元の物質的本體を信ずるものとなるのである。然るに彼は獨り之に止まらず、更に又道及び太極より天地萬物の生成を說いて居るのである。卽ち「是知道爲天地之本天地爲萬物之本以天地觀萬物則萬物爲物以道觀天地則天地亦爲萬物」（同觀物內篇）「天地尙由是道而生況其人與物乎人者物之至靈者也」（同上）といへば、道より天地萬物の生成をいふこと明かである。然るに「道爲太極」（觀物外篇上）「太極道之極也」（同上）で、道卽太極なるが故に又「太極既分兩儀立矣陽下交於陰陰上交於陽四象生矣」（觀物外篇上）ともいひ得るので、是れ易の說に基いて言を立てたものである。彼は老子の道と易の太極とを併せ取り、之を調和して道卽太極とし、之より陰陽となり天地の兩儀となり更に萬物を生ずるといふのである。然るにこの太極とかの一氣との關係については「太極不動性也發則神」（上同）といひ「氣則養性性則乘氣故氣存則性存性動則氣動」（上同）などいふより推して、その太極が氣ではなく二者は自ら別物であることが窺はれる。かくて邵子の本體論に氣一元と太極一元との兩形態が存在することとなる。このことは一見矛盾するが如く、偶〻彼の思想の混亂を示すかの如き感を惹き起さしめるのである。しかしながら此の兩形態は彼の思想に於いては決して撞著するものではなかつた。彼の本體思想全體は此の二つの形態を俟つて始めて表現せられ得る底のものであつたのである。唯だ一つのものを二方面に分析して說明の便に資したまでゞあつたのである。性は則ち氣に乘ず。氣存すれば則ち性存す。性動けば則ち氣動くなどいへば、太極は氣に內在し、氣の動靜變化を惹起する所のもの、卽ち氣の動力因と考へたのである。太極が氣の動力因―形相因―なるが故に、一氣分れて陰陽兩儀となる場合、陰陽兩儀の實體は一氣其者より來るが、一氣其者を陰陽兩儀に分れしめるものは實に此の一氣に內在する太極なのである。一氣は質料因として萬物の實體・形骸的方面を成し、太極は形相因として一切の形相を生起するのである。一氣は天地萬物の生成に當つてその質料を提供することは出來ても、夫〻の特殊の形相を與へることは不可能である。之を與へるものが卽ち太極なのである。一氣と太極と、質料因と形相因と、此の二者の共同によつて始めて完全に天地萬物が生成するのである。其の一氣より生成を說き來るは、專ら實體・形骸的方面の生成を思ひ浮かべて語を發して居るのであり、その太極より生成を說き來るは專ら理法・形相的方面を思ひ浮かべて說を爲して居るのである。一個の生成の事實を分析して此の二方面に抽象し、此の二方面を夫々異なれる原理から績繹せんとした故に、自ら二種の表現形態が併立するが如き形となつたのである。邵子に素と二つの本體思想が對立して存してゐた爲めではない。彼に在つては一氣と之に內在する太極との二元の渾一體が究極の本體であつたのである。

思ふに邵子の氣一元的方面の思想は、周子・張子と與に漢民族數千年來の物質的本體思想を繼承せるものである。而して其の氣の中に特に太極・道の如き形相因を發見して萬物の形相方面をその根源から明瞭に說き來つたことは、從來の唯物論から完全に離脱するもので、張子に於いて此の傾向の萌芽を見出し得るのであるが、未だ張子に在つては唯物論からは完全に離脱はせず、邵子に至つて之が成し遂げられたのである。彼は從來信ぜられて來た萬物の諸形相の根源を求めて道・

太極とし、此の方面を氣の方面と對立するまでに重要視して説き出した結果、此の方面が恰も獨立せる一つの本體生成論の一體系であるかの如き表現形態を備へるに至つたのである。朱子の本體論に亦此くの如き類似の存するのも、其の動機原因は全く邵子と同じで、邵子の影響によることも大であつたといふべきであるが、又當時かゝる説明形式を用ふる風が次第に生じつゝあつて、朱子も亦その風に從つたものと思はれるのである。かくて朱子は本體論では邵子の範圍を出て居ないのである。

程明道に在つては天地が物を生ずるが、その天地は陰陽の二氣であつて、此の二氣が絪縕して萬物は化醇するのである。されば彼は物質的本體を信ずるものであるが、又易の天地之大德曰生の大德を信じてその陰陽二氣に生々の力を認め、之を「生理」(遺書卷一)といひ、或は性・易・道・神などとも呼び、萬物の生成に當つては此の生理も亦作用すると考へたのである。註一 しかし彼は此の生理を邵子の如く氣と對立する一元と見るまでには至らずして寧ろ張子の良能・性命之理の如く之を氣の屬性と見る程度に止まつてゐたのである。されば彼も亦張子と共に從來の單なる物質的本體の概念に滿足せずして理的のものの存在を考へたのであるが、之とその本體との關係に於いては尙依然として唯物論の範圍を脫してゐないのである。

註一　拙著　二程子の實踐哲學第二章第一節參照。

楊龜山は學を二程子に受けたのではあつたが、その本體論は明道の氣の論を繼承し、その二氣を統一して伊川の如く一氣と爲したのである。「通天下一氣耳天地其體也氣體之充也人受天地之中以生均一氣耳」（全集卷八 孟子解）「問乾坤卽陰陽之氣否曰分明說乾陽物坤陰物旣是陰陽……問天地卽輕淸重濁之氣升降否曰然天地乾坤亦是異名同體其本一物變生則名立在天成象在地成形亦此物也但因變化出來故千態萬變各自陳露故曰在天成象在地成形變化見矣變化神之所爲也」（全集卷一三 南都所聞）。故に天は淸輕なる氣にして地は重濁なる氣、天地の二氣は卽ち是れ陰陽、陰陽はもと一氣、「陰陽之氣有動靜屈伸爾一動一靜或屈或伸闔闢之象也」（全集卷一三 南都所聞）。一氣の動は陽にして靜は陰、一氣の動靜變化によつて陰陽となり萬物となり千態萬變の物象を生ずる。而して一氣のかゝる動靜變化を生ずる所以のものは卽ち神であるといふ。是れ明道と共に氣の中に形相因を求めたが、未だ一氣と對立するまでに之を重要視せず、結局氣一元の物質的本體論に止まつて居るのである。

程伊川の本體論には、近くは邵子の影響の迹が歷然として窺はれる。彼謂へらく、天地は陰陽二氣であり、此の二氣交感じて萬物を生ずる。然るに「眞元之氣氣之所由生不與外氣相雜……但眞元自能生氣」（遺書卷一五）。故に陰陽の二氣も畢竟は眞の一氣より生ずる。此の點では彼は元氣一元の物質的本體論者であるといはねばならぬ。しかし他方に於いて彼は道より萬物の生成することを說いて「道則自然生萬物今夫春生夏長了一番皆是道之生……道則自然生々不息」（遺書卷一五）といふ。而して「太極者道也」（易序）であり、道は形而上のものなるも氣は形而下のものの故、道・太極は氣ではなくて理である。此の點では彼は道・太極一元の本體論者である。かく彼は一方一氣より萬物の生成を說き、他方道・太極より萬物の生成を說いて、本體生成論に二表現形態を用ひたのは全然邵子の說と相同じく、之を彼が邵子の易說に敬服してゐた事實に思ひ合せると、此の間に邵子の影響の存するを認めざるを得ないのである。蓋し伊川も亦古來の唯物論に滿足出來ず、さりとて橫渠・明道の如き不徹底なる形相因の認め方にも止まることが出來ず、形相因を理的のものとして氣と對立するまでに高く引き上げ、遂に邵子の說を繼承して二表現形態を取るに至つたのである。彼に在つても眞元の氣は質料因、道・太極は形相因で、此の兩因共働して始めて個物が生成すると爲すのである。而して「離了陰陽更無道所以陰陽者是道也」（宋元學案卷一五）といへば、氣と道・太極とは素と相即不離の存在であり、兩因渾然として、一者を爲すもの故、それは純二元論ではなくて二元の渾一的本體論ともいふべきものである。二程子殊に伊川の説に基くこと最も多き朱子が其の本體論に於いて理氣二元の渾一的本體觀を有つてゐたのも決して偶然ではなく、又その表現に二形態を用ひたのも決して所以なきことではなかつたのである。

第四節　古來の思想と朱子の本體論との關係

以上三節に亙つて先秦より宋代朱子に至るまでの儒道二家の本體思想と理法・形相思想とを略述し、併せて兩者の關係にも及んだのであるが、此節に於いては本章の究極目的たる、それ等の思想と朱子の本體論との關係を吟味し、以つてこの第四章を結び度いと思ふ。

抑〻先秦と其以後たるとを問はず、凡そ儒家は齊しく人倫道德を以つて所説の重點と爲せるが故に、之と深き關係を有つと考へらるゝ天地自然の理法・形相の存在とその重要性との認識については、老莊派は別として、道教徒よりは概して詳かなるものがあるけれども、天地萬物の生成については之を語るもの鮮く、又之を語るの要も少なかつたので、從つて本體の何物たるかについても深く之に觸れなかつたのである。其の中に在つて周易の太極一元論は儒家の代表的本體論として後世諸家の大いに重んずる所となつた。而して此の太極なる本體は周易に在つては朱子の主張する如き理ではなく、寧ろ物質的一元氣であつたことは、兩漢の際太極を以つて氣と斷ずる鄭玄・許愼の如き大儒があり、前漢書律歷志亦此の解を爲し、唐代の碩學孔穎達も亦此くの如く信じたるに見て知るべく、之を先秦・兩漢の際物質的本體論が一般學者の間の通説となつてゐた事實に併せ考へていよ〳〵その然ることが領かれるのである。又、儒家と其態度を異にしてよく本體生成論に力を用ひた老子・莊子の道一元論、列子の渾沌一元論は呂不韋の太一一元論と共に周易の太極一元論と合せて先秦時代漢民族の代表的本體論であるが、然も其の孰れをとつて考へて見ても皆物質的本體論であつたことは既に述べた如くである。

漢代に入るや周易を承けて鄭玄・許愼等に太極一元論があり、董仲舒・王充・何休・王符等に元氣一元論がある。老莊を承けては淮南子に道一元論があり、老・莊・周、易を合せ承けて揚雄に太玄一元論がある。列子を傳へて白虎通に渾沌一元論があり、緯書にも亦此の説を見る。或は呂不韋を傳へて禮記に太一一元論を見る。此等の外道敎方面に於いては魏伯陽の元精一元論は道敎思想の根柢として該敎に取り入れられたのである。此くの如く漢代に在つては諸種の本體論が雜然として行はれたのである。而して此等は其の源を先秦の物質的本體思想に發するが故に、亦悉く物質的本體思想であつたわけである。かの白虎通は後漢の章帝が諸王諸儒に詔して白虎觀に會し、五經の異同を講論せしめ、班固をして之を撰集せしめられたものである。故に此書に收錄せられたる渾沌一元の物質的本體論は實に漢代儒家の通論定說と見るべく、又魏の張揖が廣く漢儒の箋注及び說文等の諸書を採つて爾雅を增廣せるものといはるるかの廣雅の說が亦渾沌一元の物質的本體論であつて見れば、此の種の物質的本體論が如何に漢代の儒家の間に廣く信ぜられてゐたかは想像するに餘りがある。獨り渾沌一元論のみならず、凡そ兩漢屈指の儒道の諸家が奉じた所の上述の諸本體論が悉く皆物質的なるものを以つて本體となせる事實は、如何に物質的本體思想が當時の思想界を風靡して漢一代の通說となつてゐたかを思はしめるのである。而して漢代の儒者は始皇焚書の後を承け、殘簡を餘燼に求めて唯だ先秦諸家の絕を是れ繼ぐに伋々乎たる有樣であつたが、その彼等が期せずして齊しく物質的本體思想を主張し出したのであつて見れば該思想が先秦時代に於いても亦廣く一般の通說であつたであらうことが窺ひ知られるのである。蓋し物質的本體思想は先秦時代既に漢民族の間に澎湃として流行信奉せられたのであつたが、更に流れて漢代に傳はり、此に復た漢一代の通說ともなつたのである。

漢滅んで魏晉の朝となるや、此の本體思想は復た流傳して或は廣雅の渾沌一元論となり、或は虞翻の太一一元論となつて見はれ、道敎に於いても亦黃庭內景玉經や抱朴子等の元氣一元論となつて傳つたのである。

南北朝に入るや儒敎は北朝は鄭康成易說の採用學習によつて依然此の本體思想は脈々繼承せられたのである。南北朝の儒書多くは散佚に歸せるが故に、此種本體思想流布の迹の尋ぬべきものは殆んど無いが、其の僅かに殘れる文獻に於いて尙ほ且つ賀述の元氣一元論を發見し得ることは既述の如くである。

次いで隋を經て唐に及ぶや儒家に在つては孔穎達は太極又は太一一元論の形に據つて之を傳へ、成伯璵・李翺等は一氣一元論の形を以つて之を繼承したのである。かの孔穎達は勅を奉じて五經正義を撰せるが、其の周易正義に於いては太極一元を說き、その禮記正義に於いては太一一元を主張し、而して太極卽太一にして一元氣に外ならずと爲し、以つて兩者を調和せる物質的本體論を支持鼓吹したのである。五經正義は太宗が南北の儒學其說を異にせるを憂へ、之を統一せんと欲して孔穎達等に命じて撰せしめられたものであり、其の說を以つて唐一代の通論正說と定め、士を採るにも正義の說を以つてし、廣く學者をして之に由らしめられた故、天下の學士復た正義の外を窺ふ者無きに至つた程である。以つて孔氏正義の物質的本體論が如何に唐一代の儒家の本體思想の中心代表となつてゐたかゞ想像せられるのである。獨り儒家に於いて此くの如くなるのみならず、道敎に於いても亦李筌・玄宗皇帝等の物質的本體論となつて、道家の間にも此の本體思想は連綿として相傳はつたのである。

以上の如く先秦時代既に漢民族の間に信奉せられた物質的本體思想は時代の盛衰、文化の興亡と相伴つて、時に隆替の運は免れなかつたけれども、それでも尙ほ且つ漢民族の間に、連綿たる一潮流を爲して兩漢に入り、魏・晉・南北朝に傳はり、更に流れて隋・唐に及び、五代を經て遂に宋に達したのである。卓識高見眞に法門の泰斗といはれた唐の李密も其著原人論に於いて、古來の儒道二敎を評して物質的本體論を奉ずるものと爲して居るのは[註一]當れるものと思ふのである。

思ふに孔老二子以後儒道二家從つて又一般に漢民族の間に傳統思想となつて連綿たる潮流を爲した此の物質的本體觀は、必ずや二子以前に於いて既にその源泉がなければならぬのである。然らば其の源泉は如何。今村教授が其著新觀老子に於いて老子が道一元を立つるに至つた所以を說かるゝ所こそ、之を其儘借り來つて以つて此の答と爲すことが出來るかと思ふ。同教授曰く、『老子以前の古き世界觀は宗教的世界觀であつた。卽ち天帝が天地人間を主宰して居る。天道の裏に天帝を信じ、天道に天帝の意志が潛んでゐた。然るに天帝の信仰が段々薄らいで來て、宗教的世界觀が物理的世界觀に變つて來た。勿論全體の思想界がさう變つた譯ではないが、思想界の或る方面では宗教的に世界を觀ないで、物理的に氣で天地人間を說明するやうになつた。今左傳によると成公十三年に「劉子曰吾之を聞く、民は天地の中を受けて以て生る。所謂命なり」とある。劉子は老師宿儒に之を聞くとし、人は天地の中正の氣を受けて生れるのであるというて居る。次の襄公十四年には天地の性をいひ、次の昭公元年には子產の言として「其の氣を節宣して壅閉湫底する所ありて以つて其の體を露らし、玆の心爽ならずして百度を昏亂せしむる勿し。今乃ち之を壹にして疾を生ずる無からんか」とある。これは體内の氣を程よく用ひて、體を養ひ心を爽快にすることを述べたのである。また「天に六氣有り。降りて五味を生じ、發して五色となり、徴して五聲となる。淫すれば六疾を生ず。六氣は陰陽風雨晦明をいふ。分れて四時となり、序して五節となる」というて居る。昭公九年にも「味は以つて氣を行らし、氣は以つて志を實し、志は以て言を定め言は以つて令を出す」といひ、同十年に晏平仲は「血氣あるものは皆爭心あり」といひ、同十一年に叔向は單子を批評して「守氣無し、將に死せん」といひ、同二十五年に子產は「人は天地の六氣に生殖し、天地の五行を用ふ。人の好惡喜怒哀樂は六氣に生ず」と述べて居る。これ等によると子產時代になつて氣を以て世界人間を說明することが流行して來た。人の感情も六氣に生ずる。氣を損すれば死する。その人の氣は天地の氣より來る。即ち人は天地の中正の氣を受けて生れて來たのである。氣は分れば六氣、大別せば天地の二氣になる。凡ての本源は天地の二氣であるといふやうに氣を以て說明することが流行して來たと思はれる。而して人が天地の中を受けて生れる、そこに尙いくらか天命を信じて居たと思はれるけれども、餘程物理的に世界を觀るやうになつた。かういふ天地の氣を以つて世界を說明する思想と易の陰陽思想とを受けて、老子は天地陰陽の氣を考へ、その上に本體として虛靜の道を立てたと思ふのである。此の氣を以て世界を說明する思潮は儒家にも影響して、儒家はこれを以つて易を解釋し、元來占筮の書なりしものを哲學的に解釋して、遂に太極一元を立てたのである。」（二八―三〇頁）。卽ち古く漢民族の間に信せられた二氣なる本體思想が老子に取られて道一元の思想となり、儒家にとられては周易の太極一元の思想となつたまでで、兩家の本づくところは共に同じく古來の二氣の物質的本體思想で、もとこの同一の本體思想が儒・道の二大河に分れ、二つの大きな流れとなつて相並んで後世に傳はつたのである。

此の連綿たる本體思想が宋代に至つて漢人學者の思想中から消滅し去るなどは到底有り得べからざることである。事實此の思想は復た宋代の儒・道二家によつて傳承せられたのである。道家の張君房は雲笈七籤を著して道家が全然物質的本體思想を奉ずるものなることを明かにし、徽宗皇帝亦老子によつて物質的本體思想を高調せられたるが如き、皆此の思想が宋代道家の間に流傳信奉せられたるを示すものであるが、儒家に在つても同樣で、周濂溪が太極一元の唯物論を說き、張橫渠が太虛の氣一元論を奉ずるが如き、或は程明道の陰陽二元論楊龜山の氣一元論の如き、或は邵康節・程伊川等が亦一氣からも亦萬物が生成すると考へたるが如き、是れ皆古來傳統の物質的本體思想を繼承せるものである。

物質的本體思想が漢民族の間に於いて拔くべからざる力を有つてゐたことは、先秦宋初の間既に此くの如く、宋初朱子の間亦此くの如く、遠くしては朱子の本づく所の先秦漢唐の儒道二教既に此くの如く、近くしては朱子の師にして朱子と思想的に最も關係の深かつた周・邵・張・程・楊等の諸大儒皆亦此くの如くであつて見れば、同じ漢民族の一人にして且つかゝる本體思想を含む古來の諸思想を集大成した朱子が、此の傳統思想に共鳴して全然之を捨て去るに忍びなかつたであらうことは想像し得られるところであり、從つて彼に氣一元的思想の存することに不思議はなく、其の本體論に氣一元的表現形態の存することも亦不可解ではないのである。

註一　李密原人論云然今習儒道者秖知近則乃祖乃父傳體相續受得此身遠則混沌一氣剖爲陰陽之二二生天地人三三生萬物萬物與人皆氣爲本。又云儒道二教說人畜等類皆是虛無大道生成養育謂道法自然生於元氣元氣生天地天地生萬物。

次に又、理・法・形・相の思想も亦先秦以來儒道二教徒の間に存在したが、先秦時代に於いては老・莊・列・韓・荀の諸子より、詩經・四書・周易等之を說き、漢代に於いては淮南子・

董仲舒・楊雄・王符・王充の諸子皆之を說き、唐に入つては孔穎達があり、道敎徒も亦之を認めたのである。此等は主として本體思想と共に理法・形相の思想をも併せ說けるものの大なるものを擧げたのであるが、若し唯だ單に理法・形相のみを說くものを博く一般の經史子集に求むれば、恐らく其の例は枚擧に遑がないほどに多いことであらう。蓋し理法・形相の思想も亦かの物質的本體思想と與に漢民族の傳統思潮となつて數千年來連綿として儒・道二家の間に繼承せられて來たものである。而して儒・道二敎は自ら其の敎義の目的理想が異なる所から、道敎は主として物質的本體觀に重點を置き、儒敎は理法・形相思想に重點を置いた。道敎は修丹によつて肉體の不老長生を希ふが故に、肉體を構成する所の元氣を重んずる所から勢ひ物質的本體觀を重視して理法・形相を輕んずるに反し、儒敎は道德政治を重んじて其の最高理想を天地自然の理法・形相に則つて之に合一するに在りとする所から、勢ひ理法・形相思想を重視して物質的本體觀を輕んずる風であつた。かく儒道二敎の重んずる所は自ら異ならざるを得なかつたとはいへ、此の二つの思潮は二敎を通じて漢民族の間に流傳信奉せられて來たのである。宋代に於いても道家は依然として物質的本體觀を主として理法・形相を論ずること極めて稀なるに反し、儒家は其の哲學的思索の進歩につれて本體觀の確立を期するに至りたる爲め、從來の物質的本體觀にも特に注意を拂ふと共に、從來の儒家と同じく理法・形相の思想をも亦重要視して周・邵・張・程等朱子以前の諸大儒皆之を主張したことは上述の如くである。朱子がかゝる特質をもつ古來の儒敎を研究し、且つ又唯心的な禪學に興味を有つてゐたといふ點からだけでも、彼に理法・形相思想の存在してゐたことは當然と肯かれるのである。

以上によつて朱子の本體論に物質的一氣と理法・形相との兩思想の存在する所以の一端は明かとなつたかと思ふのであるが、然し更に進んで彼に太極一元的表現形態の存する所以、及び之と氣一元的表現形態との內面的關係を思想史的關係の上より明かにしなければならぬ。而してこの目的を果たす爲めには、物質的本體觀と理法・形相の思想とが古來如何なる關係に立てるかを觀ることが必要である。抑〻理法・形相の由つて來る根源が何であつたかに就いては古來之を明言するものと明言せざる者とがあつたのである。而して其の明言せざる者の中には、唯だ單に理法・形相の存在を說くのみに止つて、其の根源の何物たるかについては全然推知を許さざるものと、假令明言はせざるもその全思想より之を推知せしめるものとがあるのである。今理法・形相の認識のみに止つて、其の根源の推知を許さざるものは且らく措いて論せず、苟もその根源の何物たるかを暗示し、若しくは明言せる者について之を觀るに、先秦宋初の間儒・道二家は孰れも多くは天地萬物の生成根源たる物質的本體を以つて其の儘又理法・形相の根源と考へて來たのである。それ等は物質的本體から萬物の實體・形骸的方面の生成と與に、理法・形想的方面の生成をも考へる所の唯物論であつたのである。未だ理法・形相の特異性を認めて、特にそれの因として物質的本體の中にか或は外に、物質的ならざるものを分析設定することが必要だといふまでの思想は生じなかつた。唯だ天地の間に實體・形骸と理法・形相とがあるが、それ等は共に唯だ一つの物質的本體から生じ來るのであると考へられたに過ぎなかつたのである。其の間に在つて、獨り韓非子が老子の道を以つて老子の如き物質的本體とはせず、萬理の總合統一體とし、理法・形相の根源を特に此くの如き理的のものとしたことは、理法・形相が物質形體とは本質的に異なり、從つて物質的本體ではその根源とはなり得ぬとの思想に基くもので、たしかに滔々たる唯物論の中に於ける一異彩であつたのである。後世宋の程朱が太極を以つて萬理の總合統一體とし、之を一切の理法・形相の根源としたのと全く其の軌を同じうするもので、程朱も恐らくは韓非の此の思想に深き示唆を得たことと思はれる。宋以前の儒家に在つては理法・形相が何から如何にして起つて來たかといふような形而上學的探求はそれ程差し迫つた重要問題ではなかつたから、現實の理法・形相の究極根源を固く執らへ、且つそれよりの發展過程を明瞭なる意識の下に說いたものは實に寥々たるものであつた。然もそれさへも「天生烝民有物有則」の詩經「天命之謂性率性之謂道」の中庸「道之大原出于天」の董仲舒「皆由道而然」の孔穎達等の語が其の最たるものであるを思へば、先秦宋初間の儒家が如何に理法・形相の根源に對する哲學的考察の重要性を感じなかつたかは想像が出來る。道家も亦勿論自然の理法・形相に則るべきを說かないわけではないから之の存在を認めるが、他方敎義の必要上から物質的本體を主張する關係もあつて、自然にその本體を理法・形相の根源と見る傾が强く、道家は宋代に入つても尙依然として唯物論の範圍を脫しなかつたのである。然るに儒家にあつては左樣ではなかつた。宋代に入るや儒家は從來の唯だ單に物質的なるもののみを立つる唯物論に滿足出來ず、物質的なるものを以つて專ら萬物の實體・形骸の根源と爲し、その物質的本體の中に物質的ならざる理的のものを設定して、之を以つて特に理法・形相の根源としようとする思想傾向を生じ初めたのである。しかしまだ宋初の大儒周濂溪に於いては道家の影響を受くることが大であつたから、其の本體論は尚從來の傾向を脱することが出來ず、依然として唯物論を持したのである。然るに其の後に現はれた張橫渠は良能・性命之理を考へ、程明道・楊龜山等は生理・性・神等を設定して以つて特に理法・形相の根源と爲すに至つたのである。然し張・程・楊の諸子は此等理的のものを見ること甚だ輕く、之をば物質的本體の有つ屬性とする程度に止まり、未だ此の理的のものを物質的なるものと對立せしめるまでには進まなかつたのである。此の意味に於いて彼等も尙ほ唯物論の範圍に止まつてゐたと考へられるのであるが、然し既に物質的本體の中にかゝる理的の根源を認めてその根源から理法・形相の發展を明かに說き出した點に於いては從來の唯物論よりは一歩を進めたものといへるのである。更に邵康節・程伊川に至つては共に道・太極を以つて理法・形相の因とし、此の道・太極を甚だ重んじて之を物質的なるものと對等の地位にまで引き上げて、恰も理氣二元論の如き觀を呈するに至つたものである。しかしながら彼等と雖もその道・太極を以つて物質的一氣と獨立せるものとはせず、張橫渠・程明道等の如く亦一氣に內在するものと觀たのである。之を一氣に內在するものと見る限り、これ亦唯物論であるといへるかも知れないのであるが、しかし之を輕く一氣の從屬と觀ずして、重く對立的のものにまで引き上げた點に於いて二元論といへるのである。しかしその二元は獨立の二元ではなく、二元一體なる故、理氣二元渾一的本體とも呼ぶべきものである。此の傾向——理法・形相の根源を萬物の實體・形骸の根源たる物質的氣と區別し、しかも之を分離させずに氣に內在するものと觀る傾向——は宋代性理學者の一般學風となつて來たものでかゝる學風をもつ張・邵・二程・楊等諸子の說を承けた朱子が亦同樣の傾向を帶びざるを得なかつたのは當然のことであるといはねばならぬ。既に周知の如く、漢代以後佛敎は次第に隆盛となり、やがて儒・道・佛三敎の鼎立を見るや、學者は互に折衷的態度を取るに至り、此に三敎融合の機運が漸く動いて來た時、宋の太宗が儒學を奬勵する傍ら道・佛二敎をも奬勵せられる等のこともあつて、當時既に二敎の思想は漸く民間に重んぜられて來てゐた。殊に宋代に於いては禪學が隆盛となり、儒者にして道敎・禪學に出入せざるものは殆んど無い有樣となつた。其の道敎が宋代に至るまで古來一貫して物質的本體觀を持し、その禪學は唯心論的思想を主張して儒者の注目を惹いたのである。而して物質的本體觀はひとり道家に行はれたるのみならず、古來の儒家の間に於いても連綿たる傳統思想であつた關係より、此の本體思想を顧みざるが如きは到底宋儒の爲し得ざる所であつたのである。彼等が一氣の自存を主張せざるを得なかつた最大の原因は實に此に在つたと思ふのである。且又、他方理法・形相の思想も儒家二千年來の牢固たる傳統思想であり、しかも此の方面は哲學的思索の進步と共に愈〻强く信ぜらるべき性質のものであるが故に、これも亦彼等には重要な問題として意識せられたのである。その上に禪學の唯心論的思想の深き影響もあり、彼等自身の哲學思想の進步も伴つて、從來の唯物論に慊らず、從來の物質的本體中に理的のものを認め、之を以つて理法・形相の如き理的のものの根源と爲すの風を生じ、古來の儒・道二家の物質的本體觀と理法・形相思想とが遂に理氣二元的な本體論へと展開して來たのである。朱子は學古今に通じ、道・佛二敎の研究も亦相當に深きものがあり、且つ儒家思想を集大成した學者である。然もその古來儒家の本體思想が上述の如くであり、彼以前の宋儒にして、彼の師たる諸碩學の說亦上述の如くであり、更に道敎の氣一元論、禪學の唯心論的傾向の影響もあつて見れば、彼に物質的一氣の思想があり、理法・形相の存在と其の根源を理・太極と爲す思想の存するにも不思議はないのである。

且つ太極を一氣に內在するものと見ながら、然も理氣二元の如き見を立てたのも決して新らしく彼に始つたことではなく、孰れも皆宋儒從來の本體觀の傾向を其儘承け容れたに過ぎぬものである。而して彼が理氣二元の渾一的本體を立てながら、陰陽萬物の生成を論ずるに當つては或は太極一元的表現形態を用ひ、或は氣一元的表現形態を用ひたのも、邵康節・程伊川等の表現法を其儘踏襲したまでであつて、唯だ說明の便宜上、理法・形相的方面に卽して生成を說くとき形相因よりする太極一元的形態をとり、實體・形骸的方面に卽して生成を說くとき質料因よりする氣一元的形態をとつたに過ぎぬこと、邵・程の諸子と全く異なる所はないのである。先秦宋初の間の儒家に在つては專ら物質的本體を立つるのみで、未だ此の本體の中に理的のものは其の姿を現はしては來なかつたのである。然るに宋に入つて張・大程・楊の諸子に至るや、此の理的のものは漸くこの本體の中にその姿を現はし初めた。しかし尙ほそれは大して重んぜられずして氣の下に從屬したのである。邵・小程の諸子に於いて始めてその理的のものは完全に其姿を現はし切つて、竟に氣と對等の地位にまで引き上げられたのである。次いで朱子に至るや之を氣よりも更に重要視し、今迄氣と對等の地位にあつたものが、更に一步上つて氣の上に位するようになつたのである。朱子は太極と一氣との渾一體を考へたのではあるが、其の全思想から觀れば理の方を遙かに重んじた跡が看取される。蓋し彼の最も重んずる所は倫理道德であり、而も彼は此の倫理道德をば物質功利から開放させようと欲し、且つ後者も前者を根柢とする限りに於いて始めて妥當性を許さうとする儒敎從來の傾向をば特に一層强く堅持した所の理想主義・精神主義的思想家であつたからである。それにも係らず尙ほ彼は理をより重んずる程度に止まつて邵・程等の本體思想の範圍からは竟に脫脚することが出來なかつたのである。若し朱子の特に理を重んずる此の傾向を更に推し進めると、理を主として氣を從とし、氣を理の屬性とでも爲すに至るべく、此に氣と理とは張・程等に於けるとは其の位置を顚倒して唯理論の域に入ることとなり、更に此の傾向を徹底せしめる時、氣の姿は消えて純粹なる唯理論となる。此に至つて先秦以來の唯物論は完全に一廻轉を爲すのである。此の唯物論より唯理論への廻轉の過渡期に在つて唯理論の方へ一步近い地點に立つた學者が實に朱子であつたと思ふのである。

第五章　本體概念のもつ二表現形態の吟味

第一節　太極一元的形態の吟味

朱子哲學に於ける本體が理氣二元の渾一體で、此の渾一的本體から生成を說くや、二表現形態を用ひ、その中太極一元的形態は邵子・小程子を其儘繼承せるものなることは上述した所であるが、更に周易・太極圖說の影響も見落すことは出來ないのである。蓋し此の兩書は孰れも太極一元論であつて、しかも二者は與に儒敎の本體生成論中代表的のものである所から、朱子が自己の本體生成思想を之に本づけようと欲して、自ら太極一元的形態をも用ふるに至つたのである。且つ朱子は此の兩者の生成論を最も重んじた故に彼の本體論は一氣よりも太極の方を主とせる觀が深いのである。朱子を太極一元論者と爲す者のあるも之に原くのである。朱子は周易繫辭の太極論も好んだのであるが、「易之爲書廣大悉備然語其至極則此圖盡之其指豈不深哉」（太極圖說解）といつて居るように、周易よりも尙深く周子の太極圖說を好んだのである。彼は己の本體生成思想に基いて之が注解を試み、依つて以つて周子を通じて己の本體生成思想を明示しようと爲したのである。其の太極圖說解は彼が四十歲の頃既に脫稿し、其後數回の改訂を經て五十九歲始めて之を出して學者に授けたが、七十一歲將に死なんとする前五日猶ほ諸生の爲めに之を講解して夜分に及んだといふほどである。故に朱子の本體生成論は太極圖說解に於いて最も其の詳細を知り得るのである。但、周易繫辭傳でも周子の太極圖說でも、その太極がたとひ氣であつて朱子の謂ふような理ではないにしても、兎に角與に太極一元論であるが故に、之を通す限りに於いて朱子の主張も亦自ら一氣の概念を除外して專ら太極一元的表現形態を取らざるを得なかつたのである。これは邵康節や程伊川等が氣一元的生成を說きながら、他方周易の太極一元的表現形態に束縛せられてまた太極一元的生成の形態をも併せ取つたのと全く同じである。以下周易繫辭及び太極圖說を通した朱子の本體思想を檢討して彼の太極一元論的主張の眞意を探つて見ようと思ふ。

朱子は周易の「是生兩儀」を解して、啓蒙では「太極判れて兩儀となる」の意として居る。兩儀とは太極圖說では天地四方を意味するが、周易では稍や其の意を異にすると考へ、詩鄘風の「實維我儀」の儀と同意として、語類卷七五で「儀匹也」といひ、答袁機仲書では「蓋儀匹也兩儀如今俗語所謂一雙一對云爾」（朱子集卷三〇）と主張して居る。故に周易の兩儀とは直接には相對の意である。太極兩儀を生ずとは、太極が判れて相對となるの意である。而してこの相對とは相對的なるものを指し、從つてそれは相對的性質自體若しくは此の性質を有つ所のものを意味する。この事は次の一文によつても知ることが出來る。即ち「問自一陰一陽見一陰一陽又各生一陰一陽之象以圖言之兩儀生四象四象生八卦節々推去固容易見就天地間着實處如何驗得曰一物上又自各有陰陽如人之男女陰陽也逐人身上又各有這血氣血陰而氣陽也如晝夜之間晝陽而夜陰也而晝陽自午後又屬陰夜陰自子後又是陽便是陰陽各生陰陽之象」（語類卷六五、三枚）。易に所謂る兩儀四象を天地間の經驗的事物についていへば、男女晝夜は兩儀であり、男女の血氣、晝の午前午後、夜の子前子後は四象である。獨り男女・晝夜に限らず、天地でも上下でも凡そ相對的なるものは皆兩儀である。其所で周易の「太極兩儀を生ず」即ち朱子の「太極判れて兩儀となる」は、太極が判れて個物の天地となり男女となり或は晝夜となることである。つまり天地のあらゆる相對的なるものを生ずることである。所が朱子の生成論では直接に分れて天地となるものは清輕重濁の氣であり、直接に分れて男女となり晝夜となるものも亦皆かゝる氣であることは動かざる思想である。そしてこれは氣がそれ等のものの實體・形骸を生ずることを意味することも亦明かなことである。そこで太極が判れて直接に天地・男女・晝夜其他一般の相對的個物を生ずるといふ朱子の意味は、太極がそれ等のものの實體・形骸までをも直接に生ずるといふのではない。若し之を太極から直ちに此等の實體形骸までをも生ずる意と爲すならば、判るる以前の太極は氣となつて了ふのである。故に其の意は氣が聚散分合して天地・男女・晝夜等を生ずるに當つて、それ等をして相對的ならしめるもの、それ等をして陰陽たらしめるものが卽ち太極であるといふのである。所が個物が相對的となり陰陽となるには相對的性質を有たねばならぬ。卽ち何等かの相對的形相を有たねばならぬ。此の形相を與へるものが卽ち太極であると考へたのである。氣によつて物の實體・形骸は生ずるにしても、此の形相が太極によつて與へられざる限り、それは差別相對の個物とならず、陰陽とはならぬ。太極が形相を附與することによつて、氣より成る物の實體も差別をもつ特殊個物となり、陰陽の範疇にも入り來ることが出來るのである。かくて朱子は易の「太極生兩儀」の太極を以つて形相因と爲し、兩儀以下の發展をも萬物の形相的方面に卽して説いたものと考へられるので、萬物の質料的方面の生成までをも含ませなかつたことが窺はれるのである。以つて周易に本づく朱子の太極一元的表現が、必ずしも彼の本體生成思想の全部ではなかつたことが想像せられるのである。

次に周子の太極圖說の太極一元的生成に關する朱子の見解を吟味して見よう。周子の太極圖並に說は次の如くである。

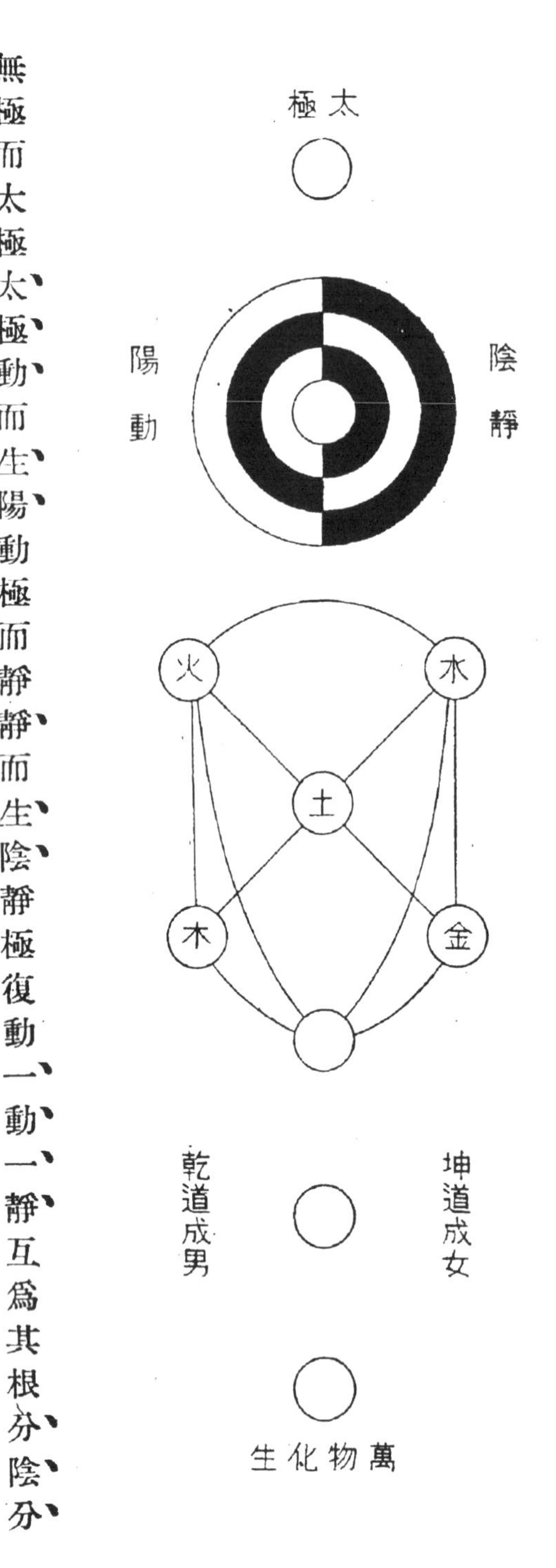

無極而太極、太極動而生陽、動極而靜、靜而生陰、靜極復動、一動一靜、互爲其根、分陰分陽、兩儀立焉、陽變陰合、而生水火木金土、五氣順布、四時行焉、五行一陰陽也、陰陽一太

極也太極本無極也五行之生也各一其性無極之眞二五之精妙合而凝乾道成男坤道成女二氣交感化生萬物萬物生々而變化無窮焉云々。

抑太極の語は周易繫辭に見え、無極の語は老子に「常德不忒復於無極」(知其雄)等見えるのがその始である。儒敎に於いては太極の語は周易以來多く用ひられて來たのであるが、無極の語は殆んど之を用ひなかつた。道家に在つては大いに無極の語を用ひたことは言ふまでもなく、又太極の語も屢之を用ひて來たのである。陸氏が周子の無極は之を老子より得來つたものであると極力主張したのも所以あることである。然るに朱子は答陸子靜書に於いて、或は「伏羲作易自一畫以下、文王演易自乾以下皆未嘗言太極也而孔子言之孔子贊易自太極以下未嘗言無極也而周子言之夫先聖後聖豈不同條而共貫哉若於此有灼然實見太極之眞體則知不言者不爲少而言之者不爲多矣何至若此之紛々哉」と說き、或は「若論無極二字乃是周子灼見道體逈出常情不顧旁人是非不計自己得失勇往直前說出人不敢說底道理令後之學者曉然見得太極之妙不屬有無不落方體若於此看得破方見得此老眞得千聖以來不傳之祕非但架屋上之屋疊牀上之牀而已也」と論じ、或は「老子復歸於無極無極乃無窮之義如莊生入無窮之門以遊無極之野云爾非若周子所言之意也今乃引之而謂周子之言實出乎彼此又理有未明而不能盡乎人言之意者七也」(以上、朱子集巻三六)と言つて、周子の無極が「老子の無極と其意同じからざるものにして、斷じて老子より取れるものに非ずと爲して居る。しかし朱子が如何に强辯しても周子が之を道家に得來つたことは動かすことが出來ないと思ふのである。

却說、周子の原文が「無極而太極」の五字に初まるか、「自無極而爲太極」の七字に初まるかは大いに疑問の存する所であることは既に述べた所であるが、朱子は飽迄も五字說を主張して答陸子美書に「只此一句便見其不語精密微妙無窮而向下所說許多道理條貫脈絡井々不亂只今便在目前而亘古亘今攧撲不破」(朱子集巻二七)といひ、周子の意の親切にして渾然明白なるにも係らず、史氏の周子を傳する者其の眞意を解する能はずして何の據る所もなく妄りに自爲の二字を增添し以つて周子の病を爲し、甚だ後學の疑を啓くに至つたと痛憤して居るのである。(註一) 朱子の觀る所によれば、其の「無極而太極」とは圖の第一圈を指す。中間の而の文字は其意極めて輕くして次序を表はすものではなく、無極卽太極である。無極の後別に太極を生じ、太極の上先づ無極有りといふのではない。二者は實に同一物の異名に過ぎぬ。(註二) 而して同一物をかく二方面から名づくる所以については、圖說解に「上天之載無聲無臭而實造化之樞紐品彙之根柢也故曰無極而太極非太極之外復有無極也」といふ。その所謂る「上天之載」とは無極・太極なる本體其者を、「無聲無臭」とは其の本體の無極と呼ばるゝ所以を、共に詩經大雅文王の句を借り來つて明かにしたもので、「造化之樞紐品彙之根柢也」といふは此の本體が太極の名を得し所以を說いたものである。

凡そ無極といひ太極といひ、共に極の字の用ひられた所以については、朱子の當時陸象山は極を中とし、中を至理とし、中に至の義を兼ね含むといふ註三に對し、朱子は「極是名此理之至極中是狀此理之不偏雖然同是此理然其名義各有攸當雖聖賢言之亦未嘗敢有所差互也若皇極之極民極之極乃爲標準之意猶曰立於此而示於彼使其有所向望而取正焉耳非以其中而命之也……太極固無偏倚而爲萬化之本然其得名自爲至極之極而兼有標準之義初不以中而得名也」（朱子集卷二七、荅陸子靜第六書）といひ、或は「原極之所以得名蓋取樞極之義」（同卷四二、荅楊子直書）といふ外、朱子集卷六六の皇極辨、語類卷九四、六枚などにも極の眞義が中に非ずして極至無餘の意なることを主張して居る。蓋し其の本體が「至高至妙至精至神」（語類卷九四、五枚）なる究竟至極無限絕對なるものより、之に配するに極の字を以つてしたといふのである。而してかゝる無限絕對の本體は勿論物ではなくて理であると見る。若し物ならば時・空・因果の世界の中に於いて消滅變化する經驗界の有限相對となる。　然るに至極の本體は之と異なり、無聲無臭にして形象方體の言ふべきなきものである（語類卷九四、一・五枚）。　故に之を無といふのである。　若し單に之を有といへば形象方體ある一物と錯認せらるゝ恐れがあり、既に一物と錯認せらるればもはや萬化の根となるとは考へられぬ。　然るに究極の本體は實に萬事萬化の根なるが故に、之を一物と錯認せられざらんが爲めには無といはざるを得ないといふのである（答陸子美書等）。　此の本體は知覺思惟の到達し得ない超經驗的世界である。　かゝる不可知的・超越的のものなるが故に、吾等は如何なる意味に於いても之を限定することが出來ぬ。　若し之を有と限定すれば、上述の如く個物と錯認せらるゝ恐があるのみならず、それだけそのものの眞から遠ざかる。　唯だ之を無又は虛（語類卷七四、二十二枚）といふより外にはいひ表はし方がないのである。　極の上に無の字を冠して無極といふは之によるのである。　然し之を無といひ虛といふも虛無・非實在といふのではない。　若し太極が虛無・非實在ならば虛無卽太極、太極卽虛無となる。　しかし虛無卽太極・理ではないが、太極・理は卽ち虛無なのである（語類卷七四、二二枚）。　その無なる本體を更に又太極と呼ぶ所以を見るに、答陸子靜書に云ふ「聖人之意正以其究竟至極無名可名故特謂之太極猶曰擧天下之至極無以加此云爾」(朱子集巻二七)。これで太極の名を得る所以は明かであるが、その太の字は陳北溪のいふ如く甚の意である。蓋し究極の本體は無極といふも、それは空寂・虚無なるものではなくて儼たる實有であり、而もその實有は至極の甚だしきものなる故に之を太極と呼ぶのである。無極は無之至極を意味し、太極は有之至極を意味する。その有は個物の有ではなくて實に理の有である。語類に「無極而太極只是説無形而有理無極者無形太極者有理也」(巻九四、一枚)といふ所以である。かくて太極は理の至極を意味すべく、答程可久書には「太極之義正謂理之極致耳」(朱子集巻二九)といふ。無極既に至極の理にして實有の太極なるが故に、よく造化の樞紐品彙の根柢となり得るのである。以上の如く朱子は一つの本體を二つの異なつた觀點から或は無極と呼び或は太極と稱すると爲す故、太極の上更に無極があるなどとは考へない。かの老子の「道生一一生二二生三」といふ語も、朱子から見れば無極を以つて道に配し、太極を以つて一に配するわけにはいかぬ。道は周易の太極であり、周濂溪の無極而太極である。從つて老子の道の字は贅であるとするか、さもなければ一は形變の始にて陽數の奇を意味し、二は陰數の偶を意味し、かくて三は奇偶の積を示すものとでもしなければならぬ。註四 兎に角無極・太極はどこまでも同一の究極本體であり、之より陰陽の二者が生ずるのである。

然らば次に「太極動而生陽靜而生陰云々」を朱子は如何に考へたのであらうか。「動而生陽靜而生陰動卽太極之動靜卽太極之靜」(語類卷九四、三枚)であるから、その動と靜とは太極の動と靜とである。太極に動靜あるは天命の流行で自然に然るのである。而して生陰生陽とは語類卷九四に「太極之動便是陽靜便是陰」(九枚)といひ「蓋纔動便屬陽靜便屬陰」(八枚)といひ、卷七五に「周子言太極動而生陽靜而生陰如言太極動是陽動極而靜靜便是陰動時便是陽之太極靜時便是陰之太極」(一九枚)といひ、更に圖說解に「◎此○之動而陽靜而陰也」などいへるより、太極の動卽ち陽、太極の靜卽ち陰の意と爲すもののように思はれる。卽ち動靜する太極の中から太極自體を摘出し去つて後に殘つた動靜自體は相對的なるものといふ點に於いてまた氣といひ得るから(微物質の氣とは概念が異なる)それを生陽生陰の陰陽と考へた如くに見えるのである。所が、よく考へて見ると實は左樣ではなくて、彼は此の陰陽を以つて天地間の動靜を指すものと爲したようである。太極が動靜するといつても動靜が卽ち太極といふのではない。動靜は氣であつて理ではない。既に動靜といへば形象模樣がある。太極にはかゝる形象模樣がない。太極は動でもなく靜でもない。動靜孰れにも屬せずして、而も動靜を惹き起すものである。且つ太極は不可知的・超經驗的本體なるが故に、太極自體に於いて直接にかゝる動靜を把握することが出來ず、從つて太極に動靜をいふことも出來ぬ筈である。然るにも係らず太極が動靜するといはざるを得ぬ所以は、眼前の現象界に動靜あるが爲めである。「蓋天地之間只有動靜兩端循環不已更無餘事此之謂易而其動其靜則必有所以動靜之理焉是則所謂太極者也聖人既指其實而名之周子又爲之圖以象之其所以發明表著可謂無餘蘊矣」(朱子集巻四二、答楊子直書)。かく天地の間唯だ動と靜との二つが存在するのみである。經驗界の一切のものは唯だ此の二つに包攝せられ、唯だ此の二つに分屬せしめられる。天地の間に此の動靜てふ形而下の氣がある故に、之より推して太極に動靜ありといふのである。此の天地間の動靜を離れては太極は存しない。「既に動あれば太極はこの動の中に在り、既に靜あれば太極は又此の靜の中に在る」(語類巻九四、七・九枚)。「氣既有動靜則所載之理亦安謂之無動靜」(語類巻五、三枚)。「太極は天地萬物の動靜に搭載して行はれる。太極は猶ほ人の如く動靜は猶ほ馬の如きものである。馬は人を載せ人は馬に乘る。馬が一出一入すれば人も亦之と與に一出一入する。天地萬物の動靜は太極の乘る所の機である」(圖說解、語類九四、一二枚 同九八、一三枚)。かくて動く時太極も亦動き、静なる時太極も亦静と考へざるを得ない。されぱとて先づ經驗界の動静があつて而る後に太極の動静があるといふのではない。太極が動静する故に經驗界の動静が起るのである。しかしそれも太極が動静して而る後に經驗界の動静が起るといふのではない。論理的には前後次第を考へざるを得ないけれども、事實に於いては兩者の動静は前後なき同時のものである。動静といふ一つの事實を外面的に觀たとき現象界の動静となり、内面的に觀たとき太極の動静が考へられるまでである。兩動静は離れたものではない。太極の動静を言へば必然に經驗界の動静を意味し、經驗界の動静をいへば又必然に太極の動静が考へられる。兩者の動静は此くの如き關係であるが、之を論理的に因果の範疇によつて考へるならば、太極の動静が經驗界の動静を惹起すると考へられるのである。上に引く所の楊子直に答へた書に「其動其静則必有所以動静之理焉是則所謂太極者也」とあるは此の立場からいふのである。此の經驗界の動静は卽ち陰陽である。朱子は周子の所謂太極動静して陰陽を生ずの陰陽をこの陰陽と考へたのである。この事は上引の答楊子直書にても推定が出來るし、語類卷九四に「今說太極動而生陽是且推眼前卽今箇動斬截便說起其實那動以前又是静静以前又是動、如今日一晝過了便是夜夜過了又只是明日晝卽今晝以前又有夜了昨夜以前又有晝了卽今要說時日起也只且把今日建子說起其實這箇子以前豈是無子」(校九)といふによつても亦知られるのである。卽ち朱子は、經驗界の動靜は之を陰陽と呼ぶ故に、太極動靜して經驗界の動靜を生ずるといふことを太極動靜して陰陽を生ずといつたのであると考へたのである。卽ち太極は動靜てふ形相の因と考へたのである。而して朱子は圖說の一動一靜互爲其根といふまでを太極からこの種の陰陽の發生を說くものと見たのである。經驗界の此の動靜なる陰陽は時を以つていふ流行底のもので、之は定位底の位を以つていふ陰陽と並び存すと爲し、晝夜・寒暑の往來の類をいふと說くのである。(註五) 朱子が經驗界の一動一靜の例として晝夜・寒暑を擧げる所から、一見動靜卽晝夜・寒暑で、從つて後者が太極の動靜のみから生ずると爲したかの如くにも見受けられるのであるが、しかし朱子の眞意は左樣ではなかつたようである。彼の生成論では晝夜といひ寒暑といふは、五行の氣の順布であり動靜である。順布し動靜せる五行の氣である。五行の氣自體が晝夜でもなければ寒暑でもなく、又順布や動靜自體が晝夜でもなければ寒暑でもない。五行の氣なる實體と順布又は動靜なる形相との統一體が晝夜であり寒暑である。晝夜・寒暑の中に含まれる動靜なる形相的方面が太極の動靜と關係するのである。その實體・質料たる五行の氣自體は天地の二氣の變合から生ずるのであつて太極から生ずるのではない。其處で朱子が太極の動靜から生ずると考へた現象界の晝夜・寒暑は晝夜・寒暑自體の全部を意味せずして、それの中にふくまれる順布又は動靜自體を意味するのである。卽ち實體の五氣を動靜せしめるものが太極である。五氣のみでは晝夜・寒暑は成らぬ。太極に由つて動靜・順布の形相が與へられて始めて晝夜・寒暑なるものが完全に成立するのである。此の意味に於いて太極から晝夜・寒暑が生ずるともいへるのである。しかしさういつても晝夜・寒暑の全體が太極から生ずるといふのではないことと上述の如くである。太極は唯だそれの中にふくまるゝ形相の因たるに過ぎないのである。而して動靜はひとり晝夜・寒暑に限らない。凡そ現象界に於ける一切の動靜は皆動靜である。朱子が晝夜・寒暑を擧げたのは眼前の見易きものを擧げたに過ぎぬ。彼は其他現象界の一切の動靜をも同樣に太極から生ずると考へたのである。太極は太極自體の動靜因であるのみならず、又凡そそれ等一切の動靜の因であるわけである。朱子の太極はどこまでも形相因であつたのである。

上述の如く朱子は圖説の陰陽を既に原頭から現象界の陰陽と考へて來たのであるから、次句の「分陰分陽兩儀立焉」の陰陽をも亦勢ひ現象界の陰陽と爲すは當然である。然し此の句の陰陽は上來の如き動靜の陰陽では通せぬ。若しこの陰陽を上來の陰陽と同樣のものとすれば此の句を承けた「陽變陰合而生水火木金土」の陰陽も亦同樣のものとせなければならぬ。所が之は變合して五行となるものであるから、どうしても微物質氣と見なければならぬ。之を微物質氣と見ねばならぬならば、すぐ上句の陰陽兩儀をも亦微物質氣と見なければ一貫せぬ。かくて朱子は此の兩儀を「兩儀是天地與畫卦兩儀意志亦別」（語類卷九四、十三枚）とて天地として了つた。天地について陰陽をいへば、天は陽にして地は陰であるから、分陰分陽とは明かに天地に分れることである。所が「方渾淪未判陰陽之氣混合幽暗及其既分中間放得寬濶光朗而兩儀始立（語類卷九四）」といふように、朱子の所謂る天地はどこまでも渾沌の微物質一氣が分れて淸輕なるものは上つて天となり、重濁なるものは下つて也となるのである。此の天地なる陰陽は所謂る位を以つていふ定位底の陰陽である。圖説は先づ此の句以前に於いては流行底の陰陽の生成を說き、此の句に至つて一轉して定位底の陽陰の生成を說き、かくて兩種の陰陽相錯綜して萬物萬事の生成するを説くものと朱子は考へたのである。而して此の天地の兩儀に分れる定位底の陰陽の生成については圖説解に「有太極則一動一靜而兩儀分有陰陽則一變一合而五行具」といつて居る。その一動一靜は太極の一動一靜であるから、天地の兩儀に分れるのも亦太極の動靜に由ると爲すのである。是れ天地は太極から生ずると爲すが如くである。然し、既に屢〻述べた如く天地は二氣であり、二氣は一氣の分である。故に二氣に分れて天地と爲るものは一氣であつて太極ではないためである。されば太極が一動一靜して兩儀に分れるといふは、太極が一動一靜して一氣が天地の二氣に分れる意としなければならぬ。天地の二氣に分れるものは一氣であり、一氣をかく二氣に分れしめるものが太極の動靜である。一氣は天地の實體・質料となり、太極は一氣に上位・下位・清濁・輕重等の形相を附與して之を天地といふ定位底の陰陽たらしめるものである。太極は天地の形相因として活らくのである。

之を要するに、無極・太極より出發して陰陽五行萬物の生成を説く周子の無極・太極を、朱子は明かに理と斷じた故に、周子の圖説は舊態依然たりながら、その氣一元論は忽然として理一元論に變じたかの如き觀を呈するに至つた。若し朱子の如く無極・太極を理として圖說の文を逐字讀過すれば、誰でも朱子を理一元論者であつたと感ずるのであつて、これは誠に無理からぬことである。しかし一度び彼の他の著作に見はれた圖說に關する幾多の思想と、彼の生成思想全體とに基いて之を觀直ほす時、朱子の圖說解が決して理一元的生成の主張ではなかつたことに氣付くのである。朱子に在つては太極動靜して生ずる陰陽も、陰に分れ陽に分れて兩儀となる陰陽も、共に現象界の質料・形相を合せ有つた統一體を意味し、太極は唯だ單に形相の因として、それに形相を與へるに過ぎないと考へ、その實體・質料の如きは一氣より得來ると爲すものである。その太極から陰陽の生成をいふは、特に形相的方面に卽して之を說くのである。彼が太極動靜して陰陽を生ずといふときには、その陰陽の實體・質料は一氣から來るとの氣一元的な思想が同時に之を裏面から扶けて居るのである。此の裏面からの支への思想をも併せて表現すべきであつたのに、之をしなかつたので圖說の首めの數句が難解のものとなり、不通の論と考へられ、人々己の意に任せて諸種の解を作すに至つたのである。朱子を理一元論者と考へるに至る最大の原因も實に此に在つたのであるかと考へられる。朱子が自作の他の諸書や語類等に於いて、屢〻一氣より陰陽五行萬物の生ずることをも說きながら、圖說解に於いて此の點を明かに表現し得なかつた所以は、太極の一氣から出發した周子の圖說を改めて理からの出發としながら、周子を尊崇するの餘り、敢へて圖說を改めず、語の增減を爲さずして之に己の生成思想を盛らんとした爲めであつて、その爲めに氣一元論の圖說は其儘にして理一元論の如き景觀を呈したのである。しかし其の實朱子の圖說解も、太極と一氣との二元渾一的本體からの生成思想なのである。たとひ其の表面の形態は太極・理一元の如くに見えても、其の裏面に流るゝ朱子の思想を辿つて見れば依然として太極と一氣の二元からの生成思想を之に盛つて居るといへるのである。

註一　朱子集卷二七答陸子靜書、同卷七二記濂溪傳、同卷七七邵州州學濂溪先生祠記參照。
註二　語類卷九四、三枚、文集卷四二答楊子直書、太極圖說解等參照。
註三　象山全集卷二、與朱元晦第一書、第二書。
註四　語類卷一〇〇、四枚、朱子集卷二九答程泰之書參照。
註五　語類卷六五、同卷九四參照。

次に朱子の理先氣後の論について一應考察して見ようかと思ふ。蓋し此の形態も亦理一元論の觀を呈するものなる故である。語類卷一に云ふ、

問太極不是未有天地之先有箇渾成之物是天地萬物之理總名否曰太極只是天地

萬物之理也在天地言則天地中有太極在萬物言則萬物之中各有太極未有天地之先畢竟是先有此理動而生陽亦只是理靜而生陰亦只是理(一枚)

その動いて陽を生じ靜つて陰を生ずといふは太極圖說に本づいて言を爲すものであるから、此の陰陽は圖說の陰陽と同じ內容の概念であつて、卽ち晝夜・寒暑の如き流行底と、天地の如き定位底との二種の陰陽である。而して理は常に此の陰陽の中に在る。同時に在るけれども、此の陰陽を生ずるものは理なるが故に、論理的に因果の範疇に當て篏めて考へると、畢竟先づ此理有りといはざるを得ないといふのである。事實に於いて先づ理が存在するといふのではない。それも此種の陰陽はその質料を一氣から得來り、理は單に其の形相を與へるに過ぎないことは既述の如くであるから、理が形相を與へることによつて陰陽が完成するといふ意味に於いて、陰陽を生ずるといふのであり、此の意味に於いて陰陽の先といふのである。若し陰陽の質料方面を生ずる點からいへば、同樣に一氣が陰陽を生じ、一氣が陰陽の先に在るともいへるのである。

問昨謂未有天地之先畢竟是先有理如何曰未有天地之先畢竟也只是理有此理便有此天地若無此理便亦無天地無人無物都無該載了有理便有氣流行發育萬物曰

發育是理發育之否曰有此理便有此氣流行發育理無形體（一校）

これも亦同樣の思想で、此理無ければ此の天地もなく人も物もないといふのは、此理がなければそれ等のそれ等たる所以の特殊的形相が與へられず、從つてそれ等の質料はあつても未だそれ等の個物は成らぬことをいふのである。又、理有れば便ち氣流行して萬物を發育することと有りといへば、此の氣は微物質の氣を意味し、流行するとは此氣が動靜聚散することで、此の動靜聚散によつて萬物が發育する。而して此氣をして動靜聚散せしめるものが理であるから、理を微物質氣のもつ形相の因と爲すものの如く、語類卷一に「不消如此說而今知得他合下是先有理後有氣邪後有理先有氣邪皆不可得而推究然以意度之則疑此氣是依傍這理行及此氣之聚則理亦在焉」（三校）とあるは之と同思想である。

有是理後生是氣自一陰一陽之謂道推來此性自有仁義（一校）

先有箇天理了却有氣氣積爲質而性具焉（二校）

前文の一陰一陽は卽ち一動一靜で流行底の陰陽をいひ生是氣の氣は此の陰陽を意味する。後文の氣は積んで質を爲す故、それは天地の二氣である。故に此の二文の理先氣後の說も亦同前である。

問先有理抑先有氣曰理未嘗離乎氣然理形而上者氣形而下者自形而上下言豈無先後理無形氣便粗有渣滓(校二)

二者同時の存在なるも形而上下より先後をいふのみ。時間的先後をいはず。

或問必有是理然後有是氣如何曰此本無先後之可言然必欲推其所從來則須說先有此理然理又非別爲一物卽存乎是氣之中無是氣則是理亦無掛搭處氣則爲金木水火理則爲仁義禮智(校三)

此の氣は五行となる氣故に天地の二氣である。理は天地の二氣に內在し先後はいひ得ない。天地の二氣は一氣の分である。その從來する所といふは理が一氣をして二氣に分れしむる點をいふのである。一氣が理から生ずるといふのではないようである。

或問理在先氣在後曰理與氣本無先後之可言但推上去時却如理在先氣在後相似(校三)

これ亦前文と同樣で論理的要求から理を先といふのである。

問有是理便有是氣似不可分先後曰要之也先有理只不可說是今日有是理明日却有是氣也須有先後且如萬一山河天地都陷了畢竟理却只在這裏(校三)。

氣は天地以下の萬物をいふ。先づ理有つて後に此等の氣ありといふも今日是理有りて明日是等の氣ありといふのではない。理と此等の氣とは時間的先後はない。しかし氣の形而下にして變化あるに對し、理は形而上にして恒久不變なるより論理的に理を先と考へるのである。

有是理便有是氣但理是本而今且從理上說氣（校二）。

有理而後有氣雖是一時都有畢竟以理爲主（校二）。

理氣同時の存在であるが、特に理を重んじて本とし主とするより且らく理より說き起すに過ぎぬ。

答廖子晦第二書に云ふ、

然氣之已散者既化而無有矣其根於理而日生者則固浩然而無窮也故上蔡謂我之精神卽祖考之精神蓋謂此也（朱子集卷四二）

理に根して日に生ずといへば一氣が日々に理より生ずるが如くに受けとれるのであるが、此の日々に生ずる氣は聚散して萬物の形體を爲す所の二五の氣と見るべく、二五の氣が理に根して生ずるといふは其意亦從前說く所の如くである。

答陸子靜第五書に云ふ、

周子所以謂之無極正以其無方所無形狀以爲在無物之前而未嘗不立於有物之後以爲在陰陽之外而未嘗不行乎陰陽之中以爲通貫全體無乎不在則又初無聲臭影響之可言也（朱子集卷二七）。

無物の前に在り陰陽の外に在りといふは思惟の抽象によるのである。具體的事實としては有物の後に立ち陰陽の中に行はれて居るのである。

其他、中庸或問に、「凡物之生於理者必有是理方有是物云々」といふは物をして特殊の個物たらしめるための形相因が理なる點より之をいひ、度山陽が「先生嘗語正曰萬物生於五行五行生於陰陽陰陽生於太極其理至此而極當時聞之心中釋然若有以見夫理之所以然名之所以立者」（太極圖附錄總論）といへる陰陽は、五行を生ずる陰陽で天地の二氣である故、之が太極より生ずるとはその形相方面に即いて之をいふのである。

沖漠無朕而萬象昭然已具矣。

朱子は程子の此語を愛する。沖漠無朕は太極を形容し、萬象が太極より生じ來ることを言へるもの故、之によつて朱子を太極一元論者と爲すことも出來るかの如くに考へられるのである。然るに萬象已に具はるといふ場合の朱子の意味を吟味して見ると、必ずしも左様な思想ではなかつたことが知られるのである。太極圖說解の論に云ふ「若夫所謂體用一源者程子之言蓋已密矣其曰體用一源者以至微之理言之則沖漠無朕而萬象昭然已具也其曰顯微無間者以至著之象言之則卽事卽物而此理無乎不在也言理則先體而後用蓋擧體而用之理已具是所以爲一源也言事則先顯而後微蓋卽事而理之體可見是所以爲無間也然則所謂一源者是豈漫無精粗先後之可言哉」と。故に萬象已具といふは、用之理已に具はるの意である。而して圖說解に「是以自其著者而觀之則動靜不同時陰陽不同位而太極無不在焉自其微者而觀之則沖漠無朕而動靜陰陽之理已悉具於其中矣」といへば、用の理とは動靜陰陽の理の類を意味する。然るに朱子が太極圖說の解に於いて動靜陰陽といふは晝夜・寒暑の如き流行底と天地四方の如き定位底との兩陰陽を意味し、且つ此等の陰陽はその形相的方面のみを太極より得來るものなることは既に述べた所である。故に此等の陰陽の理が已に悉く沖漠無朕の中に具はるといつても、其の意味はそれ等の形相因が既に悉く具はるといふ意味で、質料因までもその中に具はるといふのではない。從つて萬象昭然として已に具はるといふも其意は萬象の形相的方面の理卽ち形相因が已に具はるといふので、之を以つて萬事萬物の形相・質料兩方面の根源が已に具はると爲すことは出來ぬ。從つて之によつて朱子を理一元論者と見ることは困難である。

第二節　氣一元的形態の吟味

次に朱子の氣一元的表現形態の有つ意味を吟味して見よう。

天地之間一氣而已分而爲二則爲陰陽而五行造化萬物始終無不管於是焉（啓蒙本圖書第一）。

蓋天地之間一氣而已分陰分陽便是兩物（朱子集卷三八、答表機仲別幅）。

天地只是一氣便自分陰陽緣有陰陽二氣相感化生萬物（語類卷五三、明作錄）。

是れ一氣より陰陽の生成をとき五行萬物の生成をも說けるものであるが、一氣は自ら分れて陰陽となる力はない。朱子は太極の一動一靜が一氣をして陰陽に分れしめると爲すのである。故に此には專ら一氣から說き起して全然太極を說かぬけれども、しかし一氣分れて二氣となるといふ所に、既に太極の存在と作用とは豫定せられて居るわけである。

天地之間本一氣之流行而有動靜爾……以其動靜分之然後有陰陽剛柔之別也（乾卦

本義)。

二氣之分卽一氣之運所謂一動一靜互爲其根分陰分陽兩儀立焉者也(朱子集卷四四、答王子合書)。

一元之氣運轉流通略無停間只是生出許多萬物而已(語類卷一、道夫錄)。

天地初間只是陰陽之氣這一箇氣運行磨來磨去磨得急了便拶許多渣滓裏面無處出便結成箇地在中央氣之淸者便爲天爲日月星辰云々(同、五枚)。

曰陰陽雖是兩箇字然却只是一氣之消息一進一退一消一長進處便是陽退處便是陰(同、卷七四、五枚)。

此等も亦一氣の流行・動靜・運轉・流通・消息・進退をいふ時既に太極が豫想せられて居ることは同前である。此等は氣一元的表現形態であるが、其の眞意は以上の如きものである故、此等に據つて朱子を氣一元論者と爲す譯にいかぬことは、恰もその太極一元的形態によつて彼を理一元論者と爲すわけにいかぬと同樣である。

第三節　結　語

朱子の本體概念に於ける二表現形態は一者の兩端表裏であるから、此の二者を併せ考へることによつて始めて彼の本體概念は全きを得るわけである。されば彼が太極と氣との相卽不離を說き、同時存在を主張せる表現形態こそ、彼の本體概念の眞を傳へたものである。 太極圖說解に「○此所謂無極而太極也所以動而陽靜而陰之本體也然非有以離乎陰陽也卽陰陽而指其本體不雜陰陽而爲言耳」といひ、「故曰易有太極◎之謂也」といひ、又語類卷九四に「太極圖無極而太極上一圈卽是太極但挑出在上」（一枚）といふは太極と陰陽二氣とが本來同時に存在して相卽不離なることを主張するものであるが、尙ほ「五行陰陽陰陽太極則非太極之後別生二五而二五之上先有太極也」（朱子集卷四二、答楊子直書）「所謂太極者便只在陰陽裏所謂陰陽者便只在太極裏今人說是陰陽上別有一箇無形無影裏是太極非也」（朱子全書卷四九、一六枚）「太極只在陰陽之中非能離陰陽也然至論太極自是太極陰陽自是陰陽」（語類卷五、六枚）の如き、或は又「如易有太極是生兩儀則先從實理處說若論其生則俱生」（語類卷七五、十九枚）「或問先有理後有氣之說曰不消如此說而今知得他合下是先有理後有氣邪後有理先有氣邪皆不可得而推究然以意度之則疑此氣是依傍這理行及此氣之聚則理亦在焉蓋氣則能凝結造作理却無情意無計度無造作只此氣凝聚處理便在其中且如天地間人物草木禽獸其生也莫不有種定不會無種子白地生出一箇物事這箇却是氣若理則只是箇淨潔空濶底世界無形迹他却不會造作氣則能醞釀凝聚生物也但有此氣則理便在其中」（同卷一、三枚）等の如き、皆同様のことをいへるものである。

朱子はかく太極と陰陽との相卽不離•同時存在を主張するものであるが、又一氣の存在をも信じて陰陽はその一氣に溯り得ると考へたのであるから、凡そ太極と一氣とを以つて究極の本體とし、此の二元の併存を主張してよいわけである。然るに朱子は太極と陰陽との併存を說くことは極めて多かつたに係らず、太極と一氣との併存を說くことは殆んどしなかつたのである。思ふにこれは彼が己の本體生成思想の最大根據と目せる周易及び太極圖說が、共に專ら太極と陰陽とを併せ說くのみで、太極と一氣との併存については何等語る所がなかつたのと(太極は一氣故語るの要がなかつた)及び朱子自らも氣よりも太極を遙かに重んじた等に因ると思はれる。

要するに朱子は太極と一氣との二元の渾一體を以つて究極の本體と考へ、その太極を以つて一切形相の因とし、その一氣を以つて一切質料の因と考へたのである。太極は存在の當初から既に動靜して形相因として活く故、一氣も亦存在の當初から既に動靜聚散等の形相を附與せられて陰陽二氣の形をとる。是れが太極陰陽相卽不離の◎であつて、之こそ理氣二元渾一的本體の經驗界への最初の發展なのである。既に陰陽があれば之より五行萬物の生成發展が行はれるが、その際にも氣はどこまでも質料因として終始し、太極は形相因として終始その活動を續けるのである。

最後に答黃道夫書の一節を擧げて本論文を結ぶことにしよう。

天地間有理有氣理也者形而上之道也生物之本也氣也者形而下之器也生物之具也故人物之生必本此理然後有性必禀此氣然後有形其性其形雖不外乎一身然道器之間分際甚明不可亂也（朱子集卷五八）（終）

辨證法的存在論と其立脚地

岡野留次郎

哲學とは存在論でなければならぬと云はれるとき、人は此語の示す本質的意義を事象に即して根源的に開被しなければならぬ。そのことは、此語が從來負はされて來た歷史的運命の軛からこれを解放し、その本質的意義を蔽ひ隱し、これを歪めつゝあるところの諸々の附加物を排除することによつて、此語によつて示さるる根源的事態を闡明することを意味する。それは思想の歷史的發展を無視することではなくして、却つて眞實の意味に於てこれに即し、その內面的可能性に從つて、これを導きこれを展開し行くことに外ならぬ。

存在論(Ontologie)とは一般に其語の形式的意義に從つて存在の論理學――存在のロゴスを取扱ふ學――として定義されるであらう。アリストテレスに依れば、周知の如く存在としての存在を、そして此ものに本質的に從屬するものをも論究する學があり(ἐπιστήμη τις ᾗ θεωρεῖ τὸ ὂν ᾗ ὂν καὶ τὰ τούτῳ ὑπάρχοντα καθ' αὐτό)、それは他の個別科學、例へば數學などとも區別せられて、それのやうに存在の一部を切斷して、その領域に從屬する對象の偶有的な規定(τὸ συμβεβηκός)を探求するものではなく、最高の原因としての始源を求むるものとして、或意味に於て存在の要素(στοιχεῖα)を探求するとも云ひ得るであらうが、偶有的なる存在のそれをではなく、存在としての存在のそれを、換言すれば存在としての存在の第一原因(τοῦ ὄντος ᾗ ὂν τὰς πρώτας αἰτίας)を尋究するところの、一つの理論的な學として特色付けられる。何者存在は色々に語られるとは云へ、それ等の表現は常に或一つの始源に關係せしめられ(πρὸς μίαν ἀρχήν)、或何等かの一つの本性に(μίαν τινὰ φύσιν)關係せしめられるからである。即或存在は實體であるが故に、或存在は實體の屬性(πάθη)であるが故に、他のものは實體への過程(ὁδὸς εἰς οὐσίαν)として、或は實體乃至實體に關係して呼ばれるところのものの破壞・缺如・性質或はそれの生産乃至生成の原因であるが故に、或は之等の或ものの或は實體の否定であるが故に、在ると呼ばれるのである。然るに凡ての存在者は、その本質的性格に關係して一つと呼ばれ得るからして(τῶν πρὸς μίαν λεγομένων φύσιν)、或意味に於て一つの意味を持つものとして呼ばれ得るのであり(λέγεται καθ' ἕν)、其限り、凡ての存在者をかゝるものとして探求することは、一つの統一的な學を構成し得るであらう。(1)

人はアリストテレスが與へた右のやうな存在論の一般的な性格付けからして

存在を存在として論究する學が何よりも先づ存在の或特有なる領域を研究の對象とする個別科學と區別せられ、一つの統一的な學として成立する可能について學ばねばならない。若し我々の知識が、個別科學の研究の成果が與へる以外に客觀的なるものを毫も含み得ないか、乃至はかやうな成果から歸納せられた一般的な方法論以外に高次のものを含み得ないならば、形而上學の可能は一般に否定せられねばならないであらう。併しながら過去の科學的認識の成果から、必ずしも直に一般的な方法論——例へば辨證法的論理——が、一義的に導き出される必然性はないと共に、かやうな方法論が逆に科學の研究方法を批判し指導し得る可能性の根據は、最早やそれ自身が歸納的に見出され來つた科學的認識の成果の中に求めらるべきではない。でないならば、それは一つのcirculus vitiosusに陷る外ないであらう。これを避けんが爲には人は何等かの意味に於て科學的認識とは秩序を異にした高次の認識を許容しなければならない。このことは、併しながら、直に兩者を無關係の狀態に切離すことを意味するのでもなければ、また一を他と密接なる聯關に於て見出し方法的には一を他を手懸りとして導き出すことを、乃至、根據付的聯關に於ては、他を一に依存せしめることを、排斥するのでもない。要は只兩者は、その密接なる聯關にも拘らずその論理的根源性に於て秩序を異にすることを知り、その密接なる聯關の故に基礎付けの關係に於て事態を逆轉せしめないことが必要である。

然らば此兩種の認識、ハイデッガーの用語法に從ふならば存在論的認識(ontologische Erkenntnis)と存在的認識(ontische Erkenntnis)の本質的なる區別を何處に求むべきであるか。アリストテレスによれば前者は存在を存在として一般的にそして部分的にではなく(τοῦ ὄντος ᾗ ὂν καθόλου καὶ οὐ κατὰ μέρος)(2)論究するに對し、後者は存在の或種の範圍を限定し之を論究する限り(πᾶσαι αὗται περὶ ἕν τι καὶ γένος τ περιγραψάμεναι περὶ τούτου πραγματεύονται)(3)特殊學(ἐπιστῆμαι ἐν μέρει λεγόμεναι)(4)として區別せられる。併しかやうなアリストテレスの言葉は、その具體的な意味内容が闡明せられない限りは、人は多くの學ぶべきものを見出し難い。存在を存在として一般的に論究するとは抑〻何を意味するのであらうか。

2

哲學は存在論でなければならぬと云ふとき、我々はアリストテレスに從つて存在を存在として單純に(ἁπλῶς)[5]論究することを意味し、その本質(τί ἐστι)と屬性(τὰ ὑπάρχοντα ᾗ ὄν)[6]を、卽我々の言葉に從へば、存在と呼ばれ得るものの有ゆる領域に渡つてその本質的な形態の種々の樣態を明確なる概念的表現に於て把握せんとするところの人間的存在の一つの可能性を意味する。人は、併しかやうな存在論の立脚地に對して甚しき疑惧を感ずるかも知れない。それは與へられた存在を假定しそこから出發する限り、一つの獨斷的なる形而上學に外ならぬと。人は先づかくの如き存在の語らるべき根據について反省すべきではないか。哲學は何にもまして獨斷的豫想を排斥すると。しかし哲學の無豫想性は云ふ迄もなく絶對的の無豫想性ではない。無豫想的豫想・最終の豫想の上に立つことに外ならぬ。存在論の根本的立脚地が、かくの如き意味に於て獨斷的であるか否かは、今直に決せらるべき問題ではない。それは存在論そのものの內面的機構が、白日の下に全面を暴露した後に於て檢討せらるべき問題に屬するであらう。夫にも拘らず存在論は、或意味に於て存在を假定し存在を出發點とすると呼ばるゝことを忌避しないのみか、却つてそれを自らの誇りとする。しかし、此場合存在論が與へられた存在から出發すると云ふことは、それを認識論的に確實な根據とするとの意味ではなくして、却つて存在論的には最も問はるべきものとして、最も蔽はれ隱されたものとして、にも拘らず存在的には最も明なもの手近かなものとしてそこより思索を出發せしめるとの謂に外ならない。正しくアリストテレスが云つて居るやうに、(7)有ゆる科學的な研究に於て知るとか認識するとか(τὸ εἰδέναι καὶ τὸ ἐπίστασθαι)は、その原理とか原因とかを知ること(οἰόμεθα γιγνώσκειν ἕκαστον, ὅταν τὰ αἴτια γνωρίσωμεν τὰ πρῶτα καὶ τὰς ἀρχὰς τὰς πρώτας)を意味するであらうが、それを求むる自然の道は、我々に取つて、より知られた且つより明瞭なものから、本質的に、より明瞭な又より知られたものへと進むことであるからである。本質的に原理的であり且つ最も確實であるところのものは、我々に取つて直に最も知られたもの、直截なものではない。それ故に、我々が存在論に於て與へられた存在から出發するとのことは、アリストテレスの言葉を借れば、本質に於て不明瞭ではあるが、我々に取つては明瞭であるところのものから、本質に於ては、明瞭であり且つより知られたものへと進みゆくこと(προάγειν ἐκ τῶν ἀσαφεστέρων μὲν τῇ φύσει ἡμῖν δὲ σαφεστέρων ἐπὶ τὰ σαφέστερα τῇ φύσει καὶ γνωριμώτερα)(8)を意味するに外ならない。夫故に存在論が存在を假定し與へられた存在から出發するとのことは、意識超越的な獨斷的實體としての存在を假定し、そことよりして一切の存在と認識を演繹し來ることを意味するのではない。却つて存在こそ哲學的には最も問はるべきものとして、哲學的思索の集注すべき焦點を形くることを意味する。しかし問はるべきは、先づ存在ではなくして認識ではないか。人は問はるべき存在を問ふ前に、問はるべき認識を問ふべきではないか。何故ならば存在を問ふことが、先づ問はれなければならないからである。問ふことは、これが眞かかれが眞かを問ふことであり、問ふことそのことが意味を持つ爲の根據が、先づ問はるべきではないか。哲學は、固よりデカルトに於ての如く、凡てを疑ふべき義務を持つ。疑の可能なるところに於ては、一切に於て疑ふことは哲學の根本的要求であるであらう。しかし、疑ふと云ふことは單なる命題ではない。問ひ求むることは、哲學するものの全生命的要求であり、生活態度である。問ふところの命題が意味を持つ爲の根據を探ることは、決して無意味のこととは云はれないにしてもこれによつて問ひ求むる全生命的要求が滿される譯ではない。誠に問ふことは、ハイデッガーの云ふが如く、追求することであり、問ふところの存在者の態度(Verhalten)(9)でなければならぬ。哲學の問題は、或意味に於て眞理問題を樞軸とすると云ひ得るであらうが、その眞理は飽く迄命題眞理(Satzwahrheit)ではなくして、云はば事態眞理(Sachwahrheit)でなければならぬ。夫故に存在論が存在を假定し存在から出發するとのことは、哲學の事態性(Sachlichkeit)を保證しその抽象化から防衛する手段であつても、何等の意味に於ても獨斷的形而上學への顚落を意味するものでない。

3

併し存在論は存在を出發點とすると同時に、他方に於て存在を歸趨點とする點に於て、其特質が認められなければならない。それは存在を問はるべきものとしてそこより出發することによつて、存在を明らめらるべきものとしてこれを豫想すると同時に、顯はならしめらるゝことによつて、存在は、その原理的なる形態に於ては、他の然らざるものの存在論的根據となり得ると共に、同時に又一切の認識の客觀的基礎ともなることを主張するであらう。此故に存在論は、我々に取つて明なる併し原理的にはより知られないものから出發して、原理的なるものの本質的なるもの即存在の根據に向つて追求する努力によつて成立ち得ることを知る。併し乍ら存在論の求むる根據は存在根據であると云ふことによつて、例へばコーヘンが其「純粹認識の論理學」に於て求めた如き「根源」(Ursprung)を主として意味しては ならぬ。彼に於ては「根源」は認識の原理であり、原理の一般的意味に從つて基礎付けの作用である。尤も此 Grundlegung は「根源」のそれとして、近代の科學的文化意識の自覺の樞軸をなすものとして把握せられて居るとは云へ、何よりも先づ思惟の根源として、一切の純粹思惟の生產原理であり、思惟がそれに於て存在を發見する根源であるとしても、此存在の基く根據そのものが、思惟自らが與へるものに外ならぬのである。[10] 之蓋し彼が存在は思惟の存在であり、思惟は存在の思惟として認識の思惟であると云ふ所以であらう。[11] 彼がプラトンのヒポテーシスの思想を深化し、カントの理性の自律の思想を更に徹底せしむることによつて、獨斷的形而上學の最後の殘滓をも拂拭し去らんとした努力の中にカントの批判的精神の純化を見ると共に、人は彼の「根源」が、カント哲學に於ける所與性の問題を論理主義的に解決することによつて得られた結果として、それが飽く迄も思惟の乃至意識の根源として、認識・意識を基礎とする立脚地であり、何よりも先づ存在の根源を問ふところの存在論の立脚地とは可成りの距離を持つことを悟らねばならない。只思惟のみが存在として妥當し得るものをつくり、思惟が自己自身の中に存在の最終の根據を掘り出すことが出來ない限り、感覺による如何なる手段もその罅隙を充すことが出來ないとする彼の立脚地からは、單純に思惟や概念に存在を附加し、歸屬せしめる心理主義、乃至單純に感覺的經驗に客觀的存在の認識論的基礎を置かうとする有ゆる感覺論の形態に對して論理主義の優越を誇示し得るにしても、存在論の主張を覆すことは恐く不可能であらう。(12) 併し乍ら凡そ存在なる概念の論理的意味內容が、其論理的基礎を純粹思惟の中に持たねばならぬと云ふ主張と、凡そ論理的なる意味も終局は存在の根本形態としての存在のロゴスに根據を持つべきであり、思惟も亦、或意味に於て、存在の一つの modus であると理解せんとする立脚地とは、必ずしも單純に相反するものと見るべきではない。云はば後者は前者の制限を自覺してより高次の立場に立つ。ハイデッガーは周知の如く其カント解釋に於て、從來の新カント派、殊にマールブルヒ派が、カント哲學に與へた解釋に反對して、第一批判は經驗理說 (Theorie der Erfahrung) 乃至實證科學の理說 (Theorie der positiven Wissenschaften) として解釋することを排斥し、それは認識論とは無關係であり、存在認識の理說であるよりは、存在論的認識の理說であり、Metaphysica specialis に對する Metaphysica generalis としての存在論として、形而上學の根本部分として、基礎付けらるべきを說き、(13)認識は第一次的に直觀であること、直觀こそ認識の本來的本質を形くり、直觀と思惟との相互聯關の有ゆる場合を通じて、常に本來の重要さを保持することを高調したのは、(14)カントの所與性の問題に對し、彼自身の存在論の立脚地より一つの新なる光を投じたものと見做し得るであらう。ハイデッガーの與へた此解釋が、果してカント哲學に含まれた所與性と物自體の問題を、徹底的に解決し得たか否かは自ら他の問題に屬する。只こゝでは存在論の目指すところの存在の根據が、コーヘンの意味する「根源」と、一定の隔りを持つことを知り得れば足るのである。

コーヘンが「根源」をGrundlegungとして把握した一つの重要な意味は、云ふ迄もなく認識を無限の過程として無限の課題として理解せんとするところに横はることは斷る迄もない。プラトンのイデアはヒポテーシスとして、存在の疑問符としてのソクラテス的概念 τί ἐστι に對する解答として、概念の自覺であり、概念のロゴスである。概念が自己自らについて說明を與へることを意味する。ロゴスは本

質的には λόγον διδόναι を意味しなければならぬ。(15) 思惟に對する所與は、何等か規定されたAであるべきではなくして、思惟によつて解決さるべきXを意味しなければならぬ。しかもXは無規定者を意味せずして、無限の規定可能性を意味する限り、Xは思惟の無限の課題性を保證するであらう。Etwasが無の迂路を通してのみ作り出さるゝと見る思想も、此課題性を保證するものと云ひ得やう。

併しかやうな認識に存する課題性も、人間存在の歴史性に深く基礎づけられない限りは、實證科學の認識成果の無限課題性を説明する爲の認識論的方法論の一形態たるに止まり、終始科學的認識の奴隷の位置に甘んずる外なく(16)眞に科學的認識に對する批判の任務を遂行し得ないであらう。之蓋しコーヘンが根源の思惟法則の本質を、或意味に於ける近代科學の祖ニュートン、ライプニッツの確立した微分法の原理に求め、連續の法則に求めた所以であらう。(17) 思惟は無の迂路を通つて無限に自己の根源に還り行く過程であり、ナトルプの所謂認識の事實ではなくして認識の Fieri の只中に立ちながら常に根源への道を尋ね求めゆく無限連續の運動である。(18) かくの如き連續の法則が認識の一定の領域に於て、原理的なる意味を持ち得べきことは疑ひ得ないであらう。併し有ゆる範圍に渡つて妥當し得ないことは、科學的認識の今日の成果が説明するであらう。 況んや存在論的原理としての權利を持ち得るものでない。

此故に存在論が存在の根據を追求すると云ふとき、それは右の如き意味の單なる Grundlegung を意味すべきではなくして、逆説的ではあるが Grundlegung der Grundlegung を追求するものと解されねばならぬ。 存在論的根據を求むるとのことは、單に存在がそう語らるゝところの意識的根據を探ることではなく、又そう[illegible]らるゝことによつてそう在りとせられる限りに於ての意識の形式や對象の存在の仕方を論究するのではなく、そう語らるゝこととそう在ることとが、互に辨證法的な聯關に立つ限りに於て、存在はそう在りとせられ存在はそう在りと語られ、しかも語らるゝことは終局に於て存在の自己辨明であるとの意に於て、在ることは語らるゝことに對し優位を持つと考へる。

5

かやうにして存在論は、先づ問はるべき存在から出發し、存在の根據を探求する[illegible]によつて其歸著點を見出すものであるが、同時に又所謂本質的には (τῇ φύσει、かくして明にせられた存在論的根據を出發點として、より派生的第二次的なる根據に下降することによつて、存在の全面的內面的意味構成を、存在論理的秩序に於て明確に分節するであらう。人は存在論のかくの如き論理的圓還歸運動の中に、その具體性と全面性と根源性とが充分なる意味に於て現實にせられるのを見る。存在論が果して避くべからざる循環論法の上に立つか否か、或は無豫想的豫想の上に立脚するか否かは此論理的圓還歸運動の全體系の組織が果して、存在の全領域に亙る自己辯明として妥當するか否かによつて判定せられる。然らば存在論に取つては、問はるべき存在は蔽はれ隱されたる存在として、開被され明らめられたる存在と別異のものではなく、語らるゝことは存在自體の本質的なる可能性であることが知られ得やう。

存在論が問はるべき存在から出發しなければならぬと主張するのは、かく出發することによつて其歸着する所の原理的なるものの具體性を保持せんが爲である。まことに哲學に於ては出發點は其歸著點と密接なる聯關に於て立つ。問はるべき事態が一面的であるか抽象的であるか、部分的であるならば、其歸着點も全面的・具體的・全體的であることは困難である。問はるべき存在からではなくして問はるべき認識から出發することによつて、如何なる歸著點に導かれるかは、我々は先にコーヘンの「根源」に於て見出した。人は同樣な事態をリッケルトの世界觀說としての哲學にも見出し得るのではないか。こゝに於ても亦哲學は單に認識論に盡きるのではない。哲學に於ては其重點を世界の全體性に置き、人間を只世界の一部と見ることによつて、人間によつて認識された世界が全體として何であるかの存在論的問題が問はれなければならないと同時に、人間が住むところの世界に於て人間が占める位置如何についての人間學的問題が、人間に重點を置くことによつて發生するであらう。併し乍ら哲學は單なる非科學的な世界觀に止まらず學的な世界觀學（(Weltanschauungslehre)）でなければならない限りに於て、其方法に關して概念的な明瞭さを持つべきであり、認識論が哲學に於て重要な役割を演ずるのは正しく此場所に於てゞある。方法論・人間學・存在論は夫故に哲學の體系を構成する重要なる三部門となる。(19) 人はかやうな主張に對して形式的には反對すべき何等の理由をも持たないであらう。夫にも拘らず尙滿足し得ないものがあるとするならば、それは主として哲學そのものの內容的具體性に關係する。哲學が學として成立しなければならない限り、——存在論も亦そうあることを要求するものであるが――方法論的考察がそれに不可缺の事柄に屬することは敢て論ずる迄もない。併しこのことは必しも方法論・存在論・人間學を啻に概念的に區別し、問題的に取扱を異にするに止まらず、三者を事態的(sachlich)にも區別し、相互の具體的な聯關を顧慮せずしかも方法論を存在論から抽象し、認識の抽象的考察から出發することによつて規定された方法論的機構を基礎として、存在論に立向ふことを意味するのではない。かくては存在そのものの具體性を見失はしめ、具體的聯關を無視せしめる結果に導くであらう。認識は固より單なる感覺的直觀によつて成立するものでなく、又素朴的な模寫でないことも明であらう。しかし言葉や命題の意味が全然感・覺的知覺的作用を通して認識される對象と別個の存在領域に屬し、全然不同のものとするならば[20]、意味は如何にしてかやうな對象に對應し得るのであるか。意味が總じて現實に關係し得る爲には我々は更に深き根據を探らねばならないであらう。かやうな根據が彼の所謂「第三領域」であり得ないことは多くの論證を必要としまい。然るにこの根據に突進むことこそ眞の存在論の目標でなければならぬ。そうしてそこにこそ方法論的な抽象的存在論と存在論的な具體的形而上學との差が横はる。そうしてかやうな抽象性は、問はるべき存在の具體性から出發する代りに、問はるべき認識の抽象性から出發したことに基因するのではないか。所謂「一般的思惟の異論理的原理」(heterologisches Prinzip des universalen Deinkens)なるものも、其含むところの否定が單なる否定に止まらずして、同時に否定されたる積極的なる內容を顯示し得る所以は、思惟が一般的なることの觀念論的要求に基くのではない。(21) ヘーゲルが其辨證法に於て、否定によつて積極的な內容を展開し得たのは、それが單に哲學的思惟を一面的たることから防衛する爲に觀念的抽象的に考案せられた手段であつたが爲ではなくして、實に具體的なる存在の內面的發展の原理として把握されたからに外ならぬ。凡そ認識の客觀に屬するものは、それが認識の對象として認識論的に意義を有するが爲には、それが對象として可能なる爲の條件として、認識論的主觀が――語の最も廣い意味に於ての認識の對象として――亦同時に考察されねばならないと云ふが如き、所謂「世界擇一」(Weltalternativen)に於て動くところの一般的思惟の抽象性が、よくその異論理的原理の抽象性を暴露するであらう。認識論的主觀と客觀との對立否定の關係から、存在論的主體と客體の對立否定を導き出すことは出來ない。否定されたる或ものが同時に積極的に他の或ものとして自明的に了解せられる爲には、具體的な事態が對應して居なければならぬ。一般的思惟が同時に具體的なる存在の思惟として、辨證法的なる存在事態に卽したものでなければならぬ。此故に反措定や對立が異措定(Heterothesis)の水準に引下げられることは、思惟を具體的にすることではなくて、却つてこれを抽象化する結果を伴ふであらう。(22)

6

存在論は問はるべき認識からではなくして問はるべき存在から出發すると云つても、絕對的に存在論的主體を超越した客體的存在を定立し、そこから一切の存在及其認識を說明しやうとするものでないことは既に述べた通りである。此意味に於て存在論的にも、主體的存在は必然的に客體的存在を假定し、客體的存在は又必然的に主體的存在を豫想すると云ふべきであらう。併しこのことの必然性は認識概念の成立の爲に認識主觀と認識對象とが論理的に豫想せられるとの意味とは異り、人間存在の世界內に於ける存在の現實的事態に基く存在必然性に外ならぬ。人間の世界內に於ける存在が必然的にもせよ偶然的にもせよ、人間存在を通じての外は存在一般の形而上學的解明は不可能であり、存在の自己暴露は無意義に終るべきことも自明的である。人間存在の歴史的發現以前に物質的なる自然の歴史的發展の段階を主張する唯物論者と雖も、かやうな存在認識そのものが實は人間の發現を俟たねば明となり得なかつたことは云ふ迄もなく認容するであらう。此故に存在論が問はるべき存在から出發するとのことは、人間の主體的存在と世界の客體的存在との具體的存在的聯關の哲學的反省から出發することを意味する。かくの如き聯關を具體的に表現する爲に我々は存在體驗なる言葉を選ばうと思ふ。存在論は最も具體的現實的な體驗を出發點とする限りに於て基礎經驗の學とも云ひ得るであらう。認識作用は意識一般としての認識論的主觀が對象と論理的に關係するところに其本質を有するものではなくて、存在體驗の一つの modus に外ならぬ。夫故に問はるべきは認識でなく、問はるべきは存在であるとの主張は、論理的思惟の必然性に基く概念の自明的假定から出發する代りに、夫自體存在論的には未だ明瞭な概念に持ち來されては居ないが、にも拘らず存在的には最も明確に實證體驗しつゝある人間の現實存在體驗を出發點とする意に外ならぬ。

カント第一批判がコーヘンの解した如く單なる經驗理説として實證科學の基

礎付けを本質としたと見るべきか、或はハイデッガーの如く一般存在論として人間の有限的存在の分析を目指した基礎的存在論と解すべきか、乃至はリッケルトの如く認識の解明を手段として彼特有な仕方で形而上學乃至存在論に進んだと見るべきか[23]の歴史的正當さは別問題として、カント哲學が持つ不朽の價値は哲學的問題の統一的解決の鍵を自我に置いた點にあることは事新しく説く迄もない。プラトンやアリストテレスの哲學が主として自然存在に差向けられた存在論として、其豐富なる内容が兎角統一點を逸脱する傾向を持ち、後者の範疇がカントの批難——此批難の正當であるか否かは別として——の對象ともなつた理由は、明に其存在範疇の樞軸を主觀の中に求めなかつたのによる。存在を人間存在から超越的に把握せんとする努力は凡べて獨斷的として排斥せらるべきである。單に意識超越的なる物質的存在を主張することは、心理的存在以外に物理的化學的乃至生物學的存在のあることの存在的な自明的主張以上に深い形而上學的意義を持ち得ないであらう。物質そのものの存在性、並に其根據が問はれて居る時、人は再び物質に逆戻りは出來ない筈である。

存在論が人間の現實的存在體驗を出發點とする時、人はカントの批判的精神の中核を維持せんとする存在論の根本要求を看取すべきである。夫にも拘らず存在論がカント哲學に止まることが出來ないとするならば、彼の理論哲學が主として認識論に盡きると見るが爲でもなく、又ハイデッガーの云ふが如き意味に於ての基礎的存在論が充分なる具體性に於て展開せられて居ないが爲でもない。カント第一批判が單なる認識論でなく存在論的に志向せるものであることは疑ふ餘地はないにしても存在論が一般にカント哲學に依據すべきは、その根本的志向、その批判的精神の樞軸に於てゞあり、乃至はその根本志向の遂行に於て示した、カント哲學の方法の論理的圓還歸運動に於てゞあつて、その體系の具體的なる內容に於ては固より、その內容展開の形式に於ても必ずしも凡べて一致する譯ではない。其體系の全組織の動く場面が意識一般の構成する內在的超越のそれではなく、人間存在と世界存在との具體的存在聯關によつて構成さるゝ內在卽超越としての存在論的超越領域である限りに於て、カント哲學の根本志向を自己の中に包攝すると共に、更に之を止揚し超越する立脚地に立つものと云ふべきである。カントを理解する爲には彼を超越しなければならぬと云はれる言葉は此場合にも正當である。

7

カント第一批判が根本志向に於て單なる認識論でなく、形而上學の基礎付けとして存在論の內面的可能性の開被を意味するとしても、[24]事實的には其出發點を英國經驗論の傳統を引き、外部知覺・內部知覺の心理的なる存在經驗に求めた事は認められやう。カントが認識の素材を感覺と呼び、物自體の感性に對する觸發を說いたのは、全く此出發點に禍根を藏すると云ひ得ないであらうか。感覺的知覺的なる經驗が夫自體個別的・主觀的・斷片的である限り、對象の客觀性・一般性の基礎は意識一般に求められねばならず、しかも感覺が心理的である限り、その觸發の原因として超越的な物自體が考へられねばならず、かくして、カント哲學に於ける物自體の特異なる難點を形くる。啻にこれに止まらない。カント哲學に於ける此出發點は、論理主義の人々が主張したやうに、一度は先驗論理學を心理主義的色彩を以て蔽はしめ、更にこれを改訂することによつて先驗感覺論との溝渠を大ならしめ、之を結合する爲に圖式論の工作を餘儀なくせしむるに至つたとも見られるのではないか。只々受容性としての對象の所與性の原理たる感性と、自發性としての對象可思惟性の原理たる悟性とが、想像力の深き根源に於て結合することの可能性に對し重要な障害を與ふるものは、先驗感覺論に於ける其出發點の抽象性である。カント哲學に於ける思惟の優越性を不當に高調することによつて、この存在論的根本志向を論理主義的認識論への志向に歪曲せしむるに至つた責任の半はカント自ら負ふべきである。存在の形態は只々思惟によつて與へられ、感性的直觀を通しての所與は本來無形式の渾沌として把握され、認識は單に思惟の構成に外ならぬとするが如き抽象的觀念論的主張は必しも悉くカント哲學の歪曲とのみ見るべきではない。感覺的な知覺作用を通しては、存在は只感覺の比較的永久的結合をなす束と見ゆる外はない。之に客觀的な規定を與へ、普遍妥當的な合法則性を附與するものは思惟であるとの主張は當然起り得るであらう。しかし我々が存在を存在として實證し體驗するのは、單に感覺的知覺的經驗によつてではない。實に人間の現實の全存在が世界環境の中に投げ出され、嘗に知覺し表象するのみではなく、また實に思惟し、判斷し、意志し、情感し、否根本的には、之等凡べての部分經驗を通じて、人間が人間として存在するところの特有な存在の仕方に於て、——それを我々は歷史的存在としての人間の全存在體驗と呼ぶ——世界環境と辨證法的に聯關することによつて、換言すれば、現實の人間の歷史的存在が、世界環境を自己否定を通して肯定し、後者は又逆に前者の肯定を、前者による自己否定を通して定立するところの辨證法的な相互存在聯關によつて、相互の存在が客觀的な存在として、人間の主體的存在を通して、實證し體驗せらるゝとの意に於て、存在の超越性と客觀性は基礎付けられるのである。

カント哲學に於て固より人間の全體驗が毫も顧みられなかつた譯ではない。批判哲學の全體系がよく之を示すであらう。併し乍ら周知の如く第一批判第二批判の間に存する溝渠が或程度に於て第三批判に於て取除かれたとしても、フィヒテ哲學が既に試みやうとした如く、一つの完全な思考法の革新によつての外は、深き根柢に於て統一することは困難であらう。

時間がカント哲學に於て演ずる任務の重要さについて疑を挾む人はないであらうが、さりとて時間を以て綜合の三つの樣態の內面的性格として、先驗的想像力を感性と悟性の共通なる根源たらしむる可能性のみならず、その必然性を論證し(25)、時間は其本質上自己自身の純粹感觸(reine Affektion ihrer selbst)であり、有限なる主體が、一つの主體として關係せしめられ得ると云ふことが本質である限り、時間は主體性の本質構成を形くると考へ、自己が自覺となり得るやうに、有限なる自己性を根源的に形成するものとなし[26]、時間と「我思ふ」とは終局に於て同一であり純粹統覺に於ける自己性の可能の根據と考へる[27]ことは、カントの時間を單なる直觀の一形式と考へる代りに、これを超越論的統覺の本質的構造に迄深化せんとするものであつて、更に詳細なる論究を必要とする興味ある題目たるを失はないにしても、統覺の根源的綜合的統一を重視した彼の第二版に於ける思想と如何に結合すべきかは、ハイデッガー自らも讓歩を示して居るが如く[28]一つの疑問とするに足るであらう。寧ろ從來一般に解せられたやうに、カントに於ては雜多の綜合的統一こそ時間を媒介として空間にも滲透する自覺の本質的構成ではあるまいか。何れにもせよカント哲學の中には、論理派の立脚地からは心理主義として排斥せられ、ハイデッガーの存在論の立場からは、時間を存在の超越論的地平として解せしむべき素因を多分に含有することは見逭すことは出來ない。心理主義の立場からすれば、雜多の綜合的統一も決局意識の根本的統一として心理的に把握することが不可能ではあるまい。かやうなカント哲學に於ける破綻は結局其出發點が主として心理的なる場面に於て動き存在論的超越論的場面に立つて居なかつた結果であると考へられる。

夫にも拘らず存在論はカントが其出發點に於て直に原理的なるものに立向はずして、感性的な經驗を手懸りとしたことに同意を表するものである。對象の所與性を重視したカントの態度は、論理派の主張に拘らず、カント哲學の具體性を保證する有力なる根據でなければならない。哲學は常に現實的なる經驗、最も具體的なる經驗に根を置かねばならない。でなければ恐らくはかの「眞理ではなくして何等かの見せかけの知識を凡てについて持つもの」(Δοξαστικὴν τινὰ περὶ πάντων ἐπιστήμην…, ἀλλ' οὐκ ἀλήθειαν ἔχων)(29)となる恐れがあるであらう。

8

存在論が最も具體的な現實的な經驗から出發すると云ふとき、それは歷史的社會的自然的なる人間存在が世界環境の中にあつて生き且つ行爲しつゝある時に獲得するところの自己並に世界についての存在の體驗から出發するとの意である。具體的な人間の存在が單に自然的な存在でないことは云ふ迄もない。併し又單に歷史的社會的存在であつて自然的基礎を缺くものでないことも明である。況んや人間的存在が單なる表象的意識主觀でもなければ、尙更認識論的主觀でもない。かくの如き具體的事實を疑ふことは常識並に科學の立脚地からは何人も敢てしないところである。所謂プロス・ヘーマースには最も明な又知られた事柄と云はねばならない。しかも存在的にはかく明なことが、存在論的には最も問はるべきものたることも亦何等妨げるものではない。人はデカルトがなしたやうに、かくの如き人間存在及世界存在を擧げて夢でないかを疑ふことさへ可能であるであらう。しかし疑ふと云ふことの可能が自我の存在に基くことを知ればかやうな疑の抽象性は明であらう。夫故に存在論的に疑はるべきは、かやうな具體的な事實が總じて存在事實として可能であるか否かではなくして、かやうな具體的事實の可能なる根據が何であるかでなければならぬ。云はゞ人間存在と世界存在とが一般に存在として可能なるアルケー乃至アイチアは何であるか、更にそれに基いて人間存在と世界存在との相互の聯關とその機構とを、そうしてそのことからして一般に世界存在の本質的構成を明にせねばならないであらう。

存在論の取る最初の出發點が最も具體的であると云ふことが其原理的なるものに於ける具體性と包括性とを約束するものである。フッサールの現象學が世界

について の自然的經驗(natürliche Erfahrung)から出發するに拘らず、それは本源的所與經驗としての知覺に外ならず、カントの場合と同じく外部知覺及內部知覺を意味し、世界は要するに可能的經驗及經驗認識の對象の總括概念であり、正當なる理論的思惟に於て、現實的に經驗するところを基礎として認識せられるところの對象の總括概念である。(30) かやうな自然的經驗の抽象性はそれが如何に形相的還元や現象學的還元を經て所謂現象學的殘基としての純粹意識の領域に迄純化せられたにしても、其一般的なる構造の機制に於て抽象性を齎す結果を導くより外はない。人間存在と世界存在の超越論的基礎を內部知覺及外部知覺を出發點として求めやうとする限り、自我に對する他我の超越的存在が、自己知覺の移入(Einfühlung)との外解釋し得られないからして、かやうな立脚地の純化は、純粹意識のモナド的孤立性を伴ひ、更に間主觀的還元の導入を必然ならしむる論理的難點を齎すであらう。ハイデッガーが「自己の場所から外に置かれる」(exsisto, ἐξίστημι, ἔκστασις)と云ふ語源的意味を持つた Existenz の概念から出發して、根源的な「自己外」(Außer-sich)夫自體として、ἐκστατικόν そのものとしての時間性に根源的時間を見出さうとしたのは、此論理的難點の一つの根本的解決の企圖とも見られるであらう。彼がキュルケゴールやディルタイの影響の下に取上げた此 Existenz なる概念は單なる表象的意識的主觀である代りに、世界内存在として、世界環境の中に投げ出され、何處より來り何處へ行くかを知らず、しかも、その爲に却つて益々蔽はれざる自己の存在性格を Daß es ist として示し、しかも此被投出性に於て單に知覺する自己として、自然存在的に自己を見出すのでなく、情調的に規定された狀態に於て自己を見出し (nicht als wahrnehmendes Sich-vorfinden, sondern als gestimmtes Sichbefinden)[31]、多くの場合回避的轉向に於て(in der Weise des ausweichenden Abkehr)自己を示すけれども、又屢々蔽はれざる狀態に於ては、何よりも先づ可能存在(Möglichsein)として、世界を、配慮しつつまた自己以外の他の人間的存在を顧慮しつつ、しかも常に自己自身の存在可能に於て「自己の爲に」(umwillen seiner) 企劃することによつて、世界の有意義性を開示せしめる了解に於て動くところの現存在として立現はれる。

現存在の解釋學的分析を以て出發するハイデッガーの基礎的存在論が、自然的經驗の還元の結果到達したる純粹意識の本質構成を論究せんとするフッサールの構成的現象學に比して、其出發點に於て又歸着點に於て一層具體的であること、從つて一般形而上學として一層包括的な基礎の上に立ち得ることは認めざるを得ないであらう。フッサールの場合にあつては、カントの場合と同じく、その根本的な意圖乃至志向に拘らず、その到達した一般的原理からして、自然科學のみならず、歴史的社會的科學の基礎をも充全に基礎付け得るか否かについて疑問を抱かざるを得ない。ハイデッガーが時間性を原理として打立て、その基礎の上に歴史性を原理的に説明せんとしたのは、かくの如き顧慮に基くと推察せられなくもない。

併し更に飜つて考へるならば、ハイデッガーの基礎的存在論は果して眞に具體的な存在論の立脚地に立ち得たであらうか。現存在の概念は意識の領域を去つて存在の領域に移り、內在的超越の立場を去つて、眞の超越の領域に移り得たであらうか。彼の時間性の概念が果してよく歴史を説明し得るであらうか。

9

存在論が人間存在の最も具體的な形態から出發すると云ふ時、それは人間を單に表象的意識的主體として見るのでないのは勿論、又情意的經驗を主としたディルタイの所謂「全人」として見るものでもない。人間は單に精神的存在としてのみでなく同時に肉體を持つものとして、云はば精神的心理的肉體的統一體である。かやうな統一體が世界環境にあつて、生き且つ行爲する所に人間の最も具體的な存在を見出さねばならない。かやうな人間の全人的存在に基く全體的經驗が最も具體的な存在論の出發點であらねばならぬ。敢て出發點と云ふ、何故なれば今述べた如き人間の云はば存在的な規定は恐らくは何人も疑はないであらうところの自明的な事實的實證的規定に過ぎず、之によつては存在論的に何事をも意味するところないからである。之蓋し我々が先に哲學は存在的自明的具體的なものより出發しなければならぬと同時にこれを超越しなければならぬと云つた所以である。夫にも拘らず存在的に具體的な此全人的經驗の立脚地から出發しない事によつて存在論的に原理的なものの具體性を確保し得ないと思ふものである。人間を單なる意識的主體として見ず同時に自然的基礎を持つた全人的存在主體として見るとの事は、人間を廣い意味に於て行爲の主體として見ることを意味するであらう。人間が具體的に存在するとのことは、人間存在が世界環境にあつてこれに行爲的に働きかけ、又逆に働きかけられることによつて存在することを意味する。人間存在と世界存在との相互の存在聯關は行爲的であると云ひ得やう。こゝに行爲するとは夫故に單に意欲し意志することを意味するのではない。表象し、知覺し、判斷し、思惟し、意欲し、情感すること、それ等凡べての經驗が人間存在が世界環境にあつて存在する限りに於て、凡べて行爲的經驗と名け得るであらう。或は更に云へば人間の表象的經驗・情意的經驗を單に夫々を相互から抽象して獨立的に存在し得るかの如き觀點に立つのでなくして、それ等を常に具體的な人間の全存在に基く存在體驗の一面として見ることを意味する。

しかし精神的心理的物理的統一體としての、或は歷史的、社會的、自然的存在としての具體的な人間が、世界環境に於て行爲的に存在すると言ふ事實の存在的實證的規定は自明的であり、常識的であるとさへ云はれるとは云へ、存在論的には極めて茫漠たる不明なる、多くの豫想を含む事實と云はねばならぬ。存在論はこゝより出發するに共に、之を超越しなければならぬ。人間存在と世界存在の本質的なる構成は何であるかを其根據に於て追求しなければならぬ。此場合遂行すべき超越は、只々人間存在への方向に之を求むべきでもなければ、只々世界存在への方向に之を求むべきでもない。人間存在と世界存在を總じて超越しなければならぬ。ハイデッガーの云ふが如く存在的認識が總じて存在者(das Seiende)に關係するとすれば存在論的認識は總じて存在(Sein)に關係するものとして、一般に存在の世界に超越するを必要とするであらう。換言すれば人間存在と世界存在との具體的行爲的聯關に於て存在論的超越を遂行することを意味する。此事は存在論は一方に於て意識一般・先驗的自我・乃至認識論的主觀等々の中に原理的なるものを見出さんとする凡べての觀念論的哲學の偏局性に陷らざらんとする警戒を示すと共に、他方に於て、意識超越的な物質に、夫自らであることを止めることなしには含み得ない所の意識・認識・乃至意味等の根據を置くところの凡べての唯物論的哲學の偏局をも戒むるものである。と同時に此存在論的超越は、有ゆる存在領域を立超へた絕對妥當の價値界に超越することからも自己を警戒する。

然らば此超越は如何にして可能であらうか。我々はフッサールと共に自然的立脚地を「括弧の中に入れ」「排除し」「働きの外に置く」べきであるか。凡そ存在論的超越は單なる理論的な作爲でなく、思惟の抽象的工作でなくして、人間の現實存在の世界環境に於ける全生命的な超越でなければならぬ。それは或意味に於て絕對的なエポケーを必要とする。それが人間の全存在の生命的な要求である限りに於て、單なる作爲でないと共に、人間存在の「根本出來事」(Grundgeschehen)であらねばならぬ。しかしかやうな超越が一擧にして爲されると思ふならば云ふ迄もなく誤りであらう。それは歩一歩自己と世界の相互否定と肯定を通して荊蕀の道を辿らねばならない。自己と世界の相互否定卽肯定の辨證法的聯關を通して、自己と世界の存在根據に迄溯りゆく無限の行程である。かくの如き形而上學的努力が人間存在そのものに根を置き、從つて存在論そのものの可能性の根據が人間存在に本來固有的のものであることは哲學の歷史が之を實證するであらう。實に此存在論的超越こそは人間が人間として歷史的に負はされ來つた運命に外ならぬ。かやうにして存在論的超越の領域は、何等かの作爲によつて外から人間に持込まれたものではなく、實に人間の具體的なる存在の中に、その有ゆる存在的經驗を通じて、不明茫漠とではあるがしかも人間の不斷の自己否定卽肯定を通じて限りなく其本質を暴露し行くところのものとして、把握せられなければならない。存在論的超越の可能は夫故に或異常なる出來事乃至或異常なる人に於て初めて現はるゝものではなく却つて人間的存在に固有なる存在可能性に屬するであらう。にも拘らず人間の非本來的な存在形態に於ては、蔽はれ隱され顯はならざるを一般とする。誠に眞理とはハイデッガーの云ふが如く、アレーテイアとして、蔽はれ顯はならざるものが、自己を暴露することでなければならない。存在が自己を其形而上學的本質に於て暴露することでなければならない。そうしてかくの如き存在の自己暴露が只々人間存在の世界環境に於ける辨證法的相互聯關によつてのみ遂行せらるゝ限りに於て、眞理は人間に無關係に成立ち得ないと同様に、眞理は——只々人間の意識乃至表象にのみ附屬する性質でないことも明であらう。

10

かくして基礎的存在論の中心問題は、存在論的超越の內面的本質構成の論究にあることとハイデッガーの場合と同一と考へられねばならないが、其超越の遂行さるべき場面が彼の場合よりも尙一層具體的であることによつて超越そのものの領域も一層具體性を保持し得るであらう。

ハイデッガーの現存在の概念がディルタイの生の概念に親近性を持つことは斷る迄もない。現存在とは彼によれば我々自ら常にしかあり、且又就中問ひの存在可能性を持つところのものであり此事は人間の現存在が一つの存在者として他の存在者の間に單に自然存在的に立ち現はれる(vorkommt)のみでなくてそれが存在的に他の存在者と區別さるゝ特異の地位は、それが存在論的に在ると云ふことに、換言すれば現存在は存在を問ふことの可能によつて、既に何等かの仕方で又何等かの明瞭さに於て、自己の存在に於て自己を了解する存在であることに、更に云へば自己の存在と共に、又自己の存在を通して、此自己の存在が自己自身に開示されて居る(erschlossen)ところに、一言にして云へば存在了解(Seinsverständnis)そのものが一つの存在規定であるところに、あらねばならぬ。即現存在が他の非現存在的存在から存在的に優位を保持する所以は、それが存在論的であること(Ontologisch-sein)によるのであるが、之は存在論を學的に構成すると云ふ意ではなく、何等かの仕方で存在了解的に在ることを意味し、從つて寧ろ先存在論的(vorontologisch)に在ると云ふのが穩當であらう。更に他の言葉で云へば、現存在がそれに對し何等かの仕方で態度を取り得又常に取りつゝあるところの存在そのものこそ實存(Existenz)と呼ばれるのであるからして、現存在とは自己の實存からして自己を規定せしめ、また自己を了解する人間存在の純粹な存在表現(reiner Seinsausdruck)と云ひ得るであらう(32)。即現存在とはハイデッガーにあつては、一方に於て人間存在を他の人間的にあらざる存在者から存在的に區別せしめ之に優位を保たしめる爲に人間的存在者を表現する手段として選ばれ、他方に於てはまた屢々人間存在の存在論的な本質的性格を表示し、人間の中にあつて、人間をして他の存在者の間に伍しつゝこれを存在者として、これに立向はしむるのみでなく、此存在者に對する態度に於て、本質的にはこれと異る他のものとしての自己の特有な存在を規定せしめ、現存在に於て自己を顯はす他の一切の存在者から自己を區別せしむる所以のものであり、[33]現存在が事實的にも本質的にも缺くことの出來ない本來(von Hause aus)自己に伴ひ居るところの其「現」こそ卽その開示性(Erschlossenheit)こそ現存在とも呼ばれ[34]、現存在の存在意味すらも自己自身を了解する現存在そのもの(das sich verstehende Dasein selbst)[35]として規定せられる。之を要するに現存在こそはハイデッガーの基礎的存在論に於て有ゆる存在論の可能性の存在的・存在論的條件となるものであり[36]、存在的・存在論的の兩意義を持つと共に、又其兩方面に於ての優位―他の存在者に對する―を確保せしめ、彼の存在論の出發點と共に歸着點を示すところの概念であることは明瞭である[37]。

夫故に人間存在を現存在として表すことは存在的には、人間存在が一般に先づ先存在論的存在として他の非現存在的存在者から區別することであり、それが先存在論的である限り、存在論的には蔽はれ顯はならざる存在ではあるが、存在的には最も手近かな顯はなる存在であると云はねばならぬ。[38] 人間が世界環境にあつて他の存在者と異つた特異の存在者として、更に云へば自己の存在に拘はるところの存在者として、我々自らであるところの存在者として、他の存在者と區別せらるることは、存在的には最も手近かなことであるに違ひない。自己の存在に拘はるとのことは同時に世界の存在に拘はることであり、世界內に於て現存在がかやうなものとして出會ふところの存在者の存在に拘はることを意味する。かやうにして科學も亦現存在の存在の仕方と考へられるのである。[39] 之を要するにハイデッガーに於ては現存在はその出發點に於て人間の最も現實的·實存的(existenziell)な概念として、單なる表象的知覺的なる存在經驗を意味せずディルタイの生の概念に見られる如き具體的なる存在體驗を意味することは明であらう。卽人間が表象的意識的主體としてゞはなく、又同時に情意的主體として否全人的經驗主體として、具體的に與へらるゝ一切の存在經驗を包容し得る概念として、現存在は最も具體的な表現と考へられてゐるのであらう。しかも彼にあつてはディルタイと異り現存在は同時に存在論的、否、先存在論的であることによつて恰も現存在であり得る。云はゞ其具體的な存在體驗の中に、蔽はれ不明瞭であり屢々壓抑されてではあるが、存在論的體驗が、彼の所謂存在了解が、現存在の日常的平均的な無關心の中に、しかも存在的には手近かな熟知されたものとして、しかも存在論的には最も遠く認識されざるものとして、その存在論的意義に於ては斷えず見遁がされたものとして包容され(40)、從つて存在論的にはかやうな超越の領域が明瞭な概念に迄持來らされねばならない。

11

ハイデッガーの現存在が、ディルタイの生と同じく、極めて具體的なものであることは何人も認めるであらう。人間存在は世界環境に於て單に認識的觀照的に存在するのでなく、意欲的・感情的に存在することは論ずる迄もない。しかも存在の本質に肉迫するに當つて單に認識的表象的主體を通してゞなく、實に情意を含めた全人的體驗を通して遂行し得ると見た彼の基礎的存在論が、其存在論的原理に於ても、一層包括的であり、具體的であり得ることも當然であらう。リッケルトが批評する如く、全人は生きる或は實存する人間としてその「小」世界を脫出することが出來ず、その全生命の關心から獨立であり得ないことによつて、却つて其世界觀は一般的であり得ないに反して、全體生命についての反省に成立つ理論哲學は、世界全體を認識せんとする意欲に動かされ、就中一つの「大」世界を問題とする限り、その世界觀學こそ眞に一般的となり得る(41)と云ふが如きは、所謂學的ならざる世界觀に對してこそ妥當するであらうが、基礎的存在論たらんとする現存在の形而上學には妥當し得ないであらう。哲學を現存在から又實存から出發せしめると云ふことは、學的哲學を放棄して個人的主觀的實踐的世界觀に赴くことではなくて、却ってより深き根底から哲學の具體性と一般性とを確保し、哲學的認識をして一切存在經驗の基礎たらしめんとするにある。科學の基礎付けを放棄することを意味するのではなくして、却ってそれを充全な意味に於て成遂げるのみでなく、却ってそれ以上をも成遂げんことを企圖するものである。哲學的認識が學的性格を持たねばならぬと云ふことは、必ずしも實證科學と同秩序の性格を持つことでも、況んや、その中の何れか一つの學的性格を範としなければならぬことをも意味するのではない。哲學的認識の學的性格とその明晰性とは獨自のものであらねばならぬ。でなければどうして一切の科學的認識の客觀性と確實性とを基礎付け得やう。況んや哲學的認識は何等か概念的形式論理的原理から演繹せらるべきものではない。それは確實ではあらう、が空虛であり、無意味であり、抽象的である。それは存在の最も深き體驗に根ざさなければならぬ。ハイデッガーの現存在の概念に若し不滿の點がありとすれば、それは人間を實存と見ることによつて世界全體を其視點に持來し得ない點にあるのではなく、却つて反對に、此概念が尚抽象的であり、眞に具體的な存在體驗に基いて居ない點にあるとせねばならぬ。

現存在の存在論的本質構成はハイデッガーによれば何よりも先づ了解性に求められねばならない。これは何等かの認識の一種類として、他と並列する作用ではない。根源的了解性として現存在が世界內存在として既に開示せられあることを意味する。即それは或何ものかを了解することではなくて、總じて人間存在の存在可能を、可能存在を示す概念に外ならぬ。目的性（Worumwillen）と意義性(Bedeutsamkeit)とは現存在に於て開示せられる。了解の開示性は夫故に現存在が在ることの目的性、並に世界が世界として開示せられる根據となる意義性の開示性でもある。それは可能性として現存在の最も根源的最終的な積極的存在論的規定性である。現存在そのものの特有な存在可能の實存論的存在である。それは現存在の存在を其目的性の上に又同じく根源的に世界性としての意義性の上に企劃するものとして企劃の性格を持つ。かくの如き具體的な了解性は單に自然存在的な對象を認識論的に把握するところの純粹な直觀作用ではなく、直觀と思惟とは寧ろ了解性からは遙かに離れた派生的作用に外ならないことを知る。所謂現象學的本質直觀すら此實存論的了解性に基礎を置くものなのである。[42] しかもハイデッガーによれば了解性は可能性として單なる libertas indifferentiae ではない。それは本質的に被投出的であり、狀態性と密に結合する。現存在は自己自身に引渡されたる可能存在であり徹頭徹尾投げ出されたる可能性である。現存在は存在了解の基礎の上に實存を可能ならしめられるとは云へ、存在全體としての世界環境の中に入込むことにより、自己に非ざるところの存在を自己の前に見出し、之に荷はれ、又之に依據する限りに於て、同時に自己自身の存在の根底に於て無力である。此世界に引渡されると云ふ現實性(Faktizität)は自然存在の factum brutum としての事實性(Tatsächlichkeit)とは異り、實存の中に取上げられ乍ら、しかも差當り、壓抑された現存在の存在性格に外ならぬ。被投出性と狀態性と了解性とは現存在をして「現」たらしむる等しく根源的な構成的實存範疇と考へらるゝにしても、三者は夫々別箇の獨立した契機ではなくして、本質的な統一を形くる。凡ての企劃、從つて凡ての所謂創造的な人間行爲も、被投出的である。即自己自身に於て無力なる現存在が、既に存在する全存在に對して引渡されてあることによつて規定せられる(43)。此現存在の超越論的統一を示す概念が、配慮(Sorge)と呼ばれることは周知の如くである。

12

扨てハイデッガーの現存在の存在論的本質構成に於て重要な契機をなすものは了解性にあることは何人も認むるに容易なことであらう。人間存在は存在了解を持つことにより實存と呼ばれ、實存的存在なるが故に全存在が人間存在の世界內存在によつて自己の存在を暴露するとすれば、存在了解の基礎の上にこそ現存在は實に「現」であり得るからである(44)。夫にも拘らず仔細に彼の存在論的構成を檢することによつて、狀態性が寧ろより重要なる契機を占むるのではないかを疑はしめる。固より彼の云ふ所に從へば彼に於ては此兩者は同樣に根源的なる構成的實存範疇と考へらるべきであらう(45)。併し乍ら狀態性が持つ意義の重大さについては彼の根本思想との聯關に於て輕視し得ないものがあると思はれる。

狀態性(Befindlichkeit)とは彼によれば存在的には最も一般に知られたところの最も日常的なかの情調乃至氣分(Stimmung)と呼ばれるものの存在論的な概念に外ならない。換言すれば擾き亂されない平衡を得た氣分、日常の配慮に現はれる邪魔された不機嫌、前者から後者への移行、又其反對の場合、或は調子の狂つた氣分(Verstimmungen)へ滑り込むなどの經驗は、存在的に見れば、日常的であり恐らくは人々は餘りに多くの注意を拂はないかも知れない。にも拘らずそれは存在論的には無意義ではない。否極めて重要な意義を持つのである。氣分が毀はされるとか、急に變るとかが可能である爲には、現存在が既に常に狀態性に基けられて居るからである。現存在の存在が何よりも先づ負目(Last)として開示せられるのは全く此狀態性に基く。情調の根本的な開示に於て現存在は現の前に持來され、單に知覺するところの自己を前に見出すのでなく、情調的に規定された自己を見出すのである。人は此根本的な現象であり根本的な實存範疇(fundamentales Existenzial)の根本的な開示性の明證性が存在的な理論認識の絕對確實性と異る故を以てこれを反駁すべきではない。何故ならば、却つて後者こそ前者に基礎づけらるべきものだからである。人は又かやうな存在論的主張に對して、合理主義に對立する非合理主義の刻印を打つべきではない。何者それは所謂非合理主義のやうに合理主義が眼を閉さんとするものに對して斜視的に語らむとするものでないからである。或は又人はこれを何等かの宗敎的信仰の合理的な説明と混同することも許されない。狀態性は現存在をその現の事實(das Daß seines Da)の前に持ち來し、この現實は現存在の前に假借するところなき謎として立現はれる。狀態性は現存在を其被投出性に於て、そして先づ多くの場合回避的轉向(ausweichende Abkehr)に於て開示する。併し人は狀態性を何等か心理的な反省作用と同一視してはならない。却つてそれは世界內存在の根本現象として、それ自身より現はれる。反省によつて體驗を見出し得る可能性が、却つて狀態性に基くのである。それは世界內存在を全體として開示するものとして、本質的にその中に在る世界、自己、及自己に非ざる現存在を等しく根源的に開示するところの實存の根本的な存在形態であることを知り得る。

かくて狀態性は現存在を其被投出性に於て開示するとともに、世界內存在をその全體に於て開示するものであるが、併し單にそれに止まらない。この開示された世界內存在に於て內世界的なる存在者(Innerweltliches)が互に相出會ふことの可能な爲には、現存在が内存在として實存論的に豫め内世界的遭遇者によつて出會はれる(Betroffenwerden)と云ふ仕方で關係され(angegangen werden)得なければならぬ。然るに此關係性(Angängigkeit)こそ外ならぬ狀態性に基礎を置いて居るものなのである。

かやうに考察してくるならば狀態性が現存在の實存分析に於て占める重要なる位置が明であらう。世界の第一次的な發見は存在論的には原理上所謂「單なる情調」と呼ばれるものに歸せられなければならないのであつて狀態性こそ現存在を存在論的に性格づけるのみでなく、實存分析に對して根本原則的な方法論的意義を持つものなのである。凡ての存在論的分析は、結局に於て此根本的な狀態性による開示に基いてこれから云はゞ聞き取ることが必要である。現象學的解釋學は要するに此根本的開示の中に入り込み、開示された現象的内容を實存論的概念に持來すことに外ならぬ。(46) 了解性が現存在に等しく根源的な存在であり、現存在を現たらしめる實存論的構成であるとは云へ、狀態性は常にそれの了解を伴ひ、只之を先づ控制するに過ぎず了解性は常に狀態的に規定されて居るものとして、兩者が現存在の無限性の超越論的統一を形くると共に、しかも狀態性が常に現存在の世界開示に於て第一次性を保有すると見做すべきであらう。此事は彼が「不安」の根本狀態性を以て現存在開示の特に優越なるものと見做して居る態度に最もよく顯はれて居ると思はれる。

13

狀態性は云ふ迄もなく單なる感情や情緒ではない。しかしそれは存在的に普ねく知られたそして心理學的に表象や意欲と相並んで第三類の心理現象として、寧ろ附屬的な現象として取扱はれ來つた感情や情緒の存在論的に純化せられ、形而上學的に基礎づけられた實存の根本現象であることは疑ひない。我々が存在的に實證的に經驗じつゝ、また科學的に概念化しつゝある之等の感情の經驗に、既に先存在論的な開示性が橫はり、それをその深き形而上學的根底に於て把握する時に、狀態性として、現存在の根本開示性として現はるゝに外ならない。恐怖(Furcht)並に不安(Angst)に與へたハイデッガーの存在論的解釋は、それ等の現象が現存在の自己並に世界の存在の開示に於て如何なる意義を持つものであるかを明示するものであり、之等の感情情緒が狀態性の樣態、殊にその重要な樣態として、如何なる本質的構造を持つかをも同時に示すものであつて、彼の存在論の根本的な特色を看取せしむるものと思はれる。彼の云ふが如くアリストテレスの「修辭學」第二卷のパテーの解釋が情緒の存在論的解明であつたとしても、ストアやアウグスチヌスやパスカルや、最近ではシェーラーにかやうな存在論的解明の傾向が含まれてゐたとしても、(47)彼の如く明瞭な意識の下に、又方法論的精確さを以て此問題を哲學の中心に取上げたものはなかつたと云はねばならぬ。誠に感情的情緒的なるものによつて存在の核心に肉迫し得ると云ふ確信の下に動く哲學は少くはないにしても、彼の如く明晰な方法論的純化をこれに與へ得たものは蓋し少いであらう。こゝに彼の存在論の特色を見出し得ると共にこゝに彼の存在論の限界を同時に見出し得ると考へることは誤りであらうか。彼が「現存在は事實的には知と意欲とを以て情調に主たり得るし、主たるべきであり又主たらねばならぬと云はれることは、實存の或種の可能性に於ては、意欲や認識の優越を意味するであらうが、此為に誤つて存在論的に情調が現存在の根源的存在の仕方であることを拒絕してはならない。情調に於てこそ現存在は彼自らに對して、有ゆる認識や意欲より前に、そしてそれ等の開示範域を越えて開示さるゝものであるのみならず我々が情調に主となると云ふも決して情調から自由にではなく、却つて一つの反對情調よりして可能なのである。[48]」と述べて居るのは明に彼の存在論の主情的特色を示すものであらう。　了解性は彼に於て單なる認識の種類ではなく、存在的に我々が「或事を爲し能ふ」「或事柄を支配し得」「或事柄をなすに堪える」等々の意味に於て其事を了解して居ると云ふやうに、存在論的には主として可能存在として把握されて居ると云ふことは、そして其實存論的構造が企劃であるとのことは、存在的實證的に意志的なるものの存在論的純化と見られ、解釋性(Auslegung)が現存在の實存的體制の一つとして、存在的實證的な有ゆる認識作用知的作用の存在論的根本現象であることは明であり、しかもそれは了解性の完成(Ausbildung)であり、了解性に於て企劃された可能性を加工するものである限り、了解性と異るものでなく、實存的には了解性の中に基礎を置くと考へられ、しかも了解性そのものが常に何等かの意味に於て情調的に規定せられて居ることを知るならば、狀態性がハイデッガーの存在論に於て持つ意義を我々は可成り重く評價しなければならないのではないか。

固より彼も云ふ如く認識規定作用(erkennendes Bestimmen)の實存論的存在論的構成を世界内存在の狀態性の中に於て呈示することは、存在的に科學を感情の手に委することと混同すべきではないが、純粹なテオリアでさへ靜平なる滯留(ruhiges Verweilen bei)に於て――かのアリストテレスの生の快適と慰樂(ῥαστώνῃ καὶ διαγωγῇ)の狀態に於て――初めて明にせられ得るとも考へられるのである。(49)

14

具體的な人間の個體的存在が單に認識論的主觀でないことは云ふ迄もない。人間は存在的には精神物理的統一體として世界環境の間にあつて生存すると云はれる。或は寧ろ精神的心理的生命的統一體として存在的に把握せられると云つてもいゝであらう。しかし人間が存在的には自然的基礎を持つにしても、單に自然的に在るのではない。歷史的社會的に在る限り彼は人間的に存在する。と同時に歷史的社會的存在が自然的基礎から離れて抽離して存在する限り人間の存在を構成するのでもない。却つて歷史的社會的なるものと自然的なるものとの特異なる聯關に於て人間の具體的存在はあるであらう。夫にも拘らず人間は歷史的社會的であることによつて他の存在から區別せられ、云はゞ精神的(geistig)なるものによつて其存在の全體が蔽はれ支配せられて居る限りに於て彼は人間として存在する。人間存在をして人間存在たらしむる本質は、彼をして歴史的、社會的存在たらしむる所謂精神的存在にありとせねばならないであらう。併し此精神的と呼ばるゝ存在を單に精神的として存在的に規定し且つその本質を探求することは實證科學の範圍を脱するものではない。或はこれを生と呼び實存と名くるにしても、其取扱方に於て存在的な場面を超越し得ない限り一般形而上學たる資格を持ち得ないであらう。又シェーラーが爲したやうに、經驗的實證科學的認識を基礎として人間を他の動植物及自然的存在者から區別するを職分とする哲學的人間學の方法によつて、人間の本質を精神として規定することも、ハイデッガーの批評する如く、單に領域的存在論の一部門として他のそれと並列し得るにしても、哲學の中心とはなり得ないと思ばれる。それが眞に哲學の從つて形而上學のプロブレマチクとして取上げられる爲には、根本的な立場の變更と、方法の革新を必要とする。換言すれば存在論的超越が遂行せられなければならぬ。我々はこれを人間存在の主體的把握と名けやうと思ふ。人間存在が哲學の中心となり得るのは、存在が一般に人間の現實存在を通して自己を暴露し、またかくすることによつて存在が自己たり得るからである。存在は一般に人間の現實存在から離れ、それに關係なく客體的に變化するに過ぎないと考へ、認識は只それの模寫であると考ふる思想は、人間存在と世界環境との間に成立する辨證法的存在聯關を認識し得ない誤謬である。併かし人間存在が世界と物質的に關係することが人間存在を具體的にする譯ではない。また精神と物質とが相互否定卽肯定の關係に立たねば具體的であり得ないと云ふのでもない。何者このことが主張せられる前に我々は精神と呼ばれ物質と呼ばれるものの形而上學的意義を明にしなければならず、又兩者の間に成立する辨證法的聯關そのものの本質こそ存在論的に究明しなければならない當のものなのであるからである。存在そのものの本質と構造とが問題となつて居る場合に人は此解明の結果明とせらるべき概念によつて却つて解明の基礎としてはならない。存在論的なプロブレマチクは、凡べて唯心論・唯物論等の存在的に志向した形而上學と異つた場面に於て動くのである。人間が肉體を通して物質的な世界と關係することが人間をして具體的にすると考へる如きは初から存在的な場面に於て動くことを意味する。人間を精神と肉體の統一體と見る等々は單なる存在的認識に外ならない。存在論は人間の存在を存在として、その本質的な形態に於て捕へんとする。人間の存在が他の存在から區別せられる所以の本質が精神的存在(geistiges Sein)と呼ばれ、それが單に存在的に心理學的に取扱はれるのでなく、哲學的存在論的に取扱はれるにしても(N. Hartmann)それが存在の本質的形態を目指し、一切の存在の意味開示の場面としての人間存在の存在論に志向しない限り、根本的な基礎學ではあり得ない。また單なる「認識の形而上學」が此基礎的存在論の任務を果し得るとも思はれない。

併しハイデッガーの如く人間存在の本質的存在を狀態性を基礎とする配慮に求め、從つて存在の意味を時間性に見出さうとする思想は眞に具體的と云ひ得るであらうか。また彼の所謂主體の主體性(Subjektivität des Subjekts)を把握し得たものと云ふべきであらうか。人間の人間たる存在はその歷史的社會的存在にある。自然的社會的環境にあつて彼が常に歷史的行爲の主體として、歷史的社會的に行爲するところにある。歷史的行爲の主體としての人間存在を、主體的に把握する場合には、人間存在の本質的な形態は一方に於て必然的な運命の嚴肅なる否定面に投げ渡さるゝと共に、しかも此否定的なる運命を無限に可能的なる肯定面への展望によつて、自己の根源よりの創造によつて歷史的に行爲するところにあると共に、他方に於て、此歷史的行爲は常に個性的主體たる基體につながるものとして社會的性格をもつものとして把握されなければならぬ。人間存在と世界環境とは單に情調的に相繫がることによつて、相互に自己存在を客觀的に顯はにするものではない。そこには否定を媒介とする相卽がなければならぬ。かやうな辨證法的契機を無視することがハイデッガーの存在論をして、眞に具體的たらしめなかつた因由と思はれる。人間の現實存在が世界内存在として規定せられるにしても、それが行爲を通す辨證法的存在聯關の機構を持たない限り眞に超越的なる領域とはなり得ないであらう。人間と世界との現實的な意味とその機構とは、根源的には歴史的存在としての人間の歴史的行爲によつてのみ眞に具體的全面的に把捉されるであらう。勿論こゝに存在論的概念として規定せらるべき人間存在の行爲性は存在的に解せらるべきではない。それは人間の現實存在の本源的現象として、心理的乃至論理的なる行爲を意味するのではなくして、夫等凡べての存在的現象の存在論的根據たるべき人間存在の本質的形態であり、歴史的社會的なるものを歴史的社會的ならしむる根據である。それは心理的に感情や知覺と並列さるべき意欲の作用ではなくして、人間存在と世界環境との辨證法的存在聯關を示す存在論的概念である。換言すれば人間が世界環境に於て個體として、他の個體と對立し、自己存在を確立すると共に世界環境を客觀的實在界として對立せしめ、自己以外の他の個體の獨立性を確認せしめると共に、自己の歷史的存在の必然的運命を自覺せしめ、しかも過去の運命を單なる否定的客體として把握するに止まらず、同時に未來への可能的展望と之への企劃によつて、自己の現實的存在を自己の根源より新なる創造と發見へ導くところの具體的なる自由の人格の核心をなす根本現象であり、人間存在が本質的に行爲的なるが故に、世界の世界性も可能となる。ハイデッガーが詳論して居る如く實在性の問題は存在的な問題の提出やその取扱方では解決せられない。(51)內世界的存在者としての心理的主觀と外界の存在との存在的關係に止まる限りは、デカルトの懷疑もディルタイの試みた理論的基礎づけも重要なる意義を持ち得ない。兩者は共に其問題提出に於て、問題の取扱方に於て、またその解決の內容に於て、存在論的純化を經ねばならない。卽超越が明瞭なる自覺の下に遂行せられなければならぬ。感覺的知覺作用の對象としての物質的世界の獨立的存在等が認識論的に疑はれ、又其疑惑の理由なき根據を、疑ふと云ふ作用の存在的事實的確證から、疑ふ所の存在者の確立の方向に求めることは、問題の核心を見失はしむるものである。ディルタイによれば「現象性の命題」

は哲學の最高命題であるが、此命題の主知主義的釋明からは當然現象主義(Phänomenalismus) に移行する。然るに現象主義は意識的・批判的に學を現象に制限せんとするもので、空間・時間・實體・目的・因果・自我及外界等を凡べてその客觀的な價値に從つては規定し得られない現象的な關係點相互の同型的關係の中に融解せんとするもので、意識獨立的なものの存在を拒否する獨我論的主張に導き誤れる觀念論に陷らしめる。之に反して外界に對する信仰を基礎づけんとする場合、思惟聯關から出發せず衝動・意志・感情の中に與へられた生の聯關から出發することによつて、現象性の命題に抵觸することなくして、しかも獨我論的歸結を回避し得るとする。即ディルタイによれば我々が自己から獨立な外界の實在性を意識に於て確證し理解し得るのは、我々の意志及之と結合せる感情の經驗による。自己と他、自我と世界、等の區別、總じて我と、我から獨立した實在的對象との區別は、知覺や知性によるのでなくして、全く意志とその抵抗、衝動とその抑壓の關係に基く。かくて現象主義の立場は止揚せられ、外界の實在性の意識は生そのものを作り上げるところの意志、衝動及感情の事實の中に入れ込まれ、外界の客觀的實在性も結局此意志經驗の中に基けられることを知る。

かやうにしてディルタイに取つては、「私」に對して「汝」が、或は「それ」が對立することは、私の意志によつて、それに對して獨立的なものが經驗されると云ふことに外ならず、二つの獨立體、二つの意志統一體があると云ふ經驗、それが意志或は對象の統一性・相互外在性・雜多性（Einheit, Außereinandersein und Mannigfaltigkeit von Willen oder Objekten überhaupt）等の表現の基礎に横はるもので、意志と抑壓とは同一の意識の中に立現はれるものであるが、兩者が感覺聚合（Empfindungsaggregaten）や思惟過程の云はゞ衣裝に包まれて、意志は肉體に現はれる人格となり、抵抗者は對象となる。[52] 夫故二者ともに意識された事實であり、意識が兩者を包括すると考へられる。凡べて之等のディルタイの論述には多くの教ふるものを持つに拘らず、それが存在的場面に於て動いて居る限り、正當なるプロブレマチクを取上げて居るとは云ひ得ない。ディルタイの生の概念はハイデッガーの所謂存在論的無記（ontologische Indifferenz）の中に立つて居る。[53] 存在的に見た意志作用と之を抑壓する外部の作用とが意志に對立する客觀的事物の存在を心理的に我々に知覺せしめ確信せしめ、又外界の事物の間に存する因果の關係が、意志關係の一般化と抽象化（Verallgemeinerung und Abstraktion aus den angegebenen Erfahrungen des Willens）であると考へることは、心理的な說明としては意味を持ち得るであらう。併し認識論的並に形而上學的には多くの意味を持ち得ない。人はかくの如き意志作用の存在と同じ確實性を外界の存在に附與することを認識論的に拒む理由はない。心理的な存在が特に物理的な存在に對し、認識論的優位を保つべき理由はないであらう。夫故に存在論的に人間存在の現實性を行爲的性格に求むることは、存在的に意志作用に認識論的基礎を求むることと混同してはならない。人間存在の行爲性は云はゞ人間存在の存在論的に純化されたる根本現象を意味し、意志作用と外界存在との遭遇が却つてそこに於て可能となる場面である。それは人間存在を純主體的に把握することによつて、超越を完全に遂行することによつてのみ到達し得られる超越の領域に屬する。個體と個體との對立、人間存在と世界環境との對立、必然と可能との非連續の連續を可能ならしめる場面である。凡そ人間存在が個體としての自己を既に見出して居る、のでなければ、物と物とが對立し、又關係すると云ふこと、總じて因果的、目的的等々の關係が如何にして理解し得らるゝであらうか。人間が世界環境に自己自身として對立し、自己を眞に主體として把握し得る可能性が客體をして客體たらしむる原理であり、客體相互間の聯關を理解し意味づけしむる原理でなければならぬ。此存在論的主張を直に世界存在を我の意識の中に還元せんとする觀念論的主張と混同してはならない。存在的な因果關係そのものが、何等存在的基礎を持たず、只意識が混沌たる直接經驗の内容に一定の解釋を與へることによつて成立すると見るのではない。又客體的存在が主體から絶對的に獨立し超越し、それが自體に持つところの不變な秩序を只主體が受容的に模寫すると云ふのでもない。主體と客體との相互辨證法的な聯關の中に、夫々が持つ固有の秩序が、固有のものとして打立てられ展開され暴露される。世界は人間存在を俟たずとも、永劫に渡つて因果の法則によつて進展するとも主張せられる。併し、因果の法則そのものが何であるか何を意味するかの考察は再び我々を歴史的社會的存在としての人間の考察に向はしめざるを得ない。物質的な世界の超越的存在と云ふこと自體が、人間の存在の現實性を假定しないでは無意味に終る外ないであらう。

15

人間存在を行爲的存在として規定することは、夫故に主體的把握による人間存在の本質的存在論的構造を示す概念であつて、存在的な意欲作用を意味するのではない。人間存在が世界内存在であると云つても、その超越論的構造の契機を爲すものが互に無媒介的連續的に有機的構成をなすのではない。否定を媒介とする所謂非連續の連續による辨證法的機構をなさねばならない。人間が自己を主體的個體として在らしめ、世界環境を客體的存在として在らしめることは、人間の本質的な存在に根を置くのである。世界環境の超越性は人間の自己存在の超越性と根源を等しくする。相互否定を通しての相卽的聯關が超越の内面的構造でなければならぬ。此事は、しかし、精神が物質と相互否定的に相卽すると云はれる所謂絕對辨證法的關係を意味するのではない。辨證法的存在論は唯物辨證法・觀念辨證法の綜合を目的とするのではなくして、云はゞそれ等の「此岸」にあらうとする。凡べて唯物辨證法・觀念辨證法・絕對辨證法と呼ばるゝものは、我々の所謂存在的な場面に動くものとして、批判的に純化せられることを必要とすると考へる。物質的存在と精神的存在とが否定卽肯定的辨證法的關係に立ち得るが爲には、既に人間存在の本質的構造が辨證法的であることの解明が豫想されなければならぬ。併し基礎的存在論が人間存在の本質的構造を辨證法的として確立する手續は決して一擧にして行はれると主張する譯ではない。人間は世界の中に歷史的社會的に存在し、存在的に他の存在者と相會ひつゝあると云ふ實證的事實の中に既に人間の本質的な存在性格が蔽はれてではあるが顯はれ人間はそれ自らに還ることによつて此本質的な存在が光の下に持來され存在論的概念に表現せられる。基礎的存在論はハイデッガーの場合に於てのやうに、人間存在の本質を論究すると云つても、それが終局に於て存在一般の解明の基礎地平を追求するにあるが故に、單に人間存在の種々の形態を論究する特殊存在論であつてはならない。存在一般の形而上學的本質構成を明にすることを根本志向として、人間の本質的存在形態が辨證法的に論明せられなければならぬ。夫故に超越は二段の飛躍を經て行はれる。先づ存在的場面から人間の本質存在の解明へ、次にその形而上學的根據をなす、存在一般の本質形態へ。此際恐らくはヘーゲルの「精神現象學」が最もよい手引を與へるであらう。ヘーゲル哲學の存在論的解釋が恐らくは辨證法的存在論の全貌を規定すると云はれるかも知れない。ヘーゲルの論理學を存在的な形而上學と理解することによつて人は一體何物を獲得するであらうか。

辨證法的存在論はそれ故に單に社會存在論乃至哲學的社會學であらうとする

のではない。其志向するところは飽く迄基礎的存在論である。歷史的社會的存在を唯一の存在と考ふる形而上學、乃至これを根本的な具體的實在と考へ、他の存在を何等かの意味で我々の主觀の抽象化と見んとする立場に立つものでない。歷史的社會的存在は、形而上學的原理が此存在を通しての外は明にし得ないと考へられる限りに於て、最も具體的根本的なる存在と考へることには何等異存はない。只存在的に志向された生を、精神を、乃至事行を、同一を、エラン、ヴィタールを、物質を直に形而上學的原理と考へ、これよりして一切の他の存在者を何等かの方法によつて演繹せんとする實體的形而上學に反對する。形而上的なるものは何等かの意味で客體的存在的に定立せらるべきものでない。主體的に行爲的に把握されれ存在論的に解明せらるゝのみである。云はゞ純粹存在であり、存在アン・ウント・フュル・ジッヒである。ヘーゲルが云つた如く純有なるが故に純無である。

16

人間存在が世界環境に於て行爲的に存在するとのことは、それが歷史的行爲の主體として、世界環境に辨證法的に對立することを意味する。それは一方に於て歴史の主體としての個體として世界の内に自己を見出すと共に、他方に於て、必然的運命を自己の背後に負ひながら、しかも可能存在への自由なる企劃によつて、此必然的運命を否定し超越するところの現實存在であることを示す。このことは人間存在がその形而上學的本質に於て時間的空間的であることを示すであらう。しかし此規定は人間が存在的に時間と空間の内に在り、又人間が精神と肉體を持つ等々のことを意味するのでない。却つてより本源的時間的でありより本源的空間的であることを意味する。歴史的行爲の主體としての人間存在は其本質に於て歴史的世界環境の中にあり、其辨證法的相互限定によつて自己を自己として見出し、又世界を客體として把握する。此否定を媒介とする相互限定の聯關の中に人間の現實存在の本源的空間性は横はる。時間が瞬間によつて成立つと云はれるやうに、空間は個體の場所によつて成立つ。根源的な時間と空間とは人間の現實存在の、從つて又世界存在の形而上學的本質形態として、辨證法的存在の根本機構をなすであらう。卽時間と空間とがそれぞれに於て辨證法的構造を持つばかりではなく、兩者が又互に辨證法的なる聯關に立つことによつて辨證法そのものは存在の根本的な存在意味として存在一般の根本形態を意味するであらう。存在をその本質に於て辨證法的として把握することは、何等か存在的な實證的認識の根據から推論せられる結果ではなくして、却つて人間の本質的な存在の形而上學的認識に依據するのである。

辨證法はかやうにして存在一般の形而上學的本質形態として、主として存在論的根本概念である。凡そ存在者が存在者として在るところの、又存在者として理解せられるところの、根據であり場面である。存在と意味の窮極根據としてそれは空間的であると共に時間的である。個體と一般者との相互限定の空間的場面であると共に必然と可能との相互否定的・相卽の時間的場面でもある。必然的過去は常に可能的未來に對してその否定面として對立し、後者は又前者の否定面としてこれに對立し、かく對立することによつて相卽せられる移行の中に現實の瞬間としての時間は成立する。否現在としての瞬間の構造が必然と可能との辨證法的聯關をなすと云ふ方が穩當であらう。此事は併し現在を過去と未來との接觸點と見る通俗の時間概念を形而上學的原理として擧揚する意味ではない。只過去が記憶として現在の中に含まれ、未來が現在の中に豫想として孕まれると云ふが如き連續觀を基礎とした時間解釋に反對するものである。現在が現在を限定すると云つても現在が永遠の今として動かざる現在であるのではない。辨證法的存在の動的面として純動であり純粹移行である。過去が單に過去的現在として、又未來が只未來的現在として、現在の中に存するとすることは、時間の瞬間的意味を見失ふものであり、存在の行爲的性格・辨證法的性格を見誤るものである。それは時間が心理的なる意識の中に成立するとなす觀念論的見解の形而上學的轉釋でしかない。眞に超越の存在論的構造ではない。過去が常に過去として必然的運命の根源たり得るのは、それが可能的未來の否定面として、現在の瞬間の構成契機であるからである。記憶によつて過去に歸り得ると云ふ存在的な規定と一瞬の過去にも歸り得ないと考へる存在論的見解とを混同すべきではない。前者は後者によつて可能であり基礎づけられるのである。一瞬の過去にも歸り得ないと云ふ純粹移行的根源的時間、瞬間より瞬間への移行なくして歷史は說明し得らるゝであらうか。此事は併し過去が常に過去として現在未來と無關係に絕對的に獨立し不變のものとしてそこに横はつて居ることを暗示するのではない。却つて過去を現在及未來との辨證法的聯關に於て理解せんとするものであり、時間を單に未來より、過去より、乃至現在より理解する代りに過現未の三契機の辨證法的聯關の中に理解せんとするものである。過去が常に過去であり得るのは未來に對して否定的に對立し得るが故である。未來も亦同様であり、此聯關を可能ならしめるのが現在の瞬間なのである。此故に瞬間の飛躍的移行によつて過去は常に形態を改めるであらう。必然的な過去の運命は常に瞬間に於て自由なる可能面に接して居る。此事は云ふ迄もなく無限延長の時間線を點より點に移行することでない事は説明する迄もなく明であらう。連續的な點は瞬間ではない。瞬間のない所に時間はない。それは空間しかも平板化された物理的空間の點であるに過ぎない。そこには過去もなければ未來もなく又現在もあり得ない(未完)。

註

(1) Metaphysica, Γ 1, 2.
(2) a. a. O., K 3, 1060 b.
(3) a. a. O., E 1, 1025 b.
(4) Vgl. A. Schwegler, Die Metaphysik des Aristoteles. Tübingen, 1847. 3. Bd. S. 73.
(5) a. a. O., E 1, 1025 b.
(6) a. a. O., E 1, 1026 a.
(7) Physica, A 1, 184 a.
(8) a. a. O., A 1, 184 a 19—21.

(9) Sein und Zeit, S. 5.

(10) Logik, S. 36.

(11) a. a. O., S. 15.

(12) a. a. O., S. 81.

(13) Kant und das Problem der Metaphysik, S. 16.

(14) a. a. O., S. 20 f.

(15) Logik, S. 15 f.

(16) Vgl. Max Scheler, Die transzendentale Methode und die psychologische Methode. 2 Aufl. Vorrede und S. 56 f.

(17) Logik, S. 90 f.

(18) P. Natorp, Die logischen Grundlagen der exakten Wissenschaften, S. 22.

(19) Grundprobleme der Philosophie, § 1—5.

(20) a. a. O., S. 32.

(21) Vgl. a. a. O., S. 45.

(22) Vgl. a. a. O., S. 44—46.

(23) a. a. O., S. 26.

(24) Kant und das Problem der Metaphysik, S. 11.

(25) a. a. O., S. 169 ff.

(26) a. a. O., S 180—181.

(27) a. a. O., S. 183.
(28) a. a. O., S. 183.
(29) Platon, Sophist. 233 c.
(30) Ideen, S. 7 f.
(31) Sein und Zeit, S. 135 f.
(32) a. a. O., S. 11 ff.
(33) Kant, S. 224.
(34) Sein und Zeit, S. 133.
(35) a. a. O., S. 325.
(36) a. a. O., S. 13.
(37) Vgl. a. a. O., S. 38.
(38) a. a. O., S. 15 f.
(39) a. a. O., S. 13.
(40) a. a. O., S. 5 u. 43.
(41) Grundprobleme, S. 5 ff.
(42) S. u. Z., S. 147.
(43) Kant, S. 225 f.
(44) a. a. O., S. 218 f.
(45) S. u. Z., S. 133.

(46) a. a. O., § 29, S. 134 ff.
(47) a. a. O., S. 138 f.
(48) a. a. O., S. 136.
(49) a. a. O., S. 138.
(50) Kant, S. 201 f.
(51) S. u. Z., S. 200 ff.
(52) Vgl. Beiträge zur Lösung etc. (WK. V. bes. S. 134).
(53) S. u. Z., S. 209.

知と行

實存的思惟としての哲學の行爲的意義について

柳田謙十郎

目次

"Wer das Tiefste gedacht, liebt das Lebendichste" (Hölderlin)

一

人間は形而上學的動物だといはれる。哲學が一切れのパンをすら燒かないのにも拘らず、それが我々の間に深く求められてやまないのには何かそこに人間的存在そのものの本質に根ざした深い理由が潜んでゐるのでなければならない。私にはこの理由として驚異と不安との二つをあげることができるやうに思はれる。まことにアリストテレスも云つてゐるやうに人間は生れながらにして知らんことを欲する存在者であり、たゞ知ることと其のことに於て深きよろこびを感じ得る唯一の存在者である。我々が習俗によつて固定されない新鮮な眼を以てその周邊を見廻すとき、そこに見出される存在者の一つ一つは限りなく深い奥行と限りなく複雜な聯關とを持つた音樂的な立體像としてあらはれるであらう。それは恐らくは單なる好奇の對象であるといふよりはむしろ驚異の對象でなければならないであらう。まことに草むらの中につゝましくその生をたもつ一片の野花にも天地を貫く實在の神祕は開示されてゐるのである。思惟的存在者たる人間がこれに對して Wie? とよびかける時其處には既に哲學への歩みの第一歩が踏み出されてゐるのである。しかも我々がかく周圍の物象に對して驚異する認識的存在者であると云ふことの根底には更に深く人間の實存的性格がその根を張つてゐるやうに思はれる。まことに我々は我々が實踐的自覺的存在者である限りに於て自己の實存的なあり方に對して不斷の不安を持つことから免れることはできない。運命として負はされた有限的性格の必然性の下にありながら、その無限の超克に於て永遠を求めずには居られない自己の生存は、生存そのものがその本來的なる在り方に於て既に一の苦惱であり不安であることをさけることが出來ない。ニーチエも云へるが如く人間が眞實に人間として生きるといふことは苦しむことであり惱むことであるといはなければならない。かかる苦惱の現實はやがて超越を求むる不安である。この不安は思惟的存在者としての我々に對しては必然的に又 Wie? の問を呼び起す。我々はこゝにも亦哲學への道が開かれてあることを見出すのである。

哲學に於ける、一見相并存するかの如く見へるこの二つの動機が人間的實存に於て根源的にいかなる關聯をもつか——哲學は單に眞理のために眞理を求める純粹叡知的作業であるか、それとも社會的歷史的なる實踐的存在者がそれの決意的行爲的性格に基いて必然的に要求する處の實存的思惟なのであるか、われわれの哲學史がもつ多くの形而上學の體系は論理そのものに內在する法則的關聯の必然性に基く知識內在的な發展を示すものであるか、それとも其の時々の社會的歷史的現實に於ける知識を超へた全實存の行爲的なあり方の一面として其處から必然的に要求されたものであるか。もし後者であるとするならば眞理の眞理としての絕對妥當性への要求は何處にそれの本質的意義をもつことが出來るか。もし前者であるとするならば哲學はわれわれの實存に對して何の意義もない「天上の知識」となつてしまつてもその存在理由を保つことが出來るか。總じてこれらの問題を私は「知と行」といふ、より普遍的な問題の中に含めて、私自身の實存的思惟の最初の課題の一面として考察して行つて見たいと思ふのである。

* ここに實存的思惟とはキエルケゴールの所謂 existentiales Denken からとつたもので、實踐的存在的なる思惟、卽ち行爲的存在者としての我々が本來の行爲的立場を離れて第三者として凡てのものを見ようとする主知的觀想的なる思惟方法に對して、どこまでも行爲的主體としての自己を維持しつゝ、その實踐的性格に於ける具體的關聯に於て一切の事象を把握せんとする思惟方法をいふ。それがキエルケゴールやハイデッガアに於ける方法から如何なる點で區別されるかといふことについては後に到つて漸次明かにされるであらう。

二

我々はこの問題に對する反省に於て、我々の歷史の持つ多くの哲人達の思索の跡を看過することはできないであらう。何となれば彼らも亦我々と同じやうに、否我々とは比べものにならないやうな深い實踐的體驗の中に此の問題を捉へてゐるからである。例へばソクラテスの知行合一說の如きものは、或る意味に於ける實存的思惟の一としてまづ第一に擧げられねばならぬものであらう。アリストテレスが觀想の生活を以て人生の最高の意義としたこともこの點から深く省みらるべきものを持つてゐるであらう。近代に至つてスピノザやカントやフィヒテが實存の哲學者として我々に多くのものを敎へてくれることも爭ふことが出來ない。更にキェルケゴール、ニーチェをへてベルグソン、シェーラア、ハイデガッア、マンハイム、ヤスパアス等が此の問題の考察に對して缺くべからざるものを所有してゐることも看過することが出來ないであらう。* 私はむしろ一見單純なるかのごとくに見ゆるこの問題が、あまりにも多くの内容を包藏し、複雜多岐なる思想的關聯の中にあることを發見して一種のたじろぎを感じさせられざるを得ないのである。

* 私がこゝでこれらの人々を特にとり出したのは、これらの人々のみが此の問題に對して深き關心を以て考察したからといふ意味ではなくて、唯私の思惟の展開に對して直接の足場を提供してくれるといふ便宜的な意味からである。何らかの意味で實踐の問題に考慮を拂はなかつた哲學者といふものを私は考へることすら出來ないのである。

まづ知行合一説から考へて見よう。

知行合一説は二つの立場から説かれる可能性がある。その一つは知則行の立場から見る行を主とした知行合一説であり、他は行則知の立場に立つ主知的な知行合一説である。何れにせよここでは行に直接關係なき知はすべて問題の外におしのけられる。孔孟の學にあつては學とは卽ち修己治人乃至修身齊家治國平天下の學であり、ソクラテスにとつては自然の原質は何かといふやうな非人間的な問題は最初からその哲學的思惟の圏外に追ひやられた。陽明が朱子の主知主義的な致知格物說に對して、心卽理の立場から、我が意の存する所卽ちこれ物となし、もし意親に事ふるにあれば親に事ふることが一の物、意君に事ふることにあれば君に事ふることが一の物、意視聽言動にあれば、視聽言動が一の物であるとなし、格物とは卽ちこれらの物の意のある所についてその正しからざるを正すことにあるとなしたのも正にこの傾向を示すものといふことが出來るであらう。唯陽明のソクラテスに對して根本的に異る處は後者が主として知の立場に立つて行をばこれに含まれたるもの、必然的に之に隨ふものとなす方向をとつたのに對して彼があくまでも主行的見地に立つた事に存する。彼によれば、致知といひ格物といふも結局は自我に本具的なる良知を致すことに外ならず、良知を致すとは唯單にその法を知るのみならず之を實行することでなければならない。それは恰も好色を好み惡臭を惜むが如きものであつて、眞實に孝弟を知ることは唯孝弟の實踐によつてのみ可能である。故に知といふもそれは結局行の始めに外ならず行に於てのみ知が成就するのである。こゝに彼が知の眞切篤實なる所卽ちこれ行、行の明覺精察なる所卽ち是れ知といつた意味も明かとなる。卽ち彼にあつては知と行とは勿論二物ではなくして一にして同一なる事實の二面に外ならないのであるが、しかもこの事實とは眞實には明かに行爲的事實であり、知は單なるそれの一面にすぎないのである。

これに對してソクラテスの知行合一說はギリシア的な主知主義の立場に立つものであつて行に對する知の優位を說くものであつた。彼によれば(嚴密にはプラトン的ソクラテスによれば)我々は正義、思慮、敬虔、勇氣その他多くの德をもつがこれらの諸德と德一般との關係は目口鼻等の顏の諸部分が顏の全體に對する關係とは必ずしも同一ではなく、これらの諸德の間には單に幷列的なる空間的關聯を以ては到底表象しつくすことの出來ない深い實在的關聯がある。而してこの關聯を成立たしめるものはやがて又諸德を諸德として眞實に成立せしめる所以根源[illegible]德であり、それが卽ち智慧 σοφία である。例へば泉水の中に大膽に飛び込むことは泳ぎについて知識をもつ水泳家のみの眞によくし得る所であり、騎馬戰に於て大膽に行動する者は乘馬に關して知識をもつ騎兵以外の者のであることは出來ない。一般に知識してゐる者は知識してゐない者よりもより大膽であり、彼ら自身と雖も學んだ時には學ばなかつた以前よりも一層大膽である。かく最も智なる人々が最も大膽であり、最も大膽なる者は又最も勇敢なる者であるとするならば、勇敢とは智慧に外ならず、同樣にしてその他の諸德も結局智慧に歸着することになるであらう(St. S. 349 ff.)。尤も一般の人は智慧は必ずしも人間を支配するものではなく、むしろ他のもの、或る時には激情、或る時には快樂、或る時には苦痛、又時には戀愛、更に多くの場合には恐怖が人間を左右するものであると考へてゐる。だから人間は最もよきことを知り、且つそれを實行することが出來る場合でも必ずしも之を意志するとは限らず、むしろ他の事をなすものであると思つてゐる。それは現在の快樂の故に之れに征服されて、其の善事を行ふことを意志しないものであるといふのである。しかしこれは可笑しなことである。何となれば快苦と善惡とは本來決して別物ではなく、快とは即ち善であり、苦とは即ち惡であるからである。現在の快樂に征服されて善事を行ひ得ない*といふことは實は唯より少ない善のためにより大なる善を行ひ得ないといふことを意味するにすぎない。この事は我々が假象の力に迷はされて眞實に何が善であり快であるかを量る力を持たないことからのみ生ずる。かゝる假象の力を奪ひ、眞實を明らかにし、以て魂をして眞實の上に留ることによつて安息を保持せしめ、我々の生活を救濟するものは度量の術 μετρητική に外ならない。度量の術は卽ち知識である。故に此の世界に於て何一つとして知識より强いものはない、知識の內在してゐる所それは常に快樂その他一切に打ち克つてゐる。我々が善惡乃至快苦の選擇を過るのは唯知識を缺くが故のみである。凡ての過てる行爲は無智に歸因する。惡と思ふことに向つて赴くことを意志するといふ事は人間の本性には本來あり得ないことである。二つの惡の中孰れかを選ばなければならない場合には人間はその本性に從つて必ずより小なる方をとるものである。それにも拘らず我々が惡に向ひ、より大なる惡を選むといふことは我々が無智であつて計量の術を心得てゐないことに基く。かくて智は必然的に行であり德であり從つて又幸福でもある(St. S. 352 ff.)。**

* 善惡と快苦とを同一視する見方についてはゴルギアス篇を參照され度し。

** 以上プロタゴラス篇の主なる譯語は大體菊地慧一郎氏に從つた。

これらの知行合一說は今日の我々にとつても尙種々の點で多くの實存的意義をもつてゐる。例へば彼らが一切の自然學をば斥けて直接實踐に關係する人生ふのみを以て唯一の學としたことは勿論偏狹といへば偏狹であるには相違ないけれども、かゝる要求がもつ所の主體的意義に到つては今日の我々に於てかへつてより多く反省されねばならないものを持つてゐるのではないかと思ふ。キエルケゴールやニーチエの哲學が最近に到つて深く見直されるやうになつたのも恐らくはその最も重要なる理由をこゝに持つのではなからうか。唯我々の彼ら(陽明やソクラテス)と異る所は自然學をも尙實存的生の構造聯關に於ける一契機として之を除外しないといふことにある。それは彼らの立場から袂を分つことではなくて彼らの立場の深化徹底に外ならないのである。又陽明が致知を以て致良知と解し眞の知が主體の行爲實踐を通して始めて可能となることを主張したことは、我我の實踐的思惟に對して永遠に看過すべからざる深き眞理を包藏してゐると思ふ。ソクラテスの行卽知の主知論的思想も之を單なる概念の體系として見るならば既に克服されたる思想として回顧的意義を有するにすぎないかも知れない。善と快と美と幸福とを端的に同一視ずる考へ方にも尙多くの限定を要するであらう。特に水泳術や騎馬術の如き術知の例を以て直ちに知德の合一を結論するが如きことは今日の我々の語義に於ては到底そのまゝに承認することは出來ないであらう。それにも拘らず我我は既にこゝに知と行との深き實存的聯關を示した一の哲學の先驅を見る。我々にとつても亦知は卽ち行であり、行は卽ち知でなければならないであらう。知の底には常に深くかくれたる行への要求があり、行への要求は必然的に知的反省となつて自己を具體化するものであらう。この意味で私はソクラテスの知行合一說は唯ソクラテスの强き人格に於てのみ可能なる主觀的眞理であつたとなすやうな皮相な解釋を斥ける。彼はどこまでもこれを凡ての人間的實存にとつて必然なるものとして論じ又主張したのである。唯彼はこのことを端的に素朴な卽自的統一として外見ることが出來なかつた爲めに現實に於ける知行の分裂をかゝるものとして正しく見ることが出來なかつた。然るにこの兩者の分裂、矛盾、鬪爭は我々の實存に於ける現實的所與の事實である。知行の統一はもはや卽自的なるものであることは出來ず、分裂否定の對自的段階を通してのみ具體的に實現せらるべき辨證法的統一より外のものであることはできないであらう。卽ち知は知としてはどこまでも行の否定として行に對立する意味を持たねばならないであらう。行に對する知の此の否定的側面を漠然とながらも始めて明かにしたものはアリストテレスである。*

＊ 知と行の問題にとつてはプラトンのレパブリカ第七篇に於ける洞窟の譬喩を出發點とした彼の一聯の思想もまたきはめて重要な暗示を含んでゐるやうに思はれる。唯こゝでは問題の關聯を成るべく單純化するためにわざと其處に立ち入ることを控へて置く。私はこの問題を近く「エロスとアガペ」に關する考察を中心とする勞作に於て出來るだけ深く取り扱つて見たいと思つてゐる。

三

プラトン的ソクラテスの知行合一説の根底にはギリシア的な homo sapiens の理念が横つてゐた。彼のゴルギアス篇に於けるカリクレスとの論爭や、レパブリカ第一篇に於けるトラシマコスとの論爭はまさに彼らの homo faber の理念を中心とする自然的人間學に對する彼の理性的人間學の戰を示すものに外ならなかつたといふことができると思ふ。アリストテレスの倫理學はまさにこのプラトン的ソクラテスに於ける主知的合理論の直接的な延長發展に外ならなかつた。其處には又 homo sapiens の著しき理念があらゆる思惟の根底として深く横へられてゐた。植物の靈魂が榮養と生殖とを本質とし、動物の靈魂が感覺と欲求とを本質とするに對して人間の靈魂の本質をなすものは合理的な νοῦς である。唯ヌースに從つて生きることのみが眞實に人間的に生きる所以であり、ヌースの活動に身を任せることのみが本質的に人間的に活動する所以である。而して其處にのみ人間に於ける最高の善、從つて又最高の幸福 εὐδαιμονία がある。唯彼がソクラテスから明確に區別せられる所以は彼に至つて始めて知と行とが領域的に區分され、行の世界に對して知の世界が獨立的な或る高次的價値の世界として認められたといふことにある。ソクラテスよりアリストテレスへのこの移行は知行の卽自的統一の否定、行に對する知の高次的なる絕對獨立性の確立と云ふ意味に於て我々の主題的考察に對しては一の發展的な意味をもつてゐるといふことが出來ると思ふ。

彼によれば人間にとつて眞實に善とよばるべきものは他に對する手段としてでなしにそれ自身のために選まれるもの、從つて又自己充足的なものでなければならなかつたが、最高善のかゝる標識をみたすものは幸福を措いて外にはない。幸福こそ我々が眞實に終局的に求める所のものである。然らば幸福とは何か。彼によればそれは自己に最も本質的なる機能の自由なる活動に外ならない。笛吹の笛吹としての機能は笛を吹くといふことにあり、斧の斧としての機能は木を切ることにあるが、人間の人間としての本質的機能は何處にあるか。それは人間がτὸ λόγον ἔχον たることを離れては考へることができない。人間の本質的活動はロゴス的活動にある。ロゴス的活動こそ人生終局の目的であり絶對の善であり最高の幸福である(E. N. 1097 a 15—1098 b 8)。しかも彼にとつて理性に從ふ生活、ロゴス的活動とは理論的理性のはたらきにおのれをさゝげる哲學的思索の生活に外ならなかつた。彼にとつて理性とは卽ち理論理性に外ならなかつた。かくて彼はかかる見地から哲學者の思索的觀想的生活がその他のいかなる社會的實踐的活動にもましてよきものであり幸福なものである事を詳細に敍述してゐるのである(E. N 1177 a 19—1178 a 8)。

然らば我々の道德的行爲はかかる最高目的としての觀想的生活に對する單なる手段にすぎないであらうか。彼の目的論的な倫理學を論理的に徹底せしめて行くならば此の歸結は恐らく避けることが出來ないであらうが、彼自身は此の點に關して明確なる斷定をなすことをさけてゐるやうに思はれる。唯彼が社會的政治的實踐活動をば觀想的生活に比してより低き段階に屬するもの、人生に於ける第二義的な生活々動として見たことは明らかである。このことは彼が勇氣、節制、正義等の道徳的徳に對して知的徳を説く場合にもよく示されてゐる。彼によれば我々の知識には必然的なるものに關與する理論知と偶然的なるものに關與する計量知とがある。前者は科學的知識を構成する ἐπιστήμη 幷びにかゝる知識の出發點たる最高の大前提を把握する νοῦς がこれに屬し後者は製作活動に關係する τέχνη と行爲實踐に關係する φρόνησις が之に屬する。故に彼にあつてはプロネーシスは徳によつて定められた正しき目的に對して正しき手段を選ましめるものであるにすぎない。それは徳と不可離に結びついたものではあるけれども徳の全體ではない、いはんや理論知に比べればズッと劣るものである(E. N. 1145 a b—11)。之に對して理論知は νοῦς と ἐπιστήμη の綜合機能たる σοφία に到つて最高の段階に達し形而上學的思索に於て神の認識を成就し、我々をして最高の幸福に到らしめるものである。*

* アリストテレスにあつてはヌースは單なる形而上學のみならず數學、自然科學をも含めた知識一般の綜合機能としても解せられる。もしさうとすれば神の認識を成就するものはむしろヌースであると云つた方が近いであらう。むしろかく考へた方が彼の所論の全體を通じては整合的であるやうに思はれる。

アリストテレスの倫理學はギリシア的なる主知的人生觀の最高峯をなすもの

である。彼が政治的實踐活動に對して觀想的生活の優位を說いたことには、之を主體的にみれば單に彼の個性的性格のみならず當時の國家的政治的事態の中にもかかる歸結に必然的に到達すべき多くの根據が見出されることであらう。その意味でこの思想は當時のアリストテレスにとつては今日の我々が今日の社會的國家的狀勢の下に於て考へるよりは少くとも主體的にはズッと切實な實存的眞理として把握されてゐたことであらう。後にものべるであらう如く哲學の眞理が單に形式的抽象的な客觀的體系の眞理ではなくて、現實に卽した實存の具體的構造聯關に於ける主體的行爲の眞理であるべきならば、我々は單に文字にあらはれたる彼の思想を批判することによつて彼の實存的なる思惟の全體を批判し去るがごときことは必ずしも彼の思想を眞に具體的に批判することではないかも知れない。しかし今日我々にとつて關心の對象となるアリストテレスとは單に過去の境位に於ける彼の思索の忠實なる再現としてのアリストテレスではなくて、我々自身の自己投企的なる實存の現實から見られた我々の過去としてのアリストテレスである。我々は不斷に現實に卽して歷史を改造するやうに又アリストテレスをも改造する。アリストテレスを批評することは單にありしアリストテレスを非難することではなくて、アリストテレスとして示されたるおのれの過去を清算して未來の行爲への展望臺をつくることにある。われわれは我々自身の中に深きアリストテレス的なる世界へのパトスを持つ。關心に捉はれた現實を暫らくのがれて、觀想の世界に靜かに己れの魂を養はんとする深き願をもつ。bellum omnium contra omnes の暗き世界を超脱して、光りの中に獨り神を視、神と倶にあることに於て最高最純の幸福を享受せんとする願ひは、恐らく人間にとつて最も高き欣求の一つであらう。これこそ誠に高き意味に於てのエロス的生活でありその語原的意味に於ける *φιλοσοφία* の生活であるであらう。しかしかくの如き理論と實踐との根源的分離、實踐に對する理論の一面的高揚は果して我々の現實に於て實存的矛盾なしに許され得る事柄であらうか。理論の世界に純粹となることは實踐の世界をばあらゆる意味に於て放棄することであらうか。實踐的生活は單に天上的なる觀想的生活への手段乃至準備にすぎないやうな第二義的生活であらうか。彼は質料と形相との相互關係に於てそのデエナミスよりエネルゲイアへの無限の發展の終局の段階として遂に純粹形相としての神の概念にまで到達しはしたが、我々にとつてかかる概念が結局單なる抽象的無である如く、彼の觀想的生活なるものも現實的には遂に不可能なる抽象的理念にすぎないのではなからうか。知識への愛はそれが我々にとつてどれほど切實であり純粹であり又高貴なものであるにしても、結局我々に現實なる生の實存的關聯を遊離し得るものではなく、唯この關聯の中に於てのみそれの存在の理由と權利とを所有し得るものではなからうか。エロスは唯アガペに裏づけられることによつてのみそれの正しき存在根據を得るのではないであらうか。

彼は人間的存在の本質をばト・ロゴン・エコンにありと見、ヌースを持つことにあると見、而してこのヌースとは理論理性に外ならず、ロゴスとは認識のロゴスに外ならないと見たが故に、人間にとつて最も人間的なる存在の仕方は認識的ロゴスの働き、理論理性の活動に求められねばならなくなつた。しかし人間が理性的存在であるといふことは果して單に思惟的存在であり理論的なるロゴス的存在であることにつきるであらうか。我々は更に實踐的理性的存在たることに於てすぐれて人間的なる存在であり、行爲的にロゴス的に生くる事に於てすぐれて人間的に生きるものではないであらうか。我々も亦彼が求めたやうな觀想的生活に對して限りなき欣求を持ちはするが、しかしこの欣求は我々が人間として持つ所の要求の全體をつくすものではない。人は神の觀想に於て幸福であるやうに又神への十字架に於ても、幸福でなければならないのである。彼が幸福をばものの單なる所有の中に求めずして、存在そのものに本質的なる機能の自由なる活動の中に之を求めたことは人間的生存に於ける一つの祕密を深く開示したものといふことができるであらう。人間がもし單なる理論的存在にすぎぬならば理論的思惟に純なる生活に於て端的な幸福が獲得されることであらう。しかし我々の精神は單に理論的ロゴス的であるばかりでなく、同時に行爲的ロゴス的であり、更には植物的なる榮養、生殖、動物的なる感覺、欲求の諸機能をもその根底に横へることによつて始めて其の具體的生存を全くし得る處の諸機能の聯關である。人間の幸福は唯これらの諸機能の總體的統一的活動關聯に於てのみ始めて完全に成就されるであらう。しかもこの事は必然的に一機能の絕對的要求の不斷の抑壓制御を含むことに於てのみ可能なるが故に、絕對的幸福といふがごときものは人間にとつて遂に不可能なる幻影に過ぎない。一つの願ひを深く滿すことは唯他の要求がもつ可能性を自ら否定することによつてのみ可能であるであらう。然らば理論的要求と實踐的要求との間にもかゝる Entweder-oder が我々にとつて必然であらうか。我々は理論の世界に深く生きんがためには實踐的要求をば棄てねばならず、又實踐的活動に於て自己の人生の意義を見出さんとするためには理論人への要求をは斷念せねばならないであらうか。アリストテレス自身は政治家たるよりはむしろ哲學者たることに於て高き人生の意義を見出した限りに於て、かく考へて居たものの如くに思はれる。しかし我々が哲學者たることは果して自己を實踐の世界から終局的に遊離することを意味するであらうか。むしろ我々の生活は理論の世界におのれの全體を投げ入れ、その中におのれの實踐的自己の一切を失ふことによつて、かへつて深く眞實に實踐的なる自己を恢復するのではないであらうか。このことを自己自身の生活體驗に即して最初に明かにした者はスピノザである。私はこの意味でスピノザこそすぐれて實存的なる思惟の哲學者であり、近代の哲學者中すぐれて辨證法的なる思想家の一人であつたといふことが出來ると思ふ。

四

スピノザも亦古典的なる homo sapiens としての人間學的理念の上に立ち、實踐、行爲に對する理論、觀想の優位を認めてゐた。しかし彼にあつてはかゝる唯理論的な形而上學は實は單なる體系的外被に過ぎず、彼自身の具體的實存の底には强靱なる自由と解脫への實踐的要求が深く藏されてゐた。彼はその徹底せる機械觀をば單に物質的自然の世界にまで適用したばかりでなく、之を人間的精神の世界にもそのままに適用して意志の自由をば根本的に否定しはしたが、しかも彼はこの否定的なる觀想を通して新なる自由の世界への道を切り開かずには居られなかつた。人間はまことに不自由なる存在ではあるがしかし人間はこのことを明晰判明に認識することによつてかかる人間の在り方から解脫することが出來る。我々の現實は慥かに常に情念によつて束縛され喜怒哀樂の感情の中に限りなく苦しみ惱んではゐるが、しかし我々は之を永遠の相に於てかかるものとして認識することによつて解脫することができる。彼によれば人生に於ける凡ての不安と苦惱とは有限物に對する愛着からのみ生ずる。もし物が愛せられぬならばそのものに關して不和や鬪爭の生ずべき理由がないであらう。たとへそれが消滅したとしても何の悲哀も起らないであらうし、他人が之を所有したとしても何らの嫉妬も猜忌も生ずることはないであらう。然るに我々は富を愛し地位を愛し特定の人や物を愛し、之を自分のものとしようとする、かくて我々は限りなき喜怒哀樂の情に支配されるのである。故にもし我々が此らのものを去つてその愛をば永遠無限なるものに向ける時、我々の心は純な喜びを以て滿たされ、そして一切の悲みから救はれるであらう。このことを成就せしめるものは唯眞實なる認識のみである。我々の日常的認識は常に自己の欲求、情念、利害等を中心として關心的に物を見るが故に、其處に偶然、自由、究竟因といふが如き妄見が生じ、又嫉妬、恐怖、悔恨、憎惡、失望等の激情が生ずる。もし吾人が一歩退いて恰も幾何學者が形に對する如き態度を以て無關心的に一切の事象を見、それらの凡てが必然的に生起するものであること、しかもこの必然性は終局的には神の本質に包含されて居るものであることを認識するならば我々はこれによつて一切の情念の束縛を脫することが出來るであらう。まことに自然と人とに於ける凡ゆる現象をば神の樣態として必然なりと認識する哲學者にとつては、一として憎惡すべきものもなく、嘲笑すべきものもないのである(エチカ、第四部定理五〇、備考及第五部定理六)。我々が限りなき喜怒哀樂の煩惱の世界から解脫するの道は、唯これらのすべてをばそのあるがままのものとして永遠の相に於て觀取するにある。一切を理解するは一切の繫縛から解脫することである。

先にものべた通りスピノザのこの解脫の哲學はその主要契機に於て多くのアリストテレス的なるものをもつ。彼も亦哲學者の觀想的生活を以て人間最高の生活となして之を絕對化した。彼にとつても亦哲學の最深の意味は見ることにかかるものであり、爲すことにかかるものではなかつた。しかしスピノザの觀想の中には、もはやアリストテレスの觀想に於ては見ることの出來なかつた實踐的意義が深く祕められてゐる。アリストテレスの觀想はいはゞ實踐から遊離された抽象的幸福にすぎないが彼の觀想は凡ゆる煩惱のなやみを超克する解脫である。その幸福は唯限りなき苦惱を味ひつくした者のみのよく知り得る淨福である。其處には既に有限なるものがその有限性の故に必然的に出逢はなければならない罪と惡との實踐的苦惱が暗默の中に止揚されてゐる。我々は彼に於て既にすぐれて理論的なる嚴肅とすぐれて實踐的なる情熱との幷存を見る。彼はもはや單なる理論人ではなくて同時に眞摯敬虔なる實踐人である。唯彼に於ける理論的契機の優位は實踐的なる生存の問題の解決をば徹底的な理論的「あきらめ」の中に置いたことにある。まことに彼は實踐の否定に於てより深く實踐を肯定せんとしたすぐれて辨證法的なる實存の哲學者であつた。彼の哲學がきはめて我々東洋人の傳統的生活内容に近き佛敎的なるものを持つことは否定し得ないことであらう。彼ほどその哲學的思惟を自己の人格的生活の中に深く織り込んで生かした哲學者は少ないであらう。彼は決して單なる理論的體系の客觀的組織だけで滿足し得るやうな概念の哲學者ではなかつた。問題の論理的解決によつて一切が解決されたかの如く空想する抽象的思想家では決してなかつた。彼が一切をば永遠の相に於て見ることによる凡ての關心的世界からの解脱を說いた時、彼はかかる人格的飛躍をば彼自身の實存に於て體驗し成就し、實踐的に深く實現してゐたのであつた。彼の理論的解決は同時に人格的解決であつた。彼の辨證法は形式的圖式的な理論の辨證法ではなくて、實存そのものの中に具現された實踐自身の辨證法であつた。唯彼はこの方法を對自的に理論化して自覺するまでに到らなかつたために、方法論としては何らの歷史的意義をも後世に殘すことなくして終らなければならなかつたのである。

スピノザ哲學の體系的側面にあらはれたる主知主義に對して、われわれの實踐

の世界がもつ獨立的意義をば高調し、知の世界と行の世界とを全く異る秩序に屬するものとして相犯すことなからしめ、進んで前者に對する後者の優位を打ち建てようとした者はカントである。彼に到つて始めて理論理性と實踐理性とはその嚴密なる學的概念性を以て區別され、前者に對する後者の獨立性が深き批判的基礎の上に確立されたのである。彼は可能的なる思辨的理性認識をば經驗の對象界のみに制限することによつて因果律その他の認識範疇の妥當する限界を明かにし、この限界を超えた物自體の世界にあつてはもはやかかる悟性の範疇の適用さるべきでないことを示すことによつて、道德的意志の認識的理性に對する自律性を救はうとした。「余が道德のために要するのは、自由が自己矛盾を含まぬこと、從つて進んで認識する必要はないが、とにかく少くとも思惟されること、從つて又他の關係から考へられた同じ行爲の自然的機械性に何等の障碍をも與へぬことだけである。それさへあれば倫理學と自然科學とは各その領域を保持するが、此の事はあらかじめ、批判が物自體そのものの認識の我々にとつて不可避的に不可能なることを主張し、我々の理論的に認識し與ふ一切を單なる現象に限らなかつたならば成立しなかつたであらう」(純粹理性批判、第二版序言、天野氏譯舊版四三頁)。要するに彼が今日尚或者には主知主義者とよばれ又他のものには主意主義者とよばれる(Kroner, Kants Weltanschaung. S. 5)のは彼自身の中にかくよばるべき二つの契機が幷存してゐたことを示すものであらう。彼は明かに一切の認識をば感性や悟性の先天形式に基かしめ、更にこれらの形式の根元的統一作用をば先驗的統覺に歸着せしめはしたが、しかしこの先驗的統覺はどこまでも純粹認識能力であつて何らの實踐的意志的契機を含むものではなかつた。又彼はかゝる認識能力に對して實踐理性の優位を說き、そこから自由と神と永生との概念をば此の意志に必然的なる要請として導出しはしたが、それは理論理性の對象的認識に對して一物をも加へ得るものではなかつた。彼の實踐理性の優位の思想は言葉の嚴密なる意味に於ては「優位」と呼び得べきものではないであらう。何となればもしさうであるならば實踐理性は理論理性よりは高次の能動性として後者をば自己の一面として含み之を根源的に制約するものでなければならないだらうから。換言すれば理論理性は自己自身の根源的獨立性を主張し得るものではなく、唯實踐理性の具體的能動性の抽象的一斷面として存立し得るものでなければならないであらうから。かくてカントにあつては理論的認識は直接には何ら實踐と關係することのない全く獨立な領域をもつものであつた。しかし我々にとつて問題はまさにこのことに存するのである。勿論認識の眞理性が單なる生活に對する實用といふやうな皮相な象面に於て決定されるものでないことは言ふまでもないことであらう。しかし我々が自己の理論的要求なるものの根底をどこまでも深くさぐつて行く時、何處か實存的なる具體的生の本質的根源的要求に面接する場面に觸れることはないであらうか、私はカントの先驗的統覺といふが如き概念は尙一の抽象的概念であり、未だ認識の根源的具體性を明かにするものではないと思ふのである。彼は自然科學的法則的認識を以て經驗的對象認識一般を代表するものとなし、かゝる認識の構成原理をなす範疇をば凡ゆる認識に對して必然的なるものとして之を絕對化するの方向を辿つたが、實は我々の認識はかゝる自然科學的範疇認識にのみ限られるものではなく、例へば歷史的認識の如く之とは異る概念構成の原理に從ふ認識方法も可能なのである。歷史的認識はリッカアトの言つたやうに、普遍化的なる自然科學的認識に對して單に個別化的方向をもつ認識であるといふやうな區別につきるものではない。そこにはカントの單なる統覺による綜合だけではどうしても理解することの出來ない實存の時間的構造への聯關が考へられなければならない。カントの先驗的統覺の根底にはパトスを含んだ自我の具體的實存の生々たる聯關がはたらいてゐるのでなくてはならない。彼の範疇や直觀形式の如きものは既に解剖臺上にのせられた死骸の分析の上にあらはれて來る器官の構造にすぎない。範疇的認識の底には範疇を越へた生のパトスが動いてゐる。自然科學が倫理學から獨立であり、倫理學が自然科學から獨立でなければならないことはまことに彼の言ふ通りにはちがひないが、しかしこの兩者の絕對々立性は何處かに否定的に止揚される場所をもつものでなくてはならない。こゝに我々はカントによつて深く敎へられ導かれながらも遂にカントに留り得ず彼を超越せねばならぬ必然性に迫られるのである。

この超越への必然性をば深く把握して之を徹底的に遂行しようとした者はフィヒテである。フィヒテがいかなる意味でカントの徹底であり超越であり克服であるかについては今更詳細なる說明を要しないであらう(拙稿、フィヒテの道德學に於ける形式主義の克服、臺大哲學科年報第二輯參照)。彼はカントの物自體槪念をば先批判的殘餘として之を完全に放棄し、いかにして客觀的なるものが主觀的なるものとなるか、存在が對自的に表象されたものとなるかはこの兩者が未だ一般に分れずして全く一である處の一點が見出されない間は遂に説明され得ないであらうとなした(IV. S. 1)。しかもこの主客未分なる認識とその對象との合一點は單に理論哲學のアルファでありオメガであるばかりでなく、同時に實踐哲學の根源をなすものでもあつた。主觀的なるものと客觀的なるものとは、まづ主觀的なるものが客觀的なるものに從屬し、前者が後者に從つてはたらくやうに統一されるとき認識の體系として理論哲學が成り立つが、之に對して客觀的なるものが主觀的なるものに、存在が概念(目的概念)に從ふべきものとして統一される時、行爲の體系として實踐哲學が成り立つ(IV. S. 2)。かくて理論哲學と實踐哲學とはカントに於けると等しく方法的見地から全く相對立する二つの學であつて、一者が他者に對して優位をもつやうな包攝的乃至止揚的關係にあるものではない。しかもこの兩學の根底には主客未分的なる一者が深くその根據をなしてゐる。それはカントの先驗的統覺でも、又實踐理性でもなくて意識の限界を越へた對象化すべからざる一者である。それはいかにしても現實的意識の事實として直接に示すことの出來ないものである。現實的意識の成り立つ處には既に意識は對象から分たれてゐる。彼の全知識學の體系は正にこの主客未分の根源的統一に基いて理論の世界と實踐の世界との構造聯關をば辨證法的に展開せんとしたものに外ならないと云ふことができるであらう。

彼によればこの現實的意識の事實ならぬ深き根源的事實は、かく經驗的對象認識の世界にはいかにしてもあらはれ得ないものではあるけれども、しかし又絕對に把握され得ない「無」ではない。否むしろこの事實こそ我々にとつて最も直接的な、他の何ものにもまして明らかに直證される事實でなくてはならない。何となれば凡ての他の知識はこの直接の事實を經、その媒介をへて間接的にのみ示されるものであるのに對して、此の事實はまさに自我そのもの、はたらきそのものに於て自證せられる最も根源的な事實だからである。かくて彼にあつてはかの根源的一者は自我性として、はたらきとそれの直觀との統一としてはたらくことが見ることであり、見ることがはたらくことである處の Tathandlung として把握せられる。この意味からすればそれは又單なる理論的でも單なる實踐的でもなくして、しかもその兩者であるやうな一卽他の根源的統一であるやうに思はれる。この事は彼が深くカントを超越しつゝも、理論と實踐の問題に關する限りに於ては尙根本的にはカント的立場を離れたものではなかつたことを意味する。卽ちこの兩者はその根源を何處まで溯つて行つても結局一方の優位に還元することを許さないもの、一者は他者によつてその存立の根據を得つゝも、しかも亦この他者も前の一者に負ふことによつて始めて他者として成り立ち得るようなものとして認められたが故に、この兩者は一でありつゝも尙最後まで同權的存在であることをやめないやうな對立的概念であつた。勿論我々は彼の知識學をよむ時、カントの純理批判をよむ時よりはズッと行爲的なるもの衝動的なるものに對する彼のパトス的な同感を感得する。普佛戰爭に際し街頭に響く砲聲をきゝつゝ「獨逸國民につぐ」を講じ、やがては自ら從軍をさへ志願せずには居られなかつた彼は單なる思索の哲學者ではなかつた。自我の Tathandlung は結局一の衝動的なるものであり、それの自覺としての見ることはこの根源的衝動の單なる反面であつたやうにも思はれる。否彼にとつては世界は「我々の義務の質料」でさへもあつたのである。だから行爲と直觀との兩者をならべてその何れに重點を置くべきかを問ふ時、彼は恐らく行爲的側面を採つたことであらう。しかし單にそれだけのことであるならば我々はこれをカントの實踐理性の優位の思想の中にも見出すことが出來ない譯ではない。多少の差異はあるにしても結局程度の問題にすぎない。理論の實踐に對する根源的獨立性はどこまでも嚴肅に維持されてゐる。[*] この立場に對して理論そのものをも人間の實存の一契機としてその歷史的社會的實踐の構造聯關の中に統一せしめて見ることが出來るためには、哲學は一の新な飛躍を冒險しなくてはならない。私はこの飛躍を敢て試みた最初の哲學者として、ゼーレン・キエルケゴールをあげたいと思ふ。

* フィヒテにあつては理論は實存の行爲的聯關に於ける單なる一契機ではなくて行爲と深く結びつきはしつゝも尙行爲と同位なる幷存的意義を保つものであつた。尙、ヘーゲルは此の問題に關する限りに於てはフィヒテよりの前進であるよりはむしろ後退であり、アリストテレス的なる觀想主義への還歸であつた。もとより詳細に論ずればいろ〳〵の問題も其處に含まれてはゐるがこゝにはこれを述べないことにする。

五

キエルケゴールの思想史上に於ける第一の功績は、彼が自己の哲學的思惟をば倫理的なる現實の實存から遊離した單なる客觀的認識と見ないで、その時間的生成に於て不斷に Entwedr-oder の前に立つて決意を要求される leidenschaftlich な人間の現實性と必然的に結びついたものとした點にあると云ふことができるであらう。彼はかゝる立場から何よりもまづ抽象的思惟と具體的思惟とを區別した。具體的思惟とは自己の實踐的生存の現實に卽した情熱を含んだ思惟であり、抽象的思惟とはかゝる情熱から離れた所謂純粹思惟である。彼はかゝる抽象的思惟の最も範型的なるものとしてヘーゲルの哲學をあげる。ヘーゲルの純粹思惟の世界にあつてはもはや眞實な意味での aut/aut は何處にも經驗されない。そこではいかなる矛盾も分裂も皆「既に」の性格に於て征服された立場としてその客觀的體系の中に包括され止揚されてしまふ。しかし彼が斯く存在の中なる矛盾を思惟的に取り除いたとしても、それによつては我々が倫理的實存として主體的行爲的に持つ所の矛盾は少しも取除かれはしない。實存するといふことは單に思惟するといふことよりもズツと困難なことである。「ソクラテスは曾て余は自分が人間であるかどうかを確實には知らないと皮肉的に言つたが、ヘーゲル學徒は懺悔場で生眞面目に云ふ事が出來る、余は余が一人の人間であるか否かを知らないが、しかし余は體系を理解したと。しかし私はむしろかう云ひたい。私は私が一人の人間であることを知つてゐる、そして體系を理解しなかつたことを知つてゐると」(獨譯全集 VII. S. 9—10)。抽象的思惟は現實の困難から目を背けることによつて之をのがれ、之によつて凡てを解明したと自稱する。例へば不死とは何ぞやといふことを説明してそれが永遠と同一であることを示してこの問題を解いたつもりでゐる。けれども我々にとつて切實な不死の問題の解決は、この個體的なる實存としての私自身が不死となることに於て始めて成就されるのである。然るに彼らは個人としての私の實存性を始めから殺してしまつて私を不死なものにしようとする。それは恰も藪醫者E先生が彼の藥で病人を殺してしまつてから「俺はあの病人の熱を下げてやつた」と威張るやうなものであらう。彼の著書には "Denken und Sein ist eins" とかいてある。しかし我々の現實的生存にあつては思惟と同一であるやうな存在は人間的存在とはいはれない。故に抽象的思想家は彼らの思惟のかゞやかしき勝利にも拘らず、人格的にはきはめて貧弱な實存であることも出來るのである。結婚生活はしてゐても眞實の愛のどんなものであるかも知らず、何らのパトス的な Entweder-oder の問題にも面接することもなしに、俗的な配慮にその生涯を埋めながらも、體系だけは立派につくりあげることはできるのである。かくてヘーゲル哲學は矛盾律を止揚し、悟性や反省の領域に止つて、aut/aut の問題に行き惱む思想家に對して常におのれの立場の優位を誇る。彼らは何處かに aut/aut の問題が起ると忽ちそれを自分達の體系の中の何處かにはめこんでそれでこれを克服したつもりで得意になる。しかし實存に於ける矛盾を抽象的な論理の中に持ちこむことはそれ自身一の欺瞞を意味する。それは恰もヘラクレスの怪物のやうに、現實の地盤から引き離されてしまへば本來の眞實の力を失つてしまふものである。だからそこに矛盾が失くなるのは當り前のことである。

かくて抽象的思惟に於ける眞理と實存に於ける眞理とは必ずしも一致しない。前者の世界では眞でない事も後者の世界では眞であり得る。例へば sub specie aeterni に於ては凡てのものはあり、決して生滅しないが、現實の人間にあつては一切のものが生成の中にある。そこでは永遠は唯(時間と永遠との間の) leidenschaftlich な決定に於てのみ可能である。かくて生成する人間にとつては永遠は常に未來的なるものとなる。人は Leidenschaft なしには實存することはできない。實存者は情熱に於て永遠を豫料するが、この永遠は絕對の持續性ではなく、一の實存者に對して存在する唯一の眞なるものへの接近の可能性にすぎない。具體的なる永遠とは實存者に於ては最高の情熱に外ならない。實存的思惟にあつては唯主體的な力と情熱とを以て把握されたもののみが眞理である。單に客觀的に何が眞の神であるかを考へるものは、冷靜な思索をつゞけて容易く神の概念に達するけれども、主體的に神を求め神と關係するものは現實の aut/aut に面接して深く痛苦を味はねばならない。それは自己の内的な必然に迫られた精進の道であり、神に生きんとする限りなき努力である。かゝる立場からいへば神を客觀的に規定するといふが如きことは最も神を離れる所以である。眞理は客觀性にあるのではなくてむしろ主體性にある。主體性が卽ち眞理である。(Die Subjektivität ist die Wahrheit)*

* 以上のキエルゴールの敍述は主として Abschliessende unwissenschaftliche Nachschrift, zweiter Teil 就中 Kapitel III, Die wirkliche Subjektivität, die ethische; der subjektiver Denker (S. 1—54) による。

以上の如きキエルケゴールの所謂實存的思惟とよばれる思想の中には、私達哲學するもの一般にとつて深く省みらるべき重要な契機が含まれてゐると思ふ。まことに哲學はそのきはみなき努力を通して果して我々に何ものを與へたであらうか。理論の世界に沒入して分析より分析へと限りなく深まりゆく概念的思惟の歩みは我々をかへつて本來的なる人間的在り方から遊離させて、象牙の塔に獨りおのれの夢をむさぼる無力な理論の幻想者にしてしまひはしなかつたであらうか。世界に於ける現實の矛盾はむしろ一瞬一瞬に加はりゆく其の重壓を以て私達の上に怒濤の如く迫つて來て居るではないか。地平線を失へる迄に動亂せる民衆の苦惱の亂舞の中にあつて我々は何の權利を以てかかくも安らかなる思索の夢をむさぼつてゐるのであらうか。我々のすむべき世界は哲學的エロスの世界にあるのではなくて、むしろ苦惱せる民衆と倶なるアガペの世界にあるのではなからうか。

しかし哲學の非實踐性とそれの概念的抽象性とに對するかゝる民衆的非難の中に、どれほど我々の反省に價する眞實性が含まれてゐるにもせよ、哲學の實踐的意義はそれが自ら概念的理論的思惟たることを中止して、現實的生の直接性の中に逆もどりすることによつて成就されるのではなく、むしろ大膽に現實的生の即自的直接性の立場を離れ自ら非實踐的なる世界に自己を否定することによつて、かへつて深く現實の自己と結びつき、現實の自己を生かすといふやうな仕方に於て成就されるのでなければならないやうに思はれる。まことにキェルケゴールのいふやうに現實の實存は常にEntwedr-oderの岐路の前に立つて決意をせまられてゐる。その思惟は常に最高の關心を伴つた情熱的な思惟である。彼はかゝる思惟をもつて、人間的實存がもつべき唯一の思惟であるとする。かゝる思惟に於てあらはれる決意や信仰は、たとへそれが客觀的思惟にあつては誤つた内容を持つものとされる場合でも、情熱なき冷たき眞理よりかズッと多くの眞理性をもつものであるとする。しかし眞理は果してそれだけにつきるであらうか――主體性を離れて眞理はない、これは彼の偉大なる發見であるであらう。しかしこの事は主體性が直ちに眞理であることを意味しはしない、彼は眞理の主體的側面(しかも個人的主體的側面)を强調するのあまり、その客體的側面を無視するの誤謬に陷りはしなかつたか。もとより我々は眞理に對して之を把握するに情熱をもたなければならない。しかし情熱だけで果して眞理が把握し得られるであらうか。もともと思惟は判斷を離れてはなり立たず、判斷とは本來合一的なるものを ur-teilen することによつてのみ可能なものであるとするならば分析は思惟の根源的事態であり、かの情熱的思惟といふが如きものはいはゞ思惟の單なる卽自態として、思惟の本質的發展に於て必然的に破らるべきもの、踏み越へらるべきものであり、思惟が思惟である限りそれは其の本質性に於て冷靜な客觀的なものであることを要求するものではないであらうか。このことは人間的實存がその行爲の岐路に立つて情熱的決意的存在でなければならないといふことゝと何ら矛盾する事柄ではなく、むしろこの情熱がその卽自態としての單なる主體的情熱性に止ることを自ら否定して、冷靜なる客觀的思惟の中に自己を放棄しその中に己れの全體を投げ入れ、無として己を失ふことによつてかへつて深く自己の本質を生かすものではないであらうか。私は凡ての哲學にはかゝる情熱の自己否定が含まれてゐると思ふ。情熱なきものには實存は不可能であるが、しかし情熱を揚棄し得ないものには哲學することはできない。哲學はそれの源泉として强烈なる情熱を豫想しはするが、しかもそれは揚棄すべきものとして之を豫想するのである。私はキエルケゴールのヘーゲル批評の中には、ヘーゲル哲學のもつ本質的缺陷の指摘されてあることを見、そこに深き同感を覺へるものではあるが、それにもかゝはらず、私はヘーゲル哲學の根底にもすぐれて强き情熱の脈動を感得せずには居られないものである。「他のものと結合されたもの、他のものとの聯關に於てのみ現實的なるものが、自己自身の定有と自由とを得るといふことは、否定的なるものの巨大な力であり、思惟の純我のはたらきである。もし我々がこの非現實性をば死とよぶならば、かゝる死こそ最も怖るべきものであり、之を維持するには最大の力が必要である。無力な美は悟性を憎惡するが、それは悟性が彼の女のよくせざる所を要求するからである。しかしながら精神の生とは死を忌み憚り、その荒廢から全く遠去る生ではなくて、死を耐へしのびつゝその中に自己を維持する生である。精神が彼の眞理を得るのは唯それが絶對の分裂の中にあつて自己自身を見出す時のみである (Hegel, Phänomenologie des Geistes; herausg. v. G. Lasson 3 Aufl. S. 30 f.)。ヘーゲルの哲學が實存のもつ主體的決意的性格をば客觀化することによつてその矛盾の現實的實踐性を稀薄にし或は喪失したといふ非難の中には慥かに我々を首肯せしむべき眞害を含みはするが、それは必ずしも彼の哲學が一のナンセンスであり、哲學の名に價しないものであることを意味するものではない。我々が依然人間であり現實的な實存でありながら尙ヘーゲルから多くのものを學びとることが出來るのは彼の巨大なる客觀的體系の底にも尙深き人間的情熱が揚棄された姿に於て脉々として波打つてゐるからではあるまいか。要するにキエルケゴールは彼が實存に於ける質的辨證法と唱へた處の、美的より倫理的宗教的への飛躍、生の岐路に立つものの aut/aut に於ける不安と苦惱とに滿ちた瞬間的決意性に見られる處の實踐的辨證法は之を理解したけれども、かゝる情熱的實存が冷靜なる分析的思惟に對して持つ處の知と行との否定的辨證法的關聯は之を把握することが出來なかつた。これ彼の哲學が主觀性の一面に偏して、學の客觀的體系をば自己の中に包むことの出來ない偏狹な主觀哲學に陷つた所以であらう。眞實の實存的思惟とは單なる個人的主觀性の中にのみ止る主觀哲學であつてはならぬ。それはどこまでも自己を越へて自己ならぬものの中に眞實なる自己を見出す主體的客體的なる辨證法的思惟でなければならない。この點に於てニーチエは彼の權力意志を中心とした認識論的思想を通して尙それの全き姿に於てではないにしても、少くともキエルゲゴールに對して客觀的方向への確實な一步を踏出したものとして十分注目に價すべきものを持つやうに思はれる。

六

ニーチエも亦非體系的非論理的な詩人的哲學者たる點に於て、主觀的且奔放な情熱的天才思想家たる點に於て、既に性格的にキエルケゴール的なるものを持つてゐるのみならず、更にこれを超へて異教的なるものに徹してゐる。「曾ては神をけがすことが最大の冒瀆であつた。けれども神の既に死んだ今日にあつては、最も怖るべきものは地を瀆すことである。我が兄弟よ、地に忠なれ (Also sprach Zarathustra. Erster Teil, Vorrede) と敎へたツラトゥストラにとつては靈魂は肉體の從僕であり、道德は本能の道具であり、論理や理性は權力意志の自由なる活動に於ける隷屬者にすぎなかつた。感性や悟性は物の實相を把捉しうる客觀的自律的な認識機能ではなくて「地の意義」をみたす權力意志の活動の單なる方便にすぎない。我々の生命の本質は認識的なる意識の到達し得ない深部に動く處の主客を絶した感動である。我々にとつて眞實に直接確實なるものは表象的なる意識ではなくてむしろかゝる意識の根底に働く生活々動そのものである。意識によつて把握されるものをば不變的永久的な固定的實在としてこれに客觀的法則性を與へることは日常的なる人間の最も陷り早き誤謬である。彼らは意識を以て人間存在の最高なる形式となし、意識によつて把握された眞と善とをば絶對的なるものと考へて之に從ふ處に生活の向上があると信じてゐる。しかし精神も理性も靈魂も神も何ら人間にとつて絕對的なる存在ではなく、唯我々の意識以前の生活々動の創造の所產に外ならずしかもそれの必要以上に凝固堆積せる抽象的な假構乃至幻影にすぎない (Der Wille zur Macht, —480) 哲學者は絕對的認識を信じ、認識のための認識を信じ、官能を信用しないのと同じ程度に於て無條件的に概念を信用してゐる (Ibid. —407, 409)。 彼らはある事物を歷史から切りはなしてしまふ時 —— 永遠の相の下にそれを一のミイラにしてしまふ時、その事物に敬意をはらふものであると思つてゐる (Götzen Dämmerung, Die Vernunft in der Philosophie —1) しかし眞理とは彼らの信ずる如き概念のミイラではなくて、生々たる權力意志の活動が自己の必要に從つて要求する所の行動の基準であるにすぎない。 彼らは理論的と實踐的とを最初から何のかゝはりもないものとして截然と區分し、恰も純粹な知性が自己自身によつて認識と形而上學とを提供するものであるかの如く信じ切つてゐるが、彼らのかゝる哲學の根底にさへ本能が働いてゐる。 思惟は彼らの空想する如き何らの絕對自發性をも持つたものではなくてむしろそのすべてが本能によつて一定の方向にむけられてゐるのである。 思惟は一の行動であり、行動は一の思惟を豫想する。 我々はよく行動するためによく思惟する必要がある。 行動は自己自身の從ふべき規準を要するが、この行動にとつて痛切なる需要が何を眞實とみなすべきかを定めるのである(Der Wille zur Macht, 458)。實證主義者は唯事實があるだけだ」といふ、しかし彼らが眞實に存在してゐるとなす處のものは實は事實ではなくて、それに對する人間の解釋であるに過ぎない。この解釋が卽ち我々の認識であり、而してかかる認識をしてこの世界の解釋をなさしむるものは我々の生括の需要である、この需要の根底には衝動があり、この衝動を生かすものは權力意志を措いて外にない(Ibid. 481)。思惟の論理は生活のためにつくられた道具である。權力意志は一切のものをば自己に同化し合體して自己を充實し擴大しようとする。我々の生命のこの根本的要求に應ずるものはその實質上のいかなる差異にもかゝはらず我々の同化しうるものとして、同一的なるものとして見られる。そこに思惟法則としての同一律の起原がある。矛盾律はその逆である。故に論理のアプリオリの根底には既に權力意志の要求が動いてゐる。然るに哲學者はかゝる論理の根據をば抽象的論理そのものの中に求めんとする、それは彼らに於ける生の凝滯であり、手段に固定してその中に自己を失ふものである。

善とは何であるか？　それは權力意志を人間の中に高める處の凡てのものであ

る。惡とは何であるか？　弱さから出て來る處の總てのものである。　幸福とは何であるか？　權力が增大しつゝあるといふこと、一の抵抗が打ち克たれてゐるといふことの感情に外ならない。　滿足でなくして寧ろより多くの權力、總じて平和ではなくてむしろ戰。　德ではなくしてむしろ有能、道德に害はれざるルネッサンス的なる德こそ我々に於ける權力意志の本來の要求、超人への道である(Der Antichrist. 1)。

かく彼は知識の客觀性を否定し、眞理の根據が主體的なるものの側面に求められねばならぬことを高調しはしたが、しかしそれはソクラテスの如く知の範圍を人生學に限つて、自然學をば其處から排除せんとするものでもなく、又キエルケゴールの如く客觀的知識をばそれが單に客觀的なるの故を以て(情熱なきものとして)直ちに却けんとするものでもなかつた。　むしろ彼は道德が科學に對して敵意を持つといふことに敵意を持つてゐた。　彼は云ふ「實際に於て道德は科學に對して敵意を持つてゐる。　それは科學が善惡と何らの關係をももたない事物、從つて又善惡に對する感情の重要さを減ずる所の事物を重要視するからである。　道德は人間全體及彼の全力が道德に奉仕すべきことを要求する。　このためにギリシアでは、ソクラテスが道徳萬能の病氣を科學の中へ引き入れるや否や、科學の精神は忽ちに衰亡した」(Der Wille zur Macht. Zweites Buch: III, 443) と。彼は道徳よりもむしろ科學を重んじた。現代の道徳が生命力の涸渇せる弱者の本能の慢性的な固定化に墮して、潑溂たる權力意志の自由なる活動の卑劣なる障害たるにすぎないのに對して、科學的精神の中には尙中世紀的なる束縛を破つて大膽に自己の自然的な本能をのばして行かうとするルネッサンス的精神が殘つてゐる。この意味からすれば彼にとつてはキエルケゴールの如きは恐らくソクラテスと同樣「道徳萬能の病氣」にかゝつた憐むべき病衰者の一人であつたかも知れない。ともかく彼が客觀的知識に對してこれを拒斥するよりはむしろ自己の實存の構造聯關に內部的なるものとして包攝しこれに一定の位置を與へようとしたことはキエルケゴールに比べて一段の進歩といふことができるであらう。

これと共に看過されてならないことは以上の敍述に於ても旣に明かであるやうに彼に於ては人間的實存はキェルケゴールに於けるやうな單なる倫理的宗敎的實存ではなくて、或る意味ではそれよりも更に全體的根源的な、――いはばWert-freiな原生命的存在として見られたといふことである。ここではもはやかの天上にかゞやく星にも譬へられたカントの定言命法も何らの絶對性をも崇高性をも持たない。あることが善であるとはそれがその時その場合その人に對して權力意志の活動を促進するといふことであり、惡であるとはその逆であることにすぎない。權力意志から獨立して善惡の區別がかゝるものとして客觀的に何處にもある譯ではない。凡ての價値は權力意志に基く。權力意志こそ一切の價値の根據であり價値自體である。高貴なるもの、強剛なるものは自己の中に豐富強烈なる權力意志を有し、これに基いて他を征服し、自己を成長向上せしめねばならないといふ意識をもつ。これが卽ち最高の善であり道德である。然るに卑賤にして無力なる弱者は之に對して嫉妬と反感を起し、前者の價値評價をくつがへすべき第二の評價を作つてこれによつて自己の貧弱なる存在を意味づけ、保護し維持せんとする。本來の貴族的價値が高貴、強剛、豐富、幸福を以て卒直に善とするに對して彼らは平凡、弱小、貧乏、苦惱、卑下を以て善となし神の祝福であるとする。かくて彼らは萬人平等なりといひ、己れを憎む者のために祈れといひ、汝ら裁くこと勿れと云ひ、富める者は神の國に入る能はずといふ。現代を束縛してその自由なる精神の發展を枯死せしめつゝあるものはまさにかくの如き群集の奴隷道德の凝固である。理性といひ良心といひ義務、責任といふが如き皆か丶る弱者の群集本能がつくつた觀念の凝固にすぎない。人はか丶る觀念に基いてつくられた理想にしばられ、現實の自己を無視し否定して、理想の幻影に走らんとして徒らに苦惱する。しかし人間は唯ある通りに成る(Wie man wird, was man ist.)。人間の生成は唯その現實の實存にのみかかつてゐる。凡ての意識的なるものはそれの單なる徵候の一つにすぎない。か丶る觀念的徵候に捉はれて自己現實の存在を委縮させるのはむしろ本來の顚倒である。われわれはもつと自己自身に大膽でなければならない。自己の生命の奥にひそむ本能の要求する處に從つて、自己の本質を深く生かし切つてゆくのでなくてはならない。世間的なる善惡の區別に捉はれて自己の深き生命の要求を蔑視することは、凡俗者の群集本能がもつ貧血的理想に屈從する最大の罪惡である。我々にとつて眞實の生活は善惡の彼岸(Jenseit von Gut und Böse)にある。我々の生活は何ものによつても否定さるべきではなく、むしろ一切のものを否定し克服して自己を顯はにしゆく處に眞實の生活の步みがあり、超人への向上の道がある。眞理のための眞理、藝術のための藝術、道德のための道德といふが如きものは凡て單なる生活の手段にすぎないものをば目的自體として凝固させた觀念的な妄想にすぎない。無上命令の如きものはむしろ眞の人間生活を阻害し委縮せしめるものである。眞の道德はかかる奴隷道德でなくて君主道德でなくてはならない。君主人は他のために己を失はず、おのれ自身の深き内的要求に從つて大膽に自己自身の道を步むものである。*

* 以上彼の道德思想の敍述は主として Der Wille zur Macht. Zweites Buch I, II. — Zur Genealogie der Moral. — Jenseit von Gut und Böse. Fünftes u. Siebentes Hauptstück. — Götzen-Dämmerung. Moral als Widernatur, die Verbesserer der Menschheit. — Also sprach Zarathustra 等によつた。

我々は我々自身の道德意識や宗敎的感情の中にも慥かに彼の所謂「弱者の本能」ともいふべきものが潛んでゐることを認めない譯には行かないであらう。我々が時に自然を愛し、農耕を愛し、庶民的なる貧しき生活の中に愛と謙讓とのつゝましやかな日を送らんとする淡き願を持つとき、其處には何處か生の安定を求め、赤熱せる鬪爭の苦惱をのがれて獨り靜かにおのれの安らけき心境の平和を護らんとする弱者的逃避の要求がかくれてゐるを見出すであらう。我々が利害にとぎすまされた怜悧な生存競爭の勝利者よりはむしろおのれの何をなすべきかを知らずして貧しきに居る愚かなる者を愛し、カラマゾフ兄弟に於けるイワンよりはドミトリーを愛する心情の中には積極的な倫理的感情と共に、何所か人間の發展増大に逆行する原始的なるものへの弱者的なあこがれが潛んでゐるのではなからうか。眞の道徳は單なる欲望の禁止や本能の抑損にあるのではなくて人間が眞實に人間であること、生々たる實存の深き本質的要求に基くものでなくてはならない。それはニーチェの所謂君主道徳でなくてはならない。道徳は單に生ける屍となることにつきるものではなくて死の中にも生を見出す强靱なる人間的生命の最も本來的なあり方の一つの形式でなくてはならない。弱小なるもの、怯懦なるもの、生の泉の涸れたるものには眞實の道徳は不可能である。我々の現實の生活實踐にあつてはいかなる所與も運命も苦惱もいさぎよく受取られなくてはならない。それらの凡てを逃避せず、勇敢にこれを踏み越へ行く處に生きた道徳、强者の道徳が生れるのであらう。道徳に於ける最も本質的なるものは單に心の欲する所に從つて矩を超へざるアウトマトン的生活にあるのではなく、*むしろ不斷におそひ來る現實の矛盾的事實に直面して之を力强く否定的に肯定しゆく無限の戰の中にある。道徳生活に於ける絶對は永遠の相に於て安らかに眠る寂滅的な絶對ではなくて、一瞬一瞬の現實に於ける不安と決意との危機を通してのみ體驗せられる萬物流轉の相に於ける永遠であり絶對である。まことに危機的なる瞬間を經驗せざる者は永遠をも絶對をも知らないものであるといふことができるであらう。こゝにカントの定言命令はニーチェを通して更に力強く生かされることが出來る。それはもはや何ら普遍的法則的な形式的命令ではなくて、むしろ瞬間の現實に則した實存的生そのものの深き本質的創造的要求に根ざす絶對的な當爲である。眞の道德は唯かかるパトス的虛無の深淵から創造さるる熱情的當爲に由來することによつてのみおのれの本來的な在り方をみたすことが出來るのであらう。

＊ 孔子の人格完成態としてのこの究極的境地を單なる自働機械に譬へることには恐らく大なる異論があることであらう。何となればそれは凡ゆる反理性的契機の全く克服された絶對自由の世界であるから。唯私がこゝに此の譬喩を通して强調せんとする所は眞實の道德が單なる善への固定、合法則性への凝固にあらずして、不斷に新なる環境に處して常に過去を破壞し未來を建設しゆく生々たる創造的精神がもつ處の「瞬間」の中に求めらるべきこと、道德の世界にあつては一瞬と雖も同一の法則、同一の「矩」の繰返しはなく、「矩」は「超へざる」ものであるよりはむしろ「超へらるべきもの」、唯非連續的にのみ連續せらるべきものであるといふことである。孔子に於ける眞の自由は「矩」の中に自己を固定する合法則的習慣性の獲得ではなくて「かかる習慣をも不斷に破り得る生の創造的自由でなければならないであらう。

唯ニーチェにあつては道徳や哲學が生活意志に對してもつ處の否定的意義が十分明かでなかつた。この點では彼はキェルケゴールから逆に一歩退いたものともいふことも出來るであらう。彼は人間的實存の單なる卽自態にすぎない權力意志をば、何ら否定的轉換を經ることなくしてその直接性のまゝに發展增大せしめようとした。恰も自然的時間の中にあつてある幾何學的形態を小から大に膨張せしめるやうに、あるがまゝの權力意志をば唯そのまゝに充實することが卽ち超人への道であると考へた。こゝに彼の大なる誤謬がある。我々の生の實存の歩みは決して此の如き單純なる直線的進行ではなくて常に辨證法的である。權力意志としての自然的生はその卽自態を脫して對自的なる實存となる時必然的に自己の他在に於て强き否定を受けなければならない。この他在こそ卽ち絕對當爲としての道德法である。君主道德は慥かに强剛なる精神をもつもののみに可能なる偉大なる肯定的道德でなければならない。けれどもそれは自然的なる生活意志のそのまゝなる本能的肯定ではなくて、むしろ後者が大膽に拒斥され禁壓されることに於てのみ成り立つ處の否定の上に立つ肯定である。天才は天才としての眞實なる自己を純眞に肯定し生かし切るためにはまづ地上的なるものに對する一切の欲求を棄て去らなければならない。事實彼等はしばしばその最も愛する愛人をすら失はなければならなかつたのである。運命は我々にとつて常に悲劇的である。ディオニソスは遂にアポロとならねばならぬ。權力意志は權力意志として自己を肯定するのではなく、むしろかゝる自己を否定して、全く自己ならぬ他在の中におのれ自身を投げ入れ、放棄し去る時、はじめて自己の眞實、高貴、偉大なる姿を顯はすに至る。こゝに道德的當爲の絕對的尊嚴があり、無上命法的性格がある。自然が生を呼ぶに對して、當爲は死を命ずる。この死の中に甦る生こそニーチェの所謂超人的なる生である。眞實の道德は唯死に堪へ、死を恐れざる强剛なる精神に於てのみ可能である。それは斷じて弱者の自衞手段としての群集本能と混同さるべきものではない。

ベルグソンも亦その純粹持續の思想に於てきはめてニーチェ的なるものを示してゐる。純粹持續は一の生の飛躍（エラン・ヴィタール）ではあるにしてもその飛躍とは何ら死に甦る生の否定的肯定といふが如き非連續的辨證法的意義を有せず、經驗的知識に對する解釋に於ても之を一の時間の空間化、純粹持續の固定化として、實用主義的意義以上のものをみとめなかつた點に於て深くニーチェと直接つながるものを持つてゐることは爭ふことが出來ない。私は私の主題的關係に於てこれらのことを再び取りあげて考察する必要を持たない。唯こゝに一つ看過されてならぬことは彼が普通の知的作業を以て生活行爲に對する關心的見地を離れぬものとなし、その眞理の相對性、抽象性乃至一面性を認め、實在の客觀的眞實を明かにしその生きた本質を全的に把握するものでないことを示しながら、他面直觀の努力による形而上學的認識がかかる關心的知識から全く獨立した意義を存するものであるとなした事である。卽ち彼は一面に於て日常的知識が低い意味での實踐を離れたものでないことを明かにすると共に、哲學に於ける直觀的なる實在の把握が高き意味に於ての實踐をすら超へた、それ自身の中に價値を含む精神活動であるかの如き主張をなしてゐるのである。こゝに低き實踐とは未だ自己の絕對他在としての當爲の要求に面接せざる卽自的生の生活々動を意味し、之に對して高き實踐とはかゝる生活々動が强き自己否定の要求に直面して苦惱の中に決意する道德的實踐を意味する。かりにベルグソンの言ふ如く流動の中に沒入して實在の生命そのものと一つとなる直觀的認識がよく絕對そのものを把握し得るとしても、この絕對の把握は果して何ら實存の實踐性と關係するところなき沒關心的な觀想であり得るだらうか。かゝる可能性を認めるといふことは我々が既にとうに克服し來つたアリストテレスの觀想の世界に再び逆もどりすることになりはしないであらうか。知と行と、理論と實踐と、哲學と實存とはいかにしても結びつくことの出來ない二つの根源的に相對立した生の形式に終るものであらうか。私はベルグソンに於てこの問題に對する答へをきくことが出來ない。總じて科學と哲學との間にはその實踐的意義に關してどれだけの本質的區別があるものであらうか。かのニーチェやプラグマチズムの說くやうにこの兩者は全く同樣に生活活動に對する單なる手段としての意義をもつものにすぎないであらうか。それとも共に知識のための知識として生活關聯から全く離れた客觀的實在的意義をもつものであらうか。或は又ベルグソンの主張するやうに科學は生活意志の要求から創造された生命の凝固物として抽象的知識にすぎないとしても、哲學だけはかゝる實用性から全く獨立した生命そのものの直觀として純粹な觀想的自己目的々意義を有するものであらうか。或は又哲學も亦實存的生そのものの本來的創造的要求から獨立したものではなく、實踐的活動に於ける一つの觀念形態として、社會的歷史的なる現實的生の實存の構造聯關に於ける一契機としての意義をもつものであらうか。もしかゝるものであるとすればそれは科學的知識に對していかなる本質的差異を有し、又實踐に對していかなる具體的意義を有つものであるか。私は問題がこゝに到つて益〻錯雜して來るのみであることを感ずる。かゝる錯綜した問題の關聯に對してそのすぐれた綜合的能力によつて解決への道を暗示してくれた現代の哲學者の一人として私は誰よりもまづシェーラアをあげることが出來ると思ふ。

七

シェラアも亦ニーチェと同じく科學を以て一の勞働的知識と見やうとする。彼によれば現代人は勞働なる語に對して一つの熱情を持つてゐる。共産主義者の如きは勞働を以て凡ゆる人間的敎養と文化との唯一の創造者となしてゐるが、事實現代にあつては實證科學の進步と、物的生產の技術的形式とは緊密な結合を保ち、認識と勞働との內的聯關はもはや疑ふべからざる現實となつてゐる。學問は技術的目的によつて變形せられると共に、又技術の上に影響する。數學や自然科學は本來その動力を技術的課題にもつものであり、その歸結の論理化、體系化は後に到つて生じたものである。實驗は發生的にはいはゞ技術の極限であり、そこでは最初求められた特殊の目的が忘れられ、より普遍的な目的に平均化される。かくて我々は何らかの特殊な規則でなしに、凡ての可能的目的に對して役に立つやうな規則を得る。それが遂に現實的には何ものをも作らうとしないやうになると實驗は一のGedankenexperimentとなり、其處では人は對象自體がいかにあるかよりも、むしろ人が自らいかに考へることが出來るかを知らんと欲するやうになる。カントが示したやうな思惟形式や悟性の原理は理性の單なる可能的思惟方法の一にすぎず決して理性それ自身ではない。それは自然に對する權力意志が世界のあらゆる可能的經驗方法の中から一つの可能的なるものとして取り出したものである。我々の現在の知覺や直觀や思惟には、生の關心が其の根底に横はつてその方向を限定してゐる。もし世界が普遍法則的な自然機制でないならば我々はこれを支配し操縱することは出來ないであらう。われわれの近代社會を建設した機制論は單なる純粹悟性の產物ではなくて、自然に對する近代的な權力意志又は勞働意志の所產である。かの封建的な價値意識や僧侶的觀想的な認識意志を驅逐した處のその同じ權力意志が近代に於ける自然科學と產業的技術とブルジョア的自由社會とを産んだのである。勿論世界自身がオンティッシュにかゝる形式的機制的側面を持たないならば、いかなる權力意志と雖もかゝるものを世界經驗の中から取りだしてくることはできないであらう。けれども無限に多様なる可能的經驗の中からかかる一面のみが取り出されて其れに眞理價値が與へられるといふことの根底には前表象的な權力意志が横はつてゐるのである。(Erkenntnis und Arbeit. S. 233—258)

かくて我々の形式的機制的なる世界考察の根底には深くかくれた根源がある。それは人間の歴史を通じて恒存不變なものではあるが、しかしそれは唯物論の云ふやうな絶對的な物自身の本性の中にあるのでもなく、又純粋論理學や先驗論的論理學や純粋數學の中にあるのでもなくて、環境の構造や自然的知覺や思惟がそれに從ふべきである處の最も普遍的な法則に基いてゐるのである。機械觀とそれの圖式とは我々の經驗の偶然の成果ではなくてアプリオリなものではあるが、しかしそれは凡ての可能的認識一般に對してアプリオリなのではなくて motorischpraktischなる生物的生活々動に對して有意義なる可能的經驗に對してのみアプリオリなのである。それはカントが主張したやうな合理的アプリオリではなくて、生物學的相對的なるアプリオリである。それは人間一般に對するアプリオリではなくてhomo faberとしての人間に對するアプリオリである(Ibid. S. 296—323)。

かくてシェラアにあつては科學的知識はもはや我々にとつて必ずしも唯一の確實なる知識ではなく、人間的生活態度の異るにつれてこれと全く異る知識も可能となるわけである。例へば我々が一の社會的倫理的人格としてそれの發展に努力する道德的生活態度をとる時これに對應する知識として教養的知識 Bildungswissen が成り立ち、又凡てのものに於て絶對にレアールなるものを求め、そこにわれわれの全存在の本質と價値とを見出さんとする宗教的生活態度をとる時、之に對應する知識として救濟的知識 Erlösungswissen が成り立つ。科學的、教養的、救濟的なるこの三種の知識は何れも一を以て他に代へることの出來ない獨自の本質をもつ。印度文明にあつては救濟的知識が發達し、支那やギリシアにあつては教養的知識が發達し、近代ヨーロッパに於ては科學的卽ち勞働的知識 Arbeitwissen が發達したが、その何れも一者に偏して他を省みない處に夫々の文明の偏見があるのである。(Ibid. S. 250 ff.)然らば教養的知識や救濟的知識も亦勞働的知識に於けると同樣各の生活態度を豫想した自己自身のアプリオリの上に立つものであつて、人間的認識一般のアプリオリの上に立つ絶對客觀的認識だといふことは出來ないであらう。彼は救濟的知識を以て同時に形而上學的認識として認めてゐるやうであるがもし然りとすれば形而上學も亦我々の實存のある種の生活態度の上に立つもので Daseins- u. Soseinsrelativität を離れたものではないと云ふことになるであらう。

然らばかゝる形而上學的認識を成立せしめる生活態度乃至存在事態とはいかなるものであるか。シェーラアによればそれは人間の本質を構成する所の精神（ガイスト）に外ならない。彼によれば人間をして他の動物から區別する處の本質は單なる知性や選擇作用の如きものではなくて、これらの作用をいかに增大して行つても到底及ばないやうな高處にあり、廣い意味で生（内的心理的及外的生物的）と名づけられる所の凡てのものの外に横はる。しかもそれは單なる理念的思惟能力としての理性につきるものではなくて、更にその外にある種の直觀（例へば Urphänomen 及び Wesensgehalte の直觀）や感情的執意的な行爲（例へば好意、愛、悔恨等）をも含む所の「精神（ガイスト）」と名づけらるべきものである。この精神の有限なる存在の領域に於ける作用中心を人格となづけるがそれは他の靈的中心としての一切の機能的生命とは本質的に異つたものである。何者それは自由なる精神としてもはや衝動や環境の束縛に身をまかせず、外界の抵抗中心をば自己の對象とし、それの斯在(ゾーザイン)をば原理的に自ら把捉することができるからである。動物は何らの「對象」をも持たず唯その環境の中に extatisch に生きてゐるに過ぎず、從つて Umwelt を Welt にまで擴大することが出來ないのに對して、人間は之をなすことができ、"Wider"-stände を "gegen"-ständlich とすることができるのである。そればかりではなく更に彼は彼自身の生理的心理的なる作用乃至體驗をも再び對象化することが出來、これによつて自覺的存在となるのである。かくて對象存在は精神の論理的側面の最も形式的な範疇である。唯精神自身はいかにしても對象化することの出來ない純粋な作用的事實である(Die Stellung des Menschen im Kosmos. S. 44—60)。

彼はこの精神の特色を明かにするためにそれに特有な作用として觀念化 Ideierung の作用をあげる。それは凡ゆる術知とは本質的に異るもので、術知にあつては例へば私の腕が痛む時それがいかにして生じ、それからいかにしてのがれる事が出來るかを問ふのであるが、此の作用にあつては現實の痛の知覺から離れて抑も痛の本質は何であるか、その可能根據如何を問ふのである。我々はその偉大なる一つの例を佛陀に見ることが出來る。彼は人生に於ける生老病死の痛苦をば深く自らの衷に味はつたが、しかしこれを單なる痛苦として主觀的に體驗するに止らず、むしろその態度を止揚して其處に本質的な世界事實としての諸行無常を把握したのである。我々はこの作用に於て觀察事例の數から獨立に、世界の本質的構成形式をば(單なる一つの事例からでも)端的に把握するのである。しかもそれは一のアプリオリな本質把握として我々の凡ゆる感性的經驗の限界を越へた絕對的な妥當性をもつ。人間精神の本質的特徵はそれが單に知識をもつことにあるのではなくてかかるアプリオリな本質把握の能力 die Fenster ins Absolute をもつことにある。人間は感性知覺が與へる現實の存在に對して力强き「否」の聲を發し得る唯一の存在である。もともと物の現存在の意識は單なる感性知覺によつて與へられるものではなく(それはただ物の斯在を示すにすぎない)、之を與へるものはむしろ抵抗の體驗であり、この體驗の根底には常に努力的衝動的な生が橫はつてゐる。實在の體驗は我々の世界表象の後に與へられるものではなくてむしろこれに先行するものである。しからばかゝる實在に對する力强き「否!」とは何を意味するか、世界を非現實化し觀念化するとは何を云ふか。それはフッセルの如く Existenzurteil をさし控へることではなくて、むしろ方法的に實在契機自身を止揚し、かの力强き全實在意識をばそれの熱情的對應物と共にのぞき去ることである。この非現實化は結局唯かの生の根源的衝動の止揚、無力化に於てのみ可能である。何者世界をば抵抗として現象せしめ、知覺に現存在性格を與へたものは正にこの衝動に外ならなかつたから。而してこの作用を遂行し得るものは精神を措いて外にないのである、之によつて人間は彼の生に對して原理的に否定的に處置し得る唯一の存在者である。動物が自ら嫌惡し遁走する現實に對してすら常に Ja と云ふに對して、人間は之を否定する Der "Asket des Lebens" であり、現實に對する永遠のプロテスタントである。之によつて彼は彼をめぐる現實に滿足せず常に熱情的に此の現實の制限を打ち破るのである。(Ibid. S. 60—66)

かくて人間の精神生活は單に生物一般の生活意欲のそのまゝなる肯定としての延長的發展ではなくて、むしろそれの强靱なる否定に於て死の中に甦る高次の生であるとするならば道德や宗敎や藝術がニーチエの所謂權力意志に對して否定的意味を有することは明かであらう。人間的實存に於ける眞實の實踐は單に我々の本能をなす處の生活衝動をばそのまゝに肯定しゆく處に成立つのではなくて、かゝる衝動的生がそれの觀念化作用に於て自己否定的に昇華せられ、高次の世界に働く文化的乃至宗教的活動として自己を實現することでなくてはならない。この否定は人間が本來もつ處の生活意志を弱め無力なる弱者とすることではなくて、すぐれて强靱なる生命をば低き現實の生活圈の中に徒らに消費せしめずして、高きものの創造作用の中に淨化的に高揚することを意味する。聖者は慥かにその衝動を抑壓し否定し、自己自身の存在をすら無とするものではあるが、かかる無抵抗的なる心身脫落、脫落心身の世界こそすぐれて强剛なる精神の「否定のエネルギー」を豫想する。かく見れば精神は衝動の抑壓の上に始めて生ずるのではなくて、却つて衝動の抑壓それ自身が偉大なる精神の力に待たねばならないのである。何れにせよ我々の精神はそれ自身の中に深くすぐれて辨證法的なるものを包藏してゐる。否一切の辨證法は唯この根源的なる生の辨證法の派生的形態にすぎないのである。もし然りとすれば知と行、特に哲學と實踐との關係に關するすぐれて困難なる問題も人間的實存のこの辨證法的なる在り方を措いて外に理解する道は不可能であらう。知は行の否定であり、哲學は實踐の否定でありながら、しかもこの否定に徹する處にかへつて眞實の實踐的行爲がそれの高揚された世界の中に力強く肯定されるのでなければならないであらう。しかしシユーラア自身はかくの如き辨證法的思惟を肯定するものではなかつた。彼もまたすぐれて實踐的なる哲學者として我々の「精神」がもつ深き行爲的意義をば明かにしながら、哲學的認識としての本質直觀がもつ處の實踐的意義に關してはあまり多くのものを敎へてくれないのである。こゝに我々は又再びその思索の步みを戻して日常的なる生活體驗から出直す必要に迫られる。

八

理論と實踐の問題に關聯して最初に明かな平凡な眞理は、いかなる哲學者と雖も彼が一人の人間である限りその社會的道德的な實踐的關聯から遊離して生きることは許されてゐないといふことである。それは彼がいかに眞理のための眞理を信じて居たとしても其の事によつて彼を非人間的存在とすることが出來ない限りいかにしても不可能なことであらう。この意味で實踐は理論の單なる手段ではなく、少くとも獨自の價値領域をもつたものであるといふことだけはいふことが出來るやうに思はれる。否そればかりでなく、かゝりにかうした非實踐的な哲學者や藝術家があつたとしても、私はかうした非人間的な生活意識の中から眞實の哲學や藝術が生れるといふやうなことを信ずることが出來ない。勿論藝術は勸善懲惡の手段ではなく、哲學は思想善導のお說教ではない。これらのものの根據は單なる道德の世界よりはズッと深い處にあるやうに思はれる。だから道德家必ずしも哲學者ではない。情熱の奔放な藝術家はしばしばその情熱の波にさらはれて人倫を破りながら、すぐれた作品を世に殘してゆく。まことにゲーテも云つたやうにすぐれて生きた人間ほどすぐれて大きな過ちをおかすものであるとさへも云ふことが出來るであらう。しかしかく過つといふことは人生に對する眞摯な非妥協的な態度を豫想する。始めから人生を茶化して、巧みに世渡りをして行かうとするやうな者は恐らくその生涯を通じて一度も切實な「過ち」の經驗を惱むことはないであらう。私がここに道德的生活とか實踐的態度とかいふのは必ずしも規則通りの人生の常道を歩む品行方正なるものを指すのではない。哲學は不斷に過ちを犯しつゝも尙深く人生を愛し、純眞に眞實を求めゆくものの生命の道でなくてはならない。その意味で我々の哲學的要求の中には單なる知識へのあこがれ、知ることとの喜びといふことだけには盡きない實踐的生活との深いつながりがあるやうに思はれる。哲學が單に知識のための知識への愛につきるものであるならば、それは之を求める人間の生活態度を離れても可能であらう。然るに我々がその歴史に於てもつ處の過去の偉大なる哲學は常に必然的と云つてもいゝほど偉大な人間性と結びついてゐる。フィヒテも云つたやうに人がいかなる哲學を選むかは彼がいかなる人間であるかといふことを離れては考へることが出來ないのである。だから我々の哲學の具體的な發展は單に研究室の中での讀書と思索とに於てのみ成り立つのではなく、意志と感情と身體的行動とを含めた實存そのものの全體的構造聯關に於ける人格的內面的發展とのつながりに於て始めて可能であるやうに思はれる。今迄私は知と行、理論と實踐とを相對立する二つのものとして區別する態度をとつて來たのであるが、抑もこの兩者の間に果してそれだけ明確な區別が成り立ちうるかどうかといふことにさへ疑へば疑ふ餘地があるのである。例へば普通我々は實踐が常に Entweder-oder に於ける決意性を要求するに對して理論的思惟の世界にはかゝる決意性はあらはれないといふ。しかし思惟も亦常に誤謬の深淵の前に立つて自己の沒落におののく危機性を含んでゐない譯ではない。むしろ行爲に於ける善惡の決意的判斷の底には深き眞理への意志が動いてゐる。善を求むる意志は眞實に生きんとする意志である。或は認識に於ける眞僞の選擇は決意によつてではなく、眞理自身の光りに照らされることによつて行はれるといふかも知れないが、もしさう考へ得るとすれば實踐に於ける決意も亦善のイデアの光りに照らされることによつて行はれるとも云ふこともできるのではないか。又當爲は理論の世界にはその眞實なる姿をあらはさない、何となれば人は論理の法則を知る時必然的に之に從ふものであるからといふかも知れないが、實踐の當爲と雖も苟しくもそれが彼の内的なる生命の要求として彼の前に切實にあらはれる時果して之に從はないで居るといふことが出來るものであらうか。彼が之に從はないやうに見へるのは實はそれが彼に眞實なる當爲として開示されてゐないことを示すに過ぎないものではあるまいか。更に實踐は直接身體的行動につながり何らかの意味でポイエシス的な側面をもつものであるのに理論はかゝる必然性をもたないといふものもあるかも知れないが、身體のない人間が不可能である限り思惟も亦身體的行動を含んだものであり、從つて又、一つのポイエシスに向つて發展すべき必然性をもつたものであるといふことも出來ると思ふ。相違はその作品が一方が唯語られた言語や紙にかかれた文章であるのに對して、他方が感覺的により明確な限定をもつた表現の形式を備へてゐるといふ程度上の相違にすぎない。故に理論的なる思惟は實踐的なる行爲の「一つの」形式であるといふことも出來るやうに思はれる。

かく考へ來れば恰も藝術家にとつては自己の眼を通して深く自然を視、これをカンヷスの上に表現することが最高の行爲であり最大の實踐であるやうに、哲學者にとつては實在の眞相をば直觀や概念的思惟を通して深く把握し表現することが、彼の實存の實踐的意義を規定すべき最も重要な契機でなくてはならない。即ち哲學者の哲學者としての實踐的存在の全意義は彼の理論的思惟そのものにかかつてゐる。彼にあつてはよく思惟するといふことが即ちよく實踐するといふことに外ならないのである。時に彼が憐憫の情にかられて貧しき者を訪ひ幾分かの慰めを與へたとしても、それが彼にとつてすぐれて實踐的なる行爲とはいへないであらう。彼も亦社會のノモスに從ひ、名を求めず、富に捉はれず、時には禁欲的なる生活をすら敢て選むことを辭しないであらうが、それは其の事自身が高き實踐的價値を有するからといふよりは、むしろ彼にとつて最高の實踐たる偉大なるロゴス的創造にとつてそれが必然的な道であるからであるとも考へることができるであらう(Spinoza; Tractus de intellectus emendatione—Descartes, Discours de la methode: III等に於ける日常生活に對する彼らの態度を見よ)。故に哲學的思惟に身を委ねるといふことはそれ自身決して非實踐的となることではなくその中にも他の政事的、軍事的乃至經濟的生活に於けると同樣の否本質的には更にそれ以上の高き實踐的契機が含まれてゐるやうに思はれる。

しかし哲學することと乃至哲學的生活のもつこの實踐性は、それによつて產み出された哲學的體系そのものが實踐的性格をもつことを意味しはしない。成るほどある意味では「哲學すること」を離れては「哲學」はないといふことも出來る。けれども恰も藝術的作品が一度び藝術家の手を離れて一つの作品として觀賞者の前に立つときそれが凡ゆる製作活動から獨立した意味をもつやうに、一つの形而上學的體系はそれがいかなる實踐的生活態度を以て造られたにもせよ、それが一の體系としてロゴス的な表現を得るとき、創作者からは獨立した一の理論的世界の中なるものとしてもはや作者とのつながりを斷たれたロゴス的作品となる。理論と實踐との關聯に關する最も困難な問題の核心は恐らくむしろ理論のこの象面に於て見出されねばならぬであらう。何となれば我々はこゝに到つて初めて知と行との絶對他者的對立關係に直面するやうに思はれるからである。

扨我々の知識の中、自然に對する經驗的乃至科學的認識が單なる眞理のための眞理の純粹な知的要求に基く客觀的認識ではなくて、かゝる純粹な科學的研究態度の底には既にベーコンの所謂「知識は力なり」が働いて居り、自然に對する權力意志、我々の生活意欲に根源的なる支配への衝動が動いてゐるものであること、それがあるがまゝの自然の具體的な模寫ではなくて我々の自然支配に都合のいゝやうに法則化され、機械化され、安定化されたところの抽象的單化的知識であることは既にのべた通りである。又我々の歷史的認識が常に我々の社會的歷史的實存の行爲的現在の立場から爲されるものであることも今日の歷史哲學が示す通りであらう。中世紀が暗黑時代として把握されたのは近代人の復古的精神に於ける行爲的要求を離れては理解されることが出來ないであらうし、日本外史や大日本史が德川中期以後に於ける國民的統一運動に於ける觀念形態の一つとして把握されることには何人と雖も一應の承認を與へざるを得ないであらう。少くとも歴史が過去の單なる模寫にすぎないものではないこと、それが常に現在の立場から選擇し直され、書きかへられ見なほされるものであること、しかもこの書き換へや選擇の原理は歴史家が(意識的乃至無意識的に)その時代を通してもつ所の社會的歴史的行爲へのパトスを措いては外に求められることが出來ないといふこと——少くともこれらの事だけは今日の我々は明かに斷言することが出來るように思はれる(三木淸氏、歴史哲學參照)。然らば哲學はどうであらうか。ベルグソンもシェーラアも科學的知識の實用主義的相對論的行爲的性格に關しては明かに之を認める態度を示しながら、形而上學的認識に對しては必ずしも之と同一の態度を取つてゐない。ベルグソンにとつてはこの二種の學は方法的にも本質的にも全く異る意圖と形態とを持つた學であり一般の知識が、確固たる支持點を求める生活の必要から生じた抽象的分析的相對的知識であるのに對して、哲學はかゝる生活要求を離れた沒關心的作業として一切の概念の固定化をさけ生の流動の中に身を棹して持續そのものを直觀することに基く具體的絶對的知識である。又シェラーによれば哲學的認識は實在意識の根底となつてゐる處の抵抗意識の止揚に基く現象學的還元の作用を經た後の Ideierende Wesenserkenntnis であり、世俗的事物に於ける現存在の系數をば durchschreiten し括孤に入れた後に成り立つ處の本質把捉である。もしさうとすれば他の學は別として少くとも哲學だけは實有的生の現實の實踐的關聯から離れた實在そのものの端的な把捉として自己目的々な獨自な領域を持つものであり、そこに自己の絶對性を主張する權利を持つことができるであらう。

　私はこゝにこれと對蹠的な位置に立つマンハイムの歷史主義見地を看過することは出來ないであらう。何となれば上にのべたやうな思想は唯マンハイム的なる思想を克服し得た後にのみ始めて眞實に肯定し得られる事柄だからである。哲學は今迄學の學としてその認識の絶對性と、其の體系の唯一性、普遍性とを目ざして常に歩んで來た。けれども事實に於てはこの理念は曾て一度も實現されたこともなく、むしろその方向の分裂と錯綜とは哲學の歷史的發展を通して愈增大しつゝあるやうに思はれる。哲學の發展の歷史は決してその思想內容の統一の歷史ではない。この點で一般自然科學等とは根本的な相違があることは何人と雖も承認せざるを得ないことであらう。しかしマンハイムも云ふやうに事實存在する學が、我々のもつ學の理念に一致しないからといつてそれだけの理由で直ちにその學の存在根據を否定することは早計である。それよりか我々はむしろ我々が今迄持つてゐた學の理念そのものが果して正當なものであるかどうかを疑ひ反省し吟味して見る必要があるであらう(Mannheim, Historismus. Archiv für sozialwiss. u. Sozialpolitik, Bd. 52, Heft I, S. 52)。彼によれば自然科學と歷史科學とは本質的にその構造を異にするものであり、後者にあつて普遍性を求めるといふが如きことはむしろ學そのものの本質の去勢である。勿論それらは各一の客觀的體系を意圖するものではあるがかゝる意圖の根底には夫々の時代の新な生活狀態が超論理的な規定根據として動いて居り、この意味で凡ての歷史科學は夫々の時代の眞理を語るものである。歷史的認識に於ける體系化は常に現在に於ける我々の實踐上の位置によつて決定されるものである。それは唯遠近法視的にのみ可能なものであるが故にかゝる體系をばその背後に横はる生活關聯から切り離して單なる客觀的論理的認識體系として見るといふことはそれの歷史的具體性を沒却することである。

然らばこれらの學に於ける普遍的必然性の要求は單なる偶像的要求にすぎないであらうか。彼によればかく學の事實的存在をば實存の具體的生成の中に見るといふことは決して直ちに悪しき相對主義に陷ることを意味するものではない。夫々の體系は夫々異る社會的歷史的生活關聯の地盤の上に立つものとして皆夫々の必然性をもつてゐる。それらは人間の歷史の全生成の統一の中にあつて、各の境位に應じた他とかへがたき獨自な意味をもつたものである。(a. a. O., S. 1—60)

以上の如きマインハイムの見解の中には私の問題に對して學ばるべき多くのものを持つてゐるやうに思はれる。我々が根源的に行爲的實踐的存在であり、我々が人間として實存するといふことは社會的歷史的なる行爲に於て存在するといふことである。尤もこの行爲的とは道德的倫理的といふような限定された意味ではなく、かゝる限定以前の無限定的なる動性であることを意味する。實存の此の動性は何よりもまづ時間性として規定せられるであらう。それは無限の過去を自己の背後に荷ひつゝそれの全體によつて規定せられる被投的存在でありながら、しかも現在の瞬間に於てこれらの一切を翻へす自己投企的存在として未來を豫料し、決意の自由性を以て自己自身の行動を生產し得る個體でなければならないであらう。しかもこの個體が一の個體として存在することができるためには常に其れが、これと同一なる時間的構造をもつた他の個體に對して立つのでなければならないであらう。即ち人間の實存は必然的に社會的歴史的なる構造を持たねばならないであらう。何れにせよ我々はその生存の根源的構造に於て此の世にあるものとして常に過去的なるもの——風土的、民族的、歴史的、社會的なあらゆる環境的限定の下に立ち、これによつて無限に限定せらるる生理的心理的自然存在でありながら、その所限定の局限に於て逆にこれらの一切をば翻して自己自身を一の能限定者として立たしめる自發的創造的な「瞬間」の自由を持つた存在である。我々が我々にとつて最も直接なる行爲的事實に着目し、單に「見られた」對象的存在としてでなしに、主體的な一の實存として自己を定立する限り、我々は我々自身の存在をかゝるものとしてより外に認めることはできない。このことはいかなる自然主義者、必然論者と雖も彼が自然主義者であり必然論者である限りに於て既に彼自身の中に暗默に承認してゐる事柄でなくてはならない。藝術も哲學も科學も道徳も宗教もすべて皆そこから生れるのであり、そこにのみこれらのものの生成のデュナミスが横はるのである。哲學は常に絶對の眞理を求め、眞理の全體を求めるものではあるが、しかしこれを求める主體は常に社會的歴史的なる行爲的實存の現在である。我々は常に現在の世界的境位に於てはたらくものとして眞理を求め體系を求める。體系への要求は常に個性と偶然とを超へた不變なるもの永遠なるものへの要求ではあるが、この要求が、それ自身歴史的現在の主體的構造の上に立つものである限り、それは常に有限なる立場から見られた無限であり、相對的見地から構成された絕對であることを免れることはできない。いかなる形而上學、いかなる絕對知の體系と雖もその底に行爲的主體としての實存の現在を横へないものはない。哲學もまた社會的歴史的現實の立場から構成された、行爲の具體的全體性に於けるそれの一構素にすぎない。これによつて我々は自己の豫料的なる行爲の深き地盤を獲得するのである。過去のいかなる體系も常に哲學の全體たることを目指しながら、やがては哲學史上の一體系として「既に」の世界に墮ちてゆくのはその哲學が體系自體として論理的缺陷を持つが故のみではなくて、むしろ哲學が哲學である限り必然的に荷はなければならない運命なのである。哲學も亦本質的に歴史的なものであり個性的なものであることとの性格を免れることの出來るものではない。恰もロダンやセザンヌに於て藝術の眞理がどれほど深く生かされたとしても、それによつて藝術の歴史が完結する譯ではなく、現代の我々にはまた我々自身の藝術が創られなければならないやうに、哲學も亦その時代と自己との歷史的社會的現實に即して不斷に新しく創造されてゆかなければならないのである。嚴密に云へば我々には何處にも die Philosophie なるものは存在せず唯誰々の哲學があるだけである。このことは理論的に證明するまでもなく事實そのものが何よりも明かに示してゐる通りである。まことに人は皆自己の哲學を持たなければならないのである。我々にとつて他人の思想は何處までも我々の現在の觀點からその遠近法を通して見られた限りのものであつて、それ以上のものであることはできない。ロゴスの底には常にパトス的なるものが動いてゐる。體系の論理的性格を支へてゐるものは決して論理自身ではなくて氣分的性格をもつた實存の運動性である。論爭に於て人は說伏させられはしても說得させられはしないのである。論理の誤謬は直ちに訂正されることが出來る。それにも拘はらず之のみによつて哲學を訂正することはできない。哲學の訂正はむしろその根底なる未成形的な氣分の方向そのものの動搖にまたなくてはならないのである。偉大な哲學が私達に與へる影響の多くはむしろかゝる未成形的な深部に於て我々の生そのものを根底からゆり動かすことに基くのである。

然らば哲學の體系のもつ論理的普遍性や絶對的全體性への要求は單なる主觀的要求にとゞまり何らの客觀性をも持たないものであらうか。私は上にのべたやうな哲學の實踐的個性的性格は決してかゝる相對主義に墮するものではないと思ふ。既に科學的知識がわれわれの生活意欲を根底に置いた一の術知的性格を離れ得ないものであるにもかゝはらず、すぐれて普遍的なる性格をもつてゐることを見ても、認識が實踐と結びつくといふことが必ずしもその認識の相對的主觀性を歸結するものでないことは明らかである。總じて認識の認識としての本來的な意味はそれが單なる主觀的觀念や臆見であることをはなれて、客觀そのものに從ふ處にある。認識はその根底に生活意欲を包藏してはゐるにしても、生活意欲が單にかゝるものとして其の主體性の中にとゞまつてゐただけでは認識は成り立たない。それが成り立つためには生活意欲は一とまづかゝるものとしての自己をば否定しなければならない。彼は、パンのため、力のために知を求むるのでなくて知のために知をもとめ、眞理のために眞理を求むる純粹知的認識的態度にまで自己自身を純化し止揚しなければならない。故に愛知者であることは必ずしも哲學者に限られたことではなく、科學者も亦すぐれて愛知者であることができるのである。唯科學者は彼がどれほど純粹な愛知的態度の上に立つてゐるにはしても、その學問の根本前提をなしてゐる地盤は具體的全體的な人間の實存ではなくて、唯その一面たる物質的生活意欲、自然に對する權力意志である。そこに自然科學的眞理の根源的抽象性があり、それの限界がある。自然科學の主體は具體的な人間ではなくて單なるホモ・ファベルにすぎない。故に自然科學がいかに目ざましき發展をとげそれが原生活意欲と即而對目的に綜合されて目まぐるしき程加速度的な生活革命を遂行したとした所で、其處に實現される所のものは單なる物質文明であつて眞に具體的なる人間的文化ではない。具體的な人間はかゝる一面的な物質文明に對して常にNein！を叫び力强くそれの否定を要求する。われわれの現實の實存はまさにかくの如き倫理的宗敎的要求との關聯に於て成り立つてゐるのである。この時の我々はもはや單に自然に對する權力意志に留るものではなくて、むしろかゝる權力意志を即自態としてこれに對して否定を要求する處の、シェーラアの所謂精神でなくてはならない。かゝる精神と自然との對立矛盾相兢の中に社會的歴史的現實に於ける複雜な實踐的諸問題が展開されるのである。然るにこれらの問題は我々が單なる行爲の立場に止り、全く無反省的な實踐の立場にとゞまる限り永久に自己の新たな進路を切り開くことが出來ない。實踐が眞實に實踐の立場に徹せんとするならば彼は再びまだ自己の卽自態を離れて他在の中におのれを否定しなければならない。かくしてあらはれるものが卽ち精神科學乃至歴史科學でありこれらの諸理論の根源的統一としての哲學である。

この意味で哲學は最も遠く實踐の立場を離れた理論の理論、學の學であると共に又その故に最も深く實踐的なる學であると云ふことが出來るであらう。まことに人は自己の實存をば根源的に實踐的たらしめんとして深く反省の路を步む時必然的に哲學の世界にまで導かれて行かなければならないのである。哲學も又一の歴史的なるものとして一定の境位と相關的に形成さるゝ理論的體系たるの運命をまぬがれることが出來ないにもかゝはらず、それが常に個人や時代のPerspektivitätを離れて超個性的超時代的な絶對知の體系たらんことを求めるのはその主體が最も具體的なる全人間的實踐的主體であり、單なる欲求的技術的主體でなくて、人格的倫理的なる愛の主體であり文化的價値創造の表現的行爲的主體だからであるであらう。それは個性に卽した超個性的知識であり、時代に卽した超時代的理論である。われわれは我々の哲學が結局は「自己の」哲學として或は「現代の」の哲學として、後に來る者と後に來る時代とによつてやがては克服せられ否定せられ揚棄せらるゝものであることを十分に覺悟しつゝも尚それが自己の「哲學」として自己の實存に絕對的なるものであり、其處にのみ永遠につながる途があることを知るばかりでなく、かりに此の後にいかなる體系があらはれ來るにもせよ、現實の自己にとつてはこれのみが絕對であり、これに代るべきものを永遠に持ち得ないやうな體系をば不斷に打ち建てゆく意志をもたなければならないのである。かゝる體系は時代の實踐によつてやがて止揚される日が來るにしても、それは尙その事によつて全く消滅するのではなく、次代に於ける高き文化建設の理論的地盤としてすぐれて高き歷史的意義を獲得して永遠の生命をもつのである。我々にとつて過去の偉大な哲人達が殘した思索の跡は、それが現代の我々の思惟體系から見て既に克服された立場に立つものではあつても、それのもつ光りは此の世界に哲學の存置する限り消え去ることはないであらう。それは彼らの哲學が常に時代の實踐的制約の上に立ちながら、それの否定的轉換に於ける理論としてこれを越へた超時代的なるものを含むからであり、各〻の現實が永遠の今として絕對の意義を以て生かされてゐるからである。それは彼らが一の行爲的主體として深き實存性をその人格の底に包藏しながら、其の故に又これを否定し、純粹理論的世界におのれを揚棄して、自己のパースペクティビテートをば離れた絕對眞理の體系を目ざしてその强靱な思索の歩みを進めてゐるからである。こゝに我々はベルグソンやシェーラアが哲學を以て關心を離れた純粹持續の直觀乃至本質直觀と見たことの相對的意義を認めることができるであらう。マンハイムが彼の歷史主義的なる社會學の主體をばインテリゲンチアに置いたのも、かゝる知識的社會層のみが現實の實踐的關聯を揚棄する可能性をもつからに外ならないであらう。誠に哲學は凡ゆる學の中最も深き意味に於て實踐的なる學として、社會的歷史的現實の觀點に卽して打ちたてられた行爲的人間の理論であると共に、將にその故に又すぐれて現實の制約を離れんとする超實踐的なる理論であり、一切のパースペクティヴィテートを超越して、永遠の觀點に立つ絕對的全體性體系に於て自己の存在の本質をあらはにせんとする非實踐的な學である。哲學の實踐性はまさに其の非實踐性にあり、この非實踐性こそすぐれて實踐的なるものの必然に歩むべき自己否定の道なのであらう。

（一九三六年三月稿）

原始社會に於ける社會關係

岡田謙

目次

（一）序　言

原始社會に關する調査・研究の進むに從つて、從來信せられたが如き、原始社會を以て分業及び交易を知らない封鎖的經濟關係の社會となす觀方は次第に維持され難いものとなつて來た。勿論職業的分業の發達したのは比較的新しいことであり、貨幣を仲介とし合理的計算に基いて行はれる交換も純粹の形に於ては原始社會の未だ知らないところである。併しながら度々説かれる男女間の分業のみならず、個人の技術的才能に應じて行はれる手工的分業は殆どすべての原始社會に見受けられる事實であつて、從て其製作物の交換なり、或は相異る種族が互にその特殊の生産物を交換したりする事實も極めて廣く分布して居る。高砂族もその例外をなすものではない。何れの種族にあつても男女間の分業、集團内に於ける機能の分化以外に手工上の分化が存在して居て製作物の交換が行はれて居る。更に種族相互の間或は周圍の先進民族との間の交易が彼等の生活に重要な役割を營んで來たことは、鐵・鋼・銃・火藥・鹽を始めとし新しい耕作植物或は各種の裝飾品が古くから平地との交易を通じて得られて居る事實によつても知ることが出來る。

山地に住む彼等の食鹽に對する欲望は極めて強く平地から購入する重要な品の一つでありこれを得ることの出來ない場合の代用品としてどの種族も一、二種の植物を持つて居る。アタイヤル族の「ごむかづらもどき」「ぬるで」、ツォウ族の所謂「鹽の木」(蕃名ヤブク)等はこれに屬する。アタイヤル族で新しい土地を求めて移住する場合、農耕地としての適否、狩獵地への便不便が土地選定の第一の條件となつては居るが、時に平地との交易特に鹽を得るのに便利であると言ふ様な事柄が考慮に入れられて居る例が存在する。シキクン社の祖タマロンがミヤブフの命に從つて此地に居住することになつた時、ミヤブフは「此地は平地に出るのにも便利で鹽を得易い。我々遠隔の地の者が此地を訪問する際は鞍部(ピアナン)で狼火を揚げるから食事の用意をして款待して呉れ。そして土産には鹽を一人に碗に一つづゝ矢を一本づゝ與へて欲しい」と言つたと傳へて居る。パイワン族カビヤガン社に於ても祈禱師に病氣平癒を祈つてもらふ場合の謝禮としては鹽を茶碗に一杯と「あかざ」を同じく茶碗に一杯與へるといふ。かように文明社會に比して自給自足性の強い原始社會にあつても外部との交易が大切であり、且後に述べる様に原始社會自身の内部に於ても手工的製作品の交換が行はれて居るといふことは原始社會の經濟生活を理解する上に是非とも注意すべき重要な現象である。而して原始社會に於ける交換は純經濟的給付反對給付としてゞはなく儀禮的交換の色彩を帶びることが多いといふ事實も交換の原初形態を知る上に重要な手懸りを與へるものとして注意されなければならない。かような原始分業原始交換原始交易が經濟史乃至經濟社會學の側からもその主要對象の一つとして取り上げられなければならないのは當然のことであるが、私は今此事實を次の如き立場から取扱つて見度いと思ふ。

高砂族に屬する各種族に於て全體社會に當るものゝ範圍は種族により時により場所により廣狹の差異があるが、何れにしても其全體社會を作り上げて居るのはその內部にある各種の社會集團の重り合ひである。此等社會集團は一方には其各〻の機能を遂行することにより他方には其屬する成員を共通にすることによつて互に相連結し以て全體社會を維持して居るのである。ところが全體社會の活動を維持して居るものは單に社會集團のみでは無い。社會集團の如く强固な結合をなさず緩かな非定形的な結合關係を保ちつゝ或場合には新しい集團形成の準備段階となり或場合には集團がその求心的傾向のために互に封鎖的となつた際に緩かな個人關係を通してその間の連絡を保つ作用を營むといふ様に集團と並んで且集團の作用を補ひつゝ全體社會を維持し時に全體社會を擴大する作用を持つものがある。緩かな流動的な結合關係といふ意味に於てこれを社會關係と呼ぶことが出來るならば、原始社會に於ける社會關係の意義も亦重要視すべきものであると考へられる。偖、前述の手工的分業及び交易はかゝる社會關係と見做し得ないであらうか。何となれば社會集團は一定の成員・組織・機能を持つて居るが、手工的分業にあつては手工品の製作者同志の間には何等の結合關係は無く、製作者と購入者との間にも強い結合は無い。(勿論これはその事自身から強い結合を生ずることがないといふ意味であつて製作者が互に父子兄弟の關係に立つことを妨げるもので無く、製作者と顧客とが親族であることも極めて多いのである。)かように分業關係に立つ個人は互に集團を作ることなく且既存集團の制約から多少とも離れて個人的技能によつて相互に緩かな關係を保つて行く。而も、此關係はその社會の生存にとつて缺くべからざるものであることはその製作品を見れば了解出來るのであるから、分業を以て重要な社會關係と見做すことは可能であらう。次に外部主として異種族との間の交易關係も亦社會關係である。

比類なき理蕃政策の進捗にも拘らず、高砂族は今日尚我國家に完全に融合して居るとは言はれない。況や清朝時代に於ては全く化外の民の名に相應しいものであつた。ところが此時代にあつても既に平地の產物と蕃產品との交易は色々な形で行はれて居た。集團としては仇敵關係にある場合にも個人的な交易關係を通じて接觸が保たれて居ることの多いといふことは文化融合の一形式を示すものとして興味深い。

以上述べて來たところのもの、卽ち內部的社會關係としての分業、對外的社會關係としての交易が高砂族に於ては果して如何なる形をとつて現はれて居るか、この點が此論文の明かにしようとする事柄である。

(二) 內部的社會關係——分業

分業に關して私の試みた調査は、調査蕃社に於て如何なる個人が如何なる手工品を製作して居るか、製作された手工品は如何なる比率で交換され若くは賣買されて居るか、かゝる分業と社會集團例へば氏族等との間に何等かの制約關係があるか、等を中心とするものであつて、アタイヤル族三社、ブヌン族二社、ツォウ族二社、パイワン族一社、ルカイ族一社に關するものである。以下各社に就いて具體的事實を示すことゝする。

（1） アタイヤル族カムジャウ社

カムジャウ社はペルモアン社、ムカバボ社（廢）と共にマレッパ蕃と稱せられ、北港溪上流に位置し、戸數七五、人口三八七（註）（臺灣總督府警務局刊行昭和九年末現在蕃社戸口に據る）を算する。彼等は四つの Qotox Qologan（若くは Qotox Nineqan）に分れ、各〻主として父系の血族を中心としこれに母方の親族及び姻戚を少數加へたものから成り、狩獵の獲物を共食する權利を持ち、成員の婚姻に際しては出嫁の場合には相手方に招待される權利があり迎娶の場合には酒宴のための酒食を提供する義務を負ふて居る。耕地は二三、兄弟同志で共有して居る例を除き全部各戸（Qotox-Gasal）毎に異り家は小家族によつて占められて居る。從て生活の單位は小家族である。全社卽ち一地域集團を Qotox Qalang（一つの蕃社の意味）と呼び、狩獵地を共同にし、成員或は外部から何等かの犯罪に對して賠償を出した場合これを酒食にかへて共食するのも一社の權利である。外敵に當るためには數社共同するが此等は發祥地を共同にし同じ川の流域に住んで居るものであつてこれを Qotox Lilyung と呼んで居る。マシタバオン社・テビルン社・マカナジー社(以上白狗蕃)、ムカブブル社・ムカターダ社・マカジヘン社(以上マリコワン蕃)、カムジャウ社・ペルモアン社(以上マレツパ蕃)がこれである。この内、カムジャウ社とベルモアン社は他の二蕃の銘々がそうである様に特に親密であつて祭祀を共同にし祭主はカムジャウ社から出て居る。

以上各種の社會集團は父系血族及びその擴大せるものを中心として組織されて居るが、分業は次の如く個人の技能によつて營まれて居る。尙手工的分業の敍述に先つて男女間の分業に就いて述べれば、

○男子の仕事

狩獵、出草、開墾、伐木、罠掛け、漁撈、織機作り、蕃刀製作、鍬の柄・籠・帽子・笛・臼・負網・簗等の製作。

○女子の仕事

機織、炊事、豚・鷄の飼育、麻の收穫(男子が切ることもある)、麻糸作り(第一圖參照)、裁縫、酒作り、

農耕に於ては開墾の如く一時的に力を要するものは男子が爲し、その後の小鍬を

用ひてなす耕作或は運搬は女子が行つて居る樣である。

次に製作品と製作者と大體の賣買價格であるが、注意すべきは製作品は我々の貨幣によつて賣買されることは極く少く、粟其他の食料品又は衣類と交換し、或はその製作中製作者の畑の手傳をするとか、或は材料を提供して完了後酒を飮ませるといふ風にして手に入れることが普通である。從て記した價格は粟その他の品の其地での價格(推定)から割出したもの、若くは稀に貨幣で賣買する場合の價格を示すものである。

○籠類(第二圖參照)

製作者――

Walis-Tolex, Pilan-Ubus, Suyan-Sumui, Yaui-Suyan. (四名)

價格は

△Tilikup(辨當入)＝五〇錢―一圓

△Pusi(一種の籠)＝四〇錢―一圓

△Luku(箕)＝二圓

△Kagilan(火上で粟を乾すもの)＝二〇―三〇錢

○蒸籠 Pusiloan

全社の成年男子の半分位が作り得る。

價格＝五〇錢—一圓

○臼 Lohong

製作者——

Taimo-Naui, Taimo-Nokan, Yukan-Lahui, Tausin-Nokan, Taimo-Tuyao, Uilan-Peheq, Suyan-Sumui, Seilan-Sumui, Yabo-Nongai, Yabo-Tolex （十名）

價格＝一圓—三圓

○織機

製作者——

Taimo-Naui, Suyan-Ehen, Yabo-Nongai. （三名）

價格—胴のみ＝三圓、全部＝六圓—七圓

○帽子(籐製) Kabubu

製作者——

Suyan-Ehen, Tausin-Buyun （二名）

價格＝一圓

○負網 Taukan

製作者――

Yaui-Suyan, Meun-Tausin, Tahos-Laqes, Yabo-Tolex, Kailan-Nabu, Walis-Lawa,
Suyan-Ehen, Kumai-Watan, Taimo-Naui, Suyan-Sumui, Seilan-Sumui, Ubus-Kumu,
Tausin-Sita, Walis-Taimo, Peha-Nabu, Yaui-Kugan, Itsihe-Nokan, Hobin-Nabu,
Lolin-Nabu, Taimo-Ilun, Seilan-Syets, Pawan-Sita, Suyan-Pusin, Seilan-Pusin,
Walis-Hayun, Yukan-Tolex. (二十六名)

價格＝五〇錢―一圓

○Kaso (甘藷を煮る時に被せる木の蓋)

製作者――

Tausin-Nokan, Uilan-Peheq, Ubus-Nokan, Taimo-Umao, Meun-Nawai, Taimo-Tuyao,
Walis-Hayun, Suyan-Ehen, Yabo-Nongai, Yabo-Kutsiai, Suyan-Bohe, Ubus-Kumu,
Seilan-Sumui, Suyan-Sumui, Tausin-Sita, Lolin-Nabu, Yaui-Buyun. (十七名)

價格――未調査

○魚獲用簗 Pusabo

製作者——

Tausin-Buyun, Seilan-Sumui. （二 名）

價格＝三圓

○蕃刀の鞘 Ubu-lalao

製作者—特に巧なる者—

Taimo-Umao, Pahau-Ubus, Taimo-Tuyao, Yabo-Nongai, Taimo-Walis, Taimo-Tausin, Walis-Hayun, Yaui-Suyan, Kumai-Watau. （九 名）

價格＝二〇錢

○蕃刀の柄 Baigan-lalao

製作者—特に巧なる者—

Taimo-Umao, Yaui-Suyan, Iban-Tausin, Seilan-Sumui. （四 名）

價格＝四〇—五〇錢

○猪・鹿の罠

全社の半分程が作り得る。

價格＝一圓

○笛 Gao

製作者――

Seilan-Sumui,　Ubus-Nokan,　Taimo-Umao.　（三名）

價格＝燐寸二つか三つ。

この他女子が行ふものに入墨及び祈禱がある。

○入墨

施術者――

Wasyeq-Sayun,　Tappas-Sayun.　（二名）

謝禮としては拾圓位に當る布・衣類・粟等を與へる。

○祈禱師　Hamogup

Sumeq-Pawan,　Ali-Buyun,　Tappas-Buyun,　Yungai-Tolex,　Yawai-Masin,
Yawai-Kauba,　Sumui-Nongai,　Ali-Tauyu,　Yawai-Tappas,　Yabun-Ehen,
Yawai-Lawa,　Yawai-Lissai.　（十二名）

謝禮としては最初に重病は鍋（＝二圓）を輕症には麻二〇―三〇錢を與へ其後祈

禱を受ける度に少しづゝの禮をする。
以上各種の手工に携はる男子は總計八〇名であるが、この中、一人で六種の手工の出來る者一、四種が四、三種が三、二種が六、となつて居るから差引五一名となる。從つて全社の男子一九二名(壯丁一一二名)中此五一名が或は物々交換により或は勞力の援助を受け或は酒食を饗せられて以て其製作品を相手方に提供して居るのである。

註　Qotox-Qalegan の Qotox は數字の一であり、Qalegan は一緒になるといふ意味であるから一緒の仲間といふ意味であらう。他のアタイヤル族にあつて、Qotox-Gaga (習慣を共通にする者の意)といはれる團體があつて祭祀を共同にして居り、人數から言つてほゞこの Qotox-Qalegan 位であるが、此處では Qotox-Gaga といへば此團體に就いても蕃社全體に對しても用ひられ一定の團體を指さないと言ふ。Qotox-Nineqan は一緒に食べる仲間の意であつて部族によつて Qotox-Gaga と範圍が一致することもあれば、大きいこともあり、小さいこともある。

(2) アタイヤル族シキクン社

シキクン社は臺北州の濁水溪の上流に沿ひ所謂溪頭蕃に屬して居る。同社は Qalan-Tsio と Qalan-Kiiziq の二社に分れ前者は五つの Qotox-Gaga に、後者は四つの

Qotox-Gaga に分れ、その各は大體に於て父系親族が中心になつて居る樣であるが、必ずしもこれのみでなく姻戚が入つたり他人も加はつて居て出入も割合自由の樣である。兄弟でも別のガガを組織して居る(Qalan-Tsio)。Qotox-Gaga の成員は先づ祭祀を共同にし、狩獵の獲物・賠償金による酒食を共食する。出草にも共同で出掛けることが多い。婚姻に際し酒食を持ち寄り或は招待を受ける間柄は Kiiziq 社では四ガガ全部であり從て全社が Qotox-Nineqan であるが Tsio 社は二つの Qotox-Nineqan に分れる。狩獵地は二三のガガで共有して居る場所とシキクン全社有の場所とある。耕地は各戸毎に分れて居るが時に兄弟又は舅婿で共同に所有して居る例がある。外敵に當るため或は共通の事件を處理する爲の結合は前例の如く Qotox-Lilyung (若くは Qotox Palahaban 一緒にするの意)と呼びこれに屬する社は Pianan, Sikikun, Lumoan, Baunu, Bonbon, Toolui, Saigan, Sianox, Metalox の各社であつて、これの總頭目はシキクン社の Yumin-Mobai である。

以上の如き社會集團の間にあつて分業關係は次の如くなつて居る。(名前の後の(上)は Tsio 社、(下)は Kiiziq 社)

○箕　Luku

製作者——

Malai-Tauke (下), Yulaq-Bagax (下), Yabo-Mola (下), Watan-Batto (下),
Yukan-Sets (下), Lokau-Uilan (下), Taimo-Sisipp (下), Watan-Malailax (上),
Taimo-Lukin (上), Suyan-Nokan (上), Pilao-Malai (上), Yukan-Malailax (上).

（十二名）

價格＝二圓（＝粟二〇把）

○帽子　Kabubu

製作者——

Malai-Nomin (下), Hayun-Toga (下), Tailin-Malai (下), Yukan-Sets (下),
Hayun-Nokan (下), Malai-Hayun (下), Watan-Batto (下), Malai-Tauke (下),
Taimo-Sisipp (下), Suyan-Nabu (下), Suyan-Bonai (上), Yukan-Malaibaqei (上),
Suyan-Nokan (上).

（十三名）

價格—有鍔＝二圓・無鍔＝一圓

○負網　Taukan

製作者——

Suyan-Nabo (下), Hayun-Nokan (下), Watan-Nani (上), Hayun-Nokan (上), Suyan-Nokan (上).　(五名)

價格＝二圓

○鍛冶(鞴は用ひない。銃の發條・小刀・鏃の製作)

製作者――

Yumin-Losin (下), Batto-Malai (下)(鏃のみ), Tailin-Malai (下)(鏃のみ), Hayun-Toga (下)(鏃のみ).　(四名)

上の社は不詳(口述者が下の社の者なる爲)。

價格＝不詳

○蕃刀の鞘

製作者――

Tailin-Malai (下), Yukan-Sets (下) その他相當あり、Yukan-Malaibaqi (上)

價格＝三〇錢

○織機

製作者――

Losin-Malai（下） Yumin-Takaosi（上）〔附屬品のみ〕 （二名）

價格＝七圓

○口琴 Lobo

製作者――

Hayun-Nokan（下）, Yukan-Malai（下）, Uilan-Goho（下）, Suyan-Nabu（下）,
Watan-Malai（下）. （五名）

上の社は不詳

價格——一簧＝一〇錢・二簧＝二〇錢・四簧＝三〇錢

○酒搾りの袋 Tsisi

價格―一簀＝一〇錢・二簀＝二〇錢・四簀＝三〇錢

製作者――

Malai-Tauke（下）, Yukan-Malai（下）, Hayun-Nokan（下）, Taimo-Sisipp（下）,
Yulaq-Bagax（下）, Watan-Batto（下）, Lokao-Uilan（下）, Yukan-Sets（下）. （八名）

價格＝一圓

○竹製辨當入 Gino

製作者——

Yulaq-Bagax (下), Watan-Batto (下), Yukan-Malai (下), Malai-Tauke (下),
Taimo-Sisipp (下), Suyan-Nabu (下), Lokao-Uilan (下), Malai-Nomin (下),
Watan-Malai (下), Hayun-Nokan (下), Yukan-Malaibaqei, (上), Watan-Malailax (上).

(十二名)

價格不詳

○籐製の物入 Puusi

製作者——

Malai-Tauke (下), Yukan-Sets (下), Taimo-Sisipp (下).　(三名)

價格不詳

女子に關しては祈禱師のみで入墨の技術者は此社には居ないのでサラマオ社に依賴する(施術料は男の顏面は一圓女の顏面は十圓卽ち眞鍮鍋二つを與へるといふ)。

○祈禱師(◎印は依賴者の多い者)

Lukul-Malai (下), Lukul-Nokan◎ (上), Lappin-Pilo◎ (上), Yawai-Lawa (下),

Yabun-Laman (下), Lappin-Nani (下), Biilun-Hayun (下), Yawai-Malai (下),
Yuwal-Mewal◎ (上), Yayuts-Bonai (上), Ippai-Bonai (上), Ippai-Tolex (上),
Tsiwas-Sọlo (上). (十三名)

謝禮は一回に粟一把(十錢)を與へるが重病の場合はやゝ高い。

シキクン社は上下兩社合して戸數八四、人口男子二一八名・女子二四〇名・合計四五八名(番社戸口に據る)であつて、男子二一八名(壯丁八九名)中製作者合計六四名この中五種の手工を行ひ得る者五名・四種二名・三種三名・二種五名であるから差引二七名が製作を行つて居ることになる。併しTsio社での不明の分、蕃刀の鞘の如く多數の作り得るものもあるから大體三〇―四〇名が製作者といふ事になるであらう。

(3) アタイヤル族パーラン社

前二者がピンスブカンを發祥地とし「人間」のことをSeqoleqと言ふところからSeqoleq系統とされて居るのに對して、パーラン社は所謂霧社蕃に屬し、ブノホン(白石山)を發祥地となし「人間」のことをSedeqと言ふので同じくトロコ蕃・タウダー蕃及びその分派と共にSedeq系統とされて居る。アタイヤル族には更にTse?ole系統があり三系統に分れて居る(精しくは土俗・人種學研究室調査「臺灣高砂族系統所屬の研究」參照)。

此パーラン社は戸數一四三戸、人口男子二五九・女子二六八・計五二七を算し(昭和十年六月調査)、内部はテンタナ社(四五戸)、ルツァオ社(四三戸)、ツェカー社(三七戸)、フナッツ社(一八戸)の小社に分れて居る。各小社は更に幾つかの組合に分れて居て此組のことをTublublux-Kalahagan (Tublublux＝組, Kalahagan＝番をする)と言ふ。それがテンタナ社は三つ、ルツァオ社は三つ、ツェカー社は二つ、フナッツ社は二つとなつて居る。各Tublublux-Kalahaganは各〻一人の勢力者(Busholan-Hali)を中心にして其の父系母系の親族、姻戚、更に他人をも加へて出來て居るものであつて、出草には共同に出掛けることが多い爲に各〻強大を競ふて加入を勸誘すると云ふ。婚姻に際して酒食をを持ち寄り或は饗應を受ける者は此組ではなくて近い親族(父方・母方)Dadaiであつてどの小社に居ても又他の離れた社に居ても出掛けて來る。この場合親族には肉を串にさしてもれなく與へるが此肉を食べる間柄の者は相互に婚姻出來ない。祭祀は霧社蕃全體同日に行ふがパーラン社として祭主があつてこれが司祭し、賠償の場合は肉を串にさして霧社蕃全體に配ると言ふが大體パーラン社が中心となる樣である。狩獵場は霧社蕃全體の所有であつて狩獵には親族で出掛け獲物は近親者に分ける。耕地は各戸各〻別になつて居る。敵に對しては霧社蕃全體で當る。

かようにパーラン社に於ても血縁・地縁を條件として種々の社會集團が成立して居るが、他方個人的技能を條件として手工的分業關係が成立して居る。唯、調査當時の口述者が、負籠、蕃刀の鞘は男子の殆どすべてが出來るものとした爲、又調査漏の爲、織機その他二三に就いて知り得なかつたので僅に口琴と箕に關する報告に過ぎないこと丶なつてしまつた。

○口琴 Tobo

製作者——

Umin-Bilakka (Lutsao 社), Pawan-Temo (Takanan 社), Pawan-Iboq (Lutsao 社), Pawan-Walis (Tontana 社), Ion-Kowan (Lutsao 社). (五　名)

價格—不詳(シキクン社と餘り變り無いであらう)

此等製作者に就いて興味あることは一番目二番目四番目の三人は不具者であり五番目は怠惰者であつて健全なのは三番目の者のみである。同じく不具者が次の箕を製作して居る現狀を調査の際實際に見ることが出來た。

○箕 Butoko

製作者——

Aui-Mahon (Lutsao 社), Piho-Nappai (Lutsao 社), Pawan-Iboq (Lutsao 社),
Iboq-Piho (Lutsao 社), Aui-Pawan (Lutsao 社), Watan-Piho (Lutsao 社),
Walis-Watan (Lutsao 社), Kaizan-Sabon (Tentana 社), Aui-Bilakka (Tsekka 社),
Pawan-Temi (Tsekka 社), Lulu-Temi (Tsokka 社), Bagaha-Pawan (Tsekka 社).

(十二名)

價格—不詳(他社と大差無し)

次に參考迄に男女間の分業に就いて記せば、

○男子——

出草、狩獵、伐木、伐採、開墾、薪割、鳥獸の罠掛、漁撈(網・弓・籠・魚籐を以て)、織機・蕃刀・弓矢・鍬の柄・負籠・負網・籠類・木の食器の製作、車輪の修繕、石垣の築造、家屋建築(材料の運搬は女子)。

○女子——

炊事、機織、豚飼、麻の收穫、麻糸作り、衣類の仕立、出獵の時の酒作り。

○男女共同――

耕作、收穫、燃料の蒐集運搬、水の運搬、搗穀、衣類の洗濯、幼兒の守。

(4) ツォウ族 トゥフヤ社

トゥフヤ社は北ツォウ族の四部族の一つであるトゥフヤ族の本社であつて、昭和八年の調査の時には小氏族一六、小家族七一、人口は男子一七〇・女子一六四・計三三四となつて居たが昭和九年末蕃社戸口によれば男子一五一・女子一三五・計二八六となつて居る。本族は氏族組織の明瞭な種族であつて、狩獵地の實質的所有者であり且一戸内に居住する限りに於て耕地の所有主體又河川の所有主體である小氏族、幾つかの小氏族の集りから成り外婚の單位である中氏族、幾つかの中氏族から成り狩獵地に對して共同の權利を持つて居る大氏族等がある。此他、男子集團、年齡階級等の社會集團があり、これ等と交錯して地域集團としての本社分社が存在し、更にまた最近生活單位として增加しつゝある小家族が存在する。外に對しては四部族常に同盟する。これ等の間にあつて手工的分業は如何樣になつて居るであらうか。これに關しては次のタバグ社の分のと共に昭和十年十月、上與那原朝光氏が矢多一生氏と共に各家に就いて調べられた貴重な調査を筆者に恵與された。その結果は次の如くである。

○籠(農作物運搬用、第三圖左側に本島人犂の後にあるもの) Yuuk

製作者——

Voyu-e-Yatauyugana, Yapusuyogu-e-Yapusuyogana, Tebusugu-e-Tosku,
Avai-e-Tutusana, Pasuya-e-Yulunana, Tebusugu-e-Poousi,
Yapusuyogu-e-Teakeana, Yapusuyogu-e-Yatauyugana.（八名）

價格＝二圓

○籠(粟・稻類の運搬用、第三圖前列右端) Paegonu

製作者——

Yapusuyogu-e-Yapusuyogana, Voyu-e-Yatauyugana, Voyu-e-Poetsunu（三名）

價格＝三圓

○箕(粟・米飯入れとしても用ふ、第三圖中央後列に壁に立掛けたる箕) Apugu 及 Tsyuhu

製作者——

Voyu-e-Yatauyugana, Voyu-e-Poetsunu, Yayai-e-Yaisikana, Tebusugu-e-Tosku.（四　名）

価格—大＝一圓二〇錢　小＝八〇錢

○網袋　Kuyupu

製作者——

Tebusugu-e-Tosku, Voyu-e-Poetsunu.（二　名）

價格＝一圓五〇錢—二圓

北ツォウ族に於ては鍛冶は青年以上の男子は何人も行ふことが出來、社には共同で使用する鞴が設けてある（第四圖はララウヤ社に設けられたる鞴）。蕃刀の鞘も青年以上の男子は全部作るので特に巧みな者も無く形も一定して居る。價格は三〇錢と稱して居るがこれは内地人が彼等に製作させるときの價の様に思はるゝ由。

以上手工品製作者は計一七名であるが重複を除けば一一名が手工に巧みな者として他の需要に應じて居るのである。

（5）ツォウ族タパグ社

タバグ社はタバグ族の本社であつて、蕃社戸口(昭和九年末)に據れば戸數一七、八口男子一七八・女子一七三計三五一となつて居るが、耕作小屋その他に殆ど永久的に居住するものを一戸に數へるならば戸數八四(昭和七年)となつて居る。社會集團に關しては殆どトゥフヤ社と變りが無いからこゝでは直ちに手工的分業に就いて述べることとする。

○籠(農作物運搬用)　Yunk

製作者——

Tebusugu-e-Tapangu,　Yavai-e-Niamoəoana,　Voyu-e-Yasiugu,　Yapusuyogu-ə-Yasiugu,
Pasuya-ə-Peonsi,　Faəi-ə-Noatsatsiana,　Moo-ə-Tapangu,　Tebusugu-ə-Eutsina,
Wuyogu-ə-Peonsi,　Yavai-ə-Yakumagana.　(十　名)

價格＝二圓

○籠(粟・稻類の運搬用)　Paegonu

製作者——

Voyu-e-Yasiugu,　Voyu-e-Tosku,　Atai-e-Tosku,　Yavai-e-Niamoeoana,
Pasuya-e-Peonsi.　(五　名)

價格＝三圓

○箕　Apugu 及 Tsyuhu

製作者――

Voyu-e-Tosku, Atai-e-Tosku, Wuyogu-e-Peonsi, Tebusugu-e-Eutsina, Faei-e-Noatsatsiana.（五　名）

價格――大＝一圓二〇錢　小＝八〇錢

○網袋　Kuyupu

製作者――

Voyu-e-Tosku, Voyu-e-Yasiungu.（二　名）

價格＝一圓五〇錢―二圓

製作者は總計二二名、この中二種以上に亙つて居る者があるから結局一二名が特技を持つて居ることになる。（男子一七八―壯丁八九―中）。尙タパグ社に於ける男女分業は次の如くなつて居る。これはほゞトゥフャ社にも通じる。

男子――

出草、狩獵、伐採、開墾、鍛冶、武器・鍬の柄・籠・網・皮製品・竹木製品の製作、彫刻、建築。

女子――
豚の飼育、麻糸作り（第五圖參照）衣類の仕立、刺繡、機織（今日は殆ど爲さず）、耕作（今日は男女共同）、土器（今日作り得る者無し）。

（6）ブヌン族郡蕃イバホ社

ブヌン族に屬する卓社蕃、卡社蕃、丹蕃、巒蕃、郡蕃の何れも明瞭な氏族組織を有し此氏族組織の影響が社會生活のあらゆる面に及んで居ることはツォウ族以上であつて分業の如きも同じく影響を被つて居るのであるから、氏族組織に就いて知るところが無ければならない。(註)

イバホ社は昭和十年六月以後楠仔脚萬駐在所管内に移住して居るのであつて此調査もその地でなされたものであるが先住地の記憶が新しい爲に何等不都合を感じなかつた。

郡蕃は先づ數箇の大氏族に分れ大氏族は幾つかの中氏族に、中氏族は更に幾つかの小氏族に分れて居て、小氏族が各〻姓を有し、大氏族、中氏族は共通の祖先の名で呼ばれたり、親元になる小氏族の姓で呼ばれたりするが地方によつて異動がある。

イバホ社に於て說かれるところにより、分業に關係のある範圍從て大氏族・中氏族の關聯を示せば、

大氏族	中族氏
I. (Isi-Paḷdav)	A. Paḷabe (Takesi-Anuan)
	B. Isi-tanda
	C. Takesi-tauḷaan
	D. Isi-Paḷakan
	E. Isi-Nankoan
II.	F. Isi-ḷitoan
	G. Take-ḷudun
III.	H. Isi-babanaḷ

大氏族の成員は互に婚姻することは出來ない、卽ち外婚の單位である。中氏族は狩獵場の所有主體であり獲物を共食することが多いが大氏族の者も食べに行くことが出來ると言ふ。耕地は家の所有であり、ブヌン族は一般に大家族生活であるから、一社の小氏族が一戸に住んで居る場合には小氏族が耕地の所有主體となるわけである。

地域集團としては社があるがツォウ族の如き社自身としての發達が餘り見られ

ない。

手工的分業關係は次の如くなつて居る。

○籠（目の粗いもの、甘藷等の運搬に用ふ、第六圖番號(1)　Pulagan

製作者――

Natok-Pa͈labe,　ハイノゴ社の者全部

價格五〇錢＝鷄大一羽＝粟六把、四個＝小豚一匹

○籠（目の密なるもの粟・稻・豆・あかざの運搬に用ふ、第六圖番號(2)　Ta͈lankasu

製作者――

郡蕃、巒蕃を通じて Isi-babana͈l（中氏族H）の男子成員全部

價格＝一圓＝鷄二羽＝粟十二把＝山羊皮の衣一着、大一＝小豚一匹

○籠（小さいのは辨當入、第六圖番號(3)大きいのは箕、第六圖番號(4)第七圖は使用しつゝあるもの）　Tokuban

製作者――

Isi-babana͈l

價格――大・小共＝五〇錢　中＝八〇錢

○土器

製作者——

丹蕃のみ、Telusan 社 Tako-Aban 社等

價格——大なる土鍋一箇＝籠(トクバン)一箇

○鍛冶(刃物・鍬)

製作者——

Isi-maxasyan (中氏族(F) Isi-litoan 中の小氏族)の成員のみ、

價格——代償物は與へることなく作り上げたら豚を殺して饗應する。蕃刀を作らせた場合にはそれによる獵獲物を最初に與へ酒を飲ませ土産に肉をトクバンに一杯與へる。

○臼類は何人も作り得る。(第八圖は使用中の臼・杵)

以上に於て先づ氣の附くことは、手工的製作が一定の中氏族若くは小氏族に限定されて居る樣な外觀を呈して居ることである。そこに何等か技術を他氏族に傳へまいとする傳統でもあるのではないかと思はせるが事實はそうでない。タランカスなる籠の製作が Isi-babana[1] なる中氏族(同時に大氏族)に限られたのには

次の様な謂がある。嘗て Isi-babanaḷ は卓社蕃と一緒に居たが雨のよく降る地を求めて郡蕃の方に來たものである。彼等は嘗て居た平地に於て籠製作の技を獲得して居たが、こちらに來てからそれを郡蕃に敎へた。ところが敎へた者も習つた者も間も無く死んだのでこれは祟りによるのであらうとて再た習ふ者無く自ら Isi-babanaḷ に限定されたのである。次に述べるランルン社に於ては Isi-babanaḷ から習得して製作して居る者がある。併し他の氏族員が習得する際には祟りといふことが考へられるのに反して同一氏族ではそれが考へられないところに氏族的結合の强さが分業關係に及ぼして居る影響を觀取することが出來る。

因にイバホ社の戸數は一三、人口は男子七四・女子九七・計一七一になつて居る。（蕃社戸口に據る）

（註）ブヌン族の複雜な氏族組織が我々に明かにせられたのは全く馬淵東一氏の功績である。氏がブヌン族の氏族による婚姻規定として擧げた三原則、

（一）父の屬する大氏族成員との婚姻禁止

（二）母の屬する中氏族成員との婚姻禁止、

（三）同一中氏族の女子達より生れたるもの相互の婚姻禁止、

（ブヌン、ツォウ兩族の氏族組織と婚姻規定「南方土俗第三卷第一號」）

は、私の調査の際の口述者は何れもその眞なるを認めて居た。

(7) ブヌン族巒蕃ランルン社

巒蕃も亦郡蕃と同様に大・中・小の氏族組織を有し、婚姻規定は同様であるが、狩獵場は巒蕃は全體が共同にカトグラン社から丹大社へかけての山地を持ち何人が出掛けてもよいとされて居た(現在は駐在所の命により各社に分けた)。耕地は各家に屬して居る。

大・中氏族關係を簡單に示せば、

大氏族	中氏族
I. (Isji-ingkaunan)	A. B. C.
II. (Tanapima)	D.
III. (Syuvalean)	E.
IV. (Isji-qaqabut)	F.

分業關係は、

○籠(目の粗いもの、甘藷等の運搬に用ふ) Palagan.

製作者——

Oan-Tasji-ulavan (II—D),　Aliman-Alimauan (I—A),　Bion-Takesji-qaivagan (I—A),

Kaisyul-Nangabulan (III—E),　Lila-Tanapima (II—D),　Teyan-Takesji-qaivagan (I—A).

價格＝五〇錢

この籠の製作には Sjoqoloman (I—A) 小氏族の成員のみは携はらない。これは嘗て製作したところが死亡したので以後作らぬことゝなつた。他の氏族は誰が作つても構はない。

○籠(目の密なるもの、粟・稻・豆類の運搬に用ふ)　Talakas

製作者——

Bakual-Tanapima (II—D)

これは、その父が郡蕃 Isji-babaual のところへ行き覺えて來たのである。

價格＝一圓。

○籠(小なるは辨當入れ、大なるは箕として用ふ)　Tokuban

製作者——

Bakual-Tanapima,　Ulan-Valentiuan　(卓社蕃)

價格＝以前五〇錢、現在一圓。

○土器

昔は製作する者が居たが現在は丹蕃のみ。

○鍛冶

嘗て Loan-Syuvaloan (III—E) が鐵砲を作つたが現在は居ない。

尚、男女間の分業に就いては次の如くである。

○男子——

出草、狩獵、伐採、開墾、薪割（第九圖參照）、籠・農具・蕃刀・臼（女が作ると壞れる）等の製作、（網を作り、皮を鞣すのは女でも好い）、

○女子——

絲の製作、機織（第十圖參照）、刺繡、炊事（男も手傳ふ）

耕作は男女共同と言ふがその中の力仕事は男が引受けるであらう。

ランルン社に於ける鰥蕃の戶數は三一（馬淵氏に據る）、從て人口は三百名餘りとなる。

（８）　パイワン族カビヤガン社

パイワン族はルカイ族と共に頭目の勢力が强大であつて土地を私有し一般蕃人を支配し、これから人頭稅・農租・獵獲租・畜租・交換租・婚姻租・山工租等を取立て、財産に於て一般人と懸隔があり(勿論中には土地少く一般人と變りのない者もあるが)、一般人とは異れる服裝・裝飾品を所持する等、他種族とは異つた社會事情を示して居る。數蕃社に亙る領域を所有する頭目にあつては、各社にあるその頭目の家に留守居役を置き更に彼に代つて統治收租を行ふ代理者を配置する。

カビヤガン社(分社タウタダル社を含めて)には現在Katalavan家、Taloazyavai家の二頭目家があり、前者は土地を所有するのみで蕃丁を所有しないが、後者は嘗ての頭目家Zigulul家を繼げるもので廣大な土地並に同社民の殆ど全部を支配して居る。この他Zigulul家の親族であつたSazilapan, Pasigan, Tetelの三家が少數の社民と土地とを所有して居る。生活單位は家であつて家は小家族によつて占められて居る。本族にあつて姓と見られるものは家に附けられた屋號である。カビヤガン社には尙嘗て青年集會所(Tsakal)の設けがあり、未婚の青年が毎夜泊りに出掛け朝夕蕃社の周圍を警戒したといふ。カビアガン社は對岸のプンテイ(Pulchi)社とは仇敵關係にあつて頭目家を共通にしながらも社民同志は相爭ひ頭目はこれに對して何等の言をも挾まない。こうゆう例は相當に多く研究すべき面白い題目である。

倦、分業關係であるが、それは次の樣になつて居る。

㈠籠

製作者――

Iana-Tsuolok, Letov-Patadal, Sula-Maliyayan.（以上三人兄弟）, Valiq-Talial, Giligilao-Dadalavan.（五名）

價格――

△Tsippun（甘藷や粟を入れるもの）＝四〇―五〇錢＝粟一把＝里芋此籠に半分（約三〇斤）＝甘藷此籠に一杯（約四〇斤）＝燻製里芋約五斤＝稗三把＝あかざ茶碗に三杯（約四合）＝煙草葉をまるめたるもの三つ（約百匁）

△Kalago（女が腰につけて收穫物を入れる小籠）＝二〇錢

△Vavatsuan（擔ぐ籠――一對）＝八〇錢

△Sala（箕）＝五〇錢

△Selel（酒を漉すもの）＝三〇錢

△ Kazyapal（臺附皿の如き籠）＝三〇錢

△ Kalvates（裁縫道具を入れるもの）＝三〇錢

○臼 Valaga

製作者――

Iana-Tsuolok　（一名）

價格＝二圓

○鍛冶（突鍬の鐵の部分）

製作者――

Letov-Patadal, Letov-Kazagizan, Tsamaq-Togatsuo.　（三名）

價格＝五〇錢

○彫刻

Giligilao-Dadalayan, Soalamo-Tantido, Tsamaq-Togatsuo.　（三名）

此三人でZigulul家の軒の半分（長さ三間）を彫つたが二日間で完成し、謝禮としては粟酒二甕（一甕一圓五〇錢位）、豚肉五斤與へ、仕事中粟餅を御馳走し（一食一人十五錢位）且少しばかり土産として持たせた。尚彫刻にはプンライ社から傭ふことも多い。

○煙管

製作者――

トクブル社の Giligilao-Kazagizan,

プンテイ社の Tsimulsai-Gado.

價格＝約一圓五〇錢

○蓑 Alavao

製作者―當社には無く、トクブル社、クラルス社の者が皆上手なのでそこから買ふ。

價格＝五〇錢

○刺繡(女子)

製作者――

Tsaukim-Livolivan, Ziplan-Supleq, Sulp-Papavalon, Kulkul-Malivayan.

價格―女の上衣＝二圓

網袋、月桃製の行李、筵等は何人も作り得る。尚、祈禱師(女子)としては次の如きものを數へ得る。

Muli-Togatsuo, Pauls-Talinao, Palaitan-Dadalavan, Lamawan-Tovigan, Zipul-Taluliyak, Kalalo-Pavavalun, Muminong-Tolaloga, Kalalo-Patadal, Sulp-Kalola.

謝禮は鹽を茶碗に一杯、あかざ一杯を與へる。

男女間の分業に關しては、

○男子——

建築（材料を取り來るのは石材木材は男、茅は女、運搬は男女共同）、籠、金細工（裝飾用）、鍛冶、弓、漁撈、狩獵、出草、牛豚屠殺、男子の頭飾の製作、彫刻。

○女子——

機織、糸作り、刺繡、裁縫、入墨、ビーズ・トンボ玉を用ひたる衣服裝飾、炊事、搗穀（男も手傳ふ）。

○男女共同——

農耕（開墾は男子）。

以上、カビヤガン社の戶數一〇八、人口男子二五二・女子二一五・計四六七（壯丁一五六）（蕃社戶口に據る）中男子製作者の數は計一二名、重複を除けば八名となつて居る。女子の方は刺繍技術者四名を數へて居る。

（9）　ルカイ族コチャボガン社

コチャボガン社は戸數一二八、人口男子三三四・女子三三五・計六六九（壯丁一五七）を算し（番社戸口に據る）、社内には Kazagilan, Loloan の二頭目家があり、土地を私有し（Kazagilan 家にはタギヤギ〔弟の意、從つて弟分といふことになる〕として Patsikul 家があつてこれが少しばかり土地を持つて居る）、一般蕃人は何れの土地を耕しても自由であつて農租を納めれば好い。農租以外獵租、婚姻租を數へるのみで人頭稅、山工租、交換租等は存在しない。またこゝには青年集會所或は年齡階級等の組織は存しない。生活單位は小家族である。

手工的分業で他とやゝ異つて居るのは籠及び網袋の製作が女子の仕事になつて居ることである。今男女間の仕事の分擔を示せば、

○男子——

出草、狩獵、開墾、薪採集、彫刻、樂器製作、木細工、建築。

○女子——

農耕、水汲、機織、刺繍(第十一圖參照)、籠・網袋(第十二圖參照)の製作、粟搗(男子も手傳ふ)。

製作者の姓名は調査日數の關係上全部に就ては調べ得なかつたが大體の人數だけは判明して居るからそれを記すこととする。

○籠

△Kadapal (目の細いもの)　約二〇人
　價格＝二〇―三〇錢

△Balako (大なるは箕に用ふ)　約四〇人
　價格―小＝一〇錢、大＝五〇錢

△Kalalal (里芋を入れるもの)　殆ど全部
　價格＝三〇―四〇錢

△Tsippun (甘藷・粟入れ)　殆ど全部
　價格＝一〇錢

○木製の盃
　製作者――
　Tsyokul-Kalusgan 他一〇人位

價格—大＝一圓、小＝五〇錢

○樂器（鼻笛、笛は酋首せる者のみ使用することが出來るのであつて使用者自身が製作する。口琴は何人も使用することが出來るが代償として一日代りに働いてやる）

△鼻笛 Vulali　約一〇人

△笛 Kodal　約一〇人

△口琴 Luvul　約一〇人

○彫刻

製作者——

Lapagao-Lumalalat, Kui-Kazagilan, Tsimulsai-Palamulan, Palilas-Kaulkul.（四名）

頭目家の彫刻をするのであつて仕事中酒食を供せられる。

○煙管　三〇—四〇人

代償として一日代りに働いてやる。

○入墨（女の手の甲、頭目家の者は人間の形を、一般人は模樣を畫く）

施術者——

代償＝御馳走をなし、眞鍮鍋二つ、トンボ玉二つ程を與へる。

Patagao-Patsikul（女） Tsyukul-Lnvul（男） Siamo-Zipugan（女）

○臼　　　　　全　部
價格＝五〇錢―一圓

○網袋　　　　殆ど全部
價格＝一圓一〇錢

○人形（蕃人間にては賣買せず）
製作者――
Lidako-Mavalin

○鍛冶
二三人あつて鍛冶場の設けもあるが製作者名、製作品の價格に就ては未調査。

以上に於て殆ど全部の者が製作しながら而も一定の價格を以て交換されて居るのは、一家に成年男子が居なかつたり或は農耕狩獵に多忙で製作の暇が無い場合には他家から買ひ取るからである。

特殊の技術を持つ者は男子では約七〇名となり女子では約六〇名となるが、重複があるからほゞ此半分位と見ることが出來るであらう。

(10) 概括

以上五種族九社に就いて手工的分業が如何に行はれて居るかを見て來た。それは特技を有する個人が、籠・網・土器・木工品・織機等を製作し、或は鍛冶、彫刻、刺繍等を行ひ、他のかゝる技能を持たない者或は多忙その他の理由で製作の暇の無い者が食料品や衣類と交換したり或は完成後饗應したり或は製作中代りに働いてやつたりしてかような製作物を手に入れて居るのである。此事實は一方には高砂族によつて例示された原始社會内の經濟が決して封鎖的家族經濟でない事を明かにして居ると共に、他方には血緣、地緣、或は年齡より來る機能の相違等に基いて生ずる社會集團と相並んで一種の社會關係が存在し而も此社會關係が個人間及社會集團間の連絡結合を維持するのに與つて力があるのであるといふ事を示して居る。此手工的分業は言ふまでも無く其種族の社會構成によつて色々な變化を生ずるものであるから前の敍述に於てはそこにある社會集團に就いて簡單ではあるが觸れて來た。例へば同じ氏族制をとるブヌン族ツォウ族に於て前者では分業に氏族の影響が見られるのに反し後者では其事が存しないのは前者に於ける氏族組織の强さを物語るものであらう。唯一々の種族に就いて社會集團と分業との關聯を精しく取扱ひ得ないのが殘念であるが他の機會に期し度い。

手工的分業に關して尙二三興味ある事實が存在する。何れの種族に於ても、製作者はそれによつて生活を立てゝ居る者は無くすべて農耕狩獵に從ひ乍らその餘暇を以て製作するのであるが、特に技能の勝れた者或は他に製作者の無い場合には日常の農耕を怠り易い傾向がある。ブヌン族郡蕃のIsi-Babanal氏族の成員は籠作りの特技を有する爲に農耕を怠り易いといふ。籠と引換に食料品を得る便宜があるので農耕には熱心でなく從てまたそれから生ずる農產物の不足を交換によつて補はんとして籠作りに熱心となり愈〻特技化する樣である。ルカイ族コチヤボガン社に於ても製作に巧みな者は多く怠惰で粟その他の食料品の代償を目當に喜んで製作の要求に應ずるといふ。逆に身體に障碍があつて農耕に從事出來ない者が手先で出來る製作に從ひ自らこれに上達して來る例もある。タイヤル族パーラン社では口琴の製作者は大部分不具者であり、籠作りにも不具者が參加して居る事實を調査の際見ることが出來た。ルカイ族コチヤボガン社では鍛冶に巧みな者の一人は傴僂であるといふ。以上は原始分業成立の際の不具者の役割を示し、また特殊技能の職業化が一方には氏族なり地域集團の作用により助長されると共に他方には技術者自身が傳統的生活から偏向することによつても促されるといふ事を暗示し、更に其偏向が一般には怠惰として映ずるといふのも興味深い。次に手工的分業は大體一蕃社内で行はれることが多いが他蕃社との間に交換の行はれることも珍しくは無い。その理由となるものには二つある。一は特技者が自己の蕃社に居ない場合、それには單純に、かゝる個人の無い場合と氏族組織の影響によつて製作する氏族の居ない場合とある。他は製作物の材料が附近に得られない爲に製作することの出來ない場合である。第一の前の方の例としてはカビヤガン社がトクブル社、クラルス社、プンテイ社から煙管や蓑を購ふのがそれであり、後の方の例としてはブヌン族の郡蕃巒蕃が一氏族から籠を得たり鍛冶を依賴したり或は丹蕃から土器を購つたりするのが擧げられる。第二の例としては、アタイヤル族シカヤウ社が擧げられる。それは此蕃社は標高・地質の關係上籐が存在せずまた箕に適する竹が無い爲に、箕・負籠・帽子等はこれを峠を越へたピ・アナン社から得て居る。代償として持つて行くものは肥松・豆類・山羊皮等である。以上の地域的交換に當るものは、併しながら、同一種族若くは同一部族に屬する蕃社間に於ける交換である。ところがこれが他種族或は他民族との間の交換になると自ら其處には異つた事情が現はれて來る。本論文の第二の課題はその點に掛つて居るのである。

寫眞說明――

第一圖、タイヤル族ハツク蕃マカナジー社の女子が路上に麻絲を撚る狀（瀨川孝吉氏撮影）
第二圖、タイヤル族北勢蕃テモクボナイ社の男子が竹籠を製作するところ（瀨川孝吉氏撮影）
第三圖、ツォウ族プグウ社農具の一部（筆者撮影）
第四圖、ツォウ族ララウヤ社の鞴（筆者撮影）
第五圖、ツォウ族トゥフヤ社の女子が麻絲を撚る狀（瀨川孝吉氏撮影）
第六圖、ブヌン族の籠（臺北帝大土俗人種學敎室所藏品）
第七圖、ブヌン族ロロナ社（移住郡蕃）の女子が箕を用ひて木豆の莢を除きつゝあるところ（筆者撮影）
第八圖、ブヌン族ロロナ社の女子が臼にて粟を搗きつゝある狀（筆者撮影）
第九圖、ブヌン族ロロナ社の男子が薪を割りつゝあるところ（筆者撮影）
第十圖、ブヌン族カネトワン社の女子の機織（瀨川孝吉氏撮影）

第一圖

第二圖

第　三　圖

第　四　圖

第　五　圖

第　六　圖

第 七 圖

第 八 圖

第 九 圖

第 十 圖

第 十 一 圖

第 十 二 圖

第十一圖、ルカイ族トクブン社の女子の刺繡（瀨川孝吉氏撮影）
第十二圖、ルカイ族キヌラン社の女子の網作り（瀨川孝吉氏撮影）

（三）對外的社會關係――交易

交換が一部落乃至一種族の內部に留らず他種族との間に行はれる樣になれば社會關係としての性質は一層明瞭である。外部社會との間に緊密な社會結合を形作ることなく、時には鬪爭と和平とを交互に反覆しつゝある樣な社會との間に交換が行はれて居るのを見ればそれが一つの社會關係であつて集團を作り上げて居る行爲でないことを知り得る。併し此社會關係が高砂族にとつて生活を維持し發展させる上に昔から重要な意味を持つて居ることは序言に於ても觸れたが、こゝでは生活の如何なる方面に如何なる意味を持つて居るのか、如何なる變化を彼等に與へつゝあるのかといふ事を具體的に示し度いと思ふ。種族間並に高砂族と本島人との間に行はれて來た交換に就いてはまとまつた資料が無いから（純粹に交易關係を見るには高砂族と本島人との間に行はれたのを見るのが便利であるが）、こゝには臺灣總督府警務局理蕃課に於て昭和五年度より五ヶ年計畫を以て施行された蕃地開發調査中の蕃人調査の資料を利用して數蕃社に就て交易關係を眺める事とする。利用した資料は昭和八年度の事實を示せるもの卽ち最終報告であるがこれは蕃地職員が調査に慣れたと思はれる年を選んだのである。昭和五年以後の分との比較をすべきであるが此論文の目的からやゝ離れることになり、且近く理蕃課に於て各蕃社每の集計が發表されるそうであるからこゝには省くこととした。

自給自足性の强い卽ち蕃人調査表によれば總支出中自給によるものが八割から九割に及ぶ生活を貨幣に表はすといふ事自身が非常に困難である上に土地の測量、收穫高、消費高の計算等仲々正確を期し得ないものが多いから擧げられた數字は大體の傾向を示すものとして見るのが無難である。調査表はすべて蕃社單位になつて居るから此論文でもこれに從ひ、數社に就いて先づ生活の概略を收入と家計（實支出）との對照によつて示し、次いで外部との交換の性質を交易所を通じ若くは自由に行へる交易の內容によつて覘ひ、更に關聯せる事實を他の統計を以て語ることとする。

（１）ツォウ族タパグ社

タパグ社を最初に擧げたのはここでは本族出身の警察官と一般社衆との交易場所が多少分れて居るから其差異を見得るに便利だと考へたからである。

昭和八年末の人口は、男子二〇九（有配偶一〇〇）・女子二〇三（有配偶一〇三）・計四一二名、戸數は大家族的戸數一七、小家族的戸數は八四である。

所有地並びに一年間耕作地を示せば次の如くである。

種別	所有地 總面積	所有地 占有戸數	所有地 一戸平均	一年間耕作地 總面積	一年間耕作地 耕作戸數	一年間耕作地 一戸平均
水田	甲一二・六〇	一七（八四）	甲〇・六八二（〇・一五）	甲一五・三〇（一期・二期）	一七（八四）	甲〇・九（〇・一八二）
畑地	一七五・〇〇	一七（八四）	一〇・二九（二・〇八）	九七・〇〇	一七（八四）	五・七（一・一五）
森林牧場	一三二〇・〇〇	一七（八四）	七七・六四（一五・七一）			

次は收入及支出に就てゞあるが、蕃人調査に於ては土地とか家屋に就ての評價が行はれて居ないし、其他の農業經營要素にも缺けて居るものがあるから、農業經營に就ては説くことが出來ない。 從て收入（經費を差引かず）として擧げられて居

るものに對して家計費を對照せしめて生活の大體を覗ふ手段とした。家計費の各項目に關しても例へば住居費に於て家屋・土地の評價が無いから家賃・地代に當るものを算出し得ない等不足の點が相當にあるが近似的なものとして見て戴き。數字は斷り無き限り全社の合計である。計數より省いたもので「蕃人調査」掲られた數字中重要なものは別に總計の後に出して置いた。

収入

	圓
農産収入	七、八七二・五〇
林産収入	二、二六八・六〇
畜産及獵獲収入	一、九九五・一三
製作品収入其他	一三八・五〇
雇傭及勞働収入	一、八九一・六〇
(内　勞働収入)	(七九〇・〇〇)
雜収入	二六八・〇〇
計	一四、四三四・三三
一戸當平均	
大家族	八四九・〇七
小家族	一七一・八三
一人當平均	三五・〇三

家計費

	圓
飲食物費	一〇、〇八二・四〇
(總額に對する百分率)	(七三・四四)
(内　嗜好品費)	(四九八・四〇)
	(三・六三)
被服費	七二〇・四九
	(五・二五)
住居・什器・光熱費	一、一一一・三五
	(八・〇九)
(内　光熱費)	(九二〇・〇〇)
	(六・七〇)
保健衛生費	六七・四〇
	(〇・四九)

（貯金より融通せる額	六〇・〇〇）
（前年よりの農産物繰越高	三、九〇〇・五〇）
祭祀交際費	一、六七七・四一 （一二・二一）
教育・娯樂・裝身費	六八・三五 （〇・四九）
計	一三、七二七・四〇 （一〇〇・〇〇）
一戸當平均　大家族	八〇七・五一
一戸當平均　小家族	一六三・四二
一人當平均	三三・三一
（農工具及種苗費	四八九・〇五）
（貯　　金	四〇・〇〇）
（食料品繰越高	二、四五七・五〇）

家計費に於て飲食費・祭祀交際費の率の多いのが目につくが、祭祀交際費の實體は殆ど酒と獸肉であつて飲酒する機會は相當多いから費用は尙これよりも多いであらう。醫療費は全く官費であるから此方面の出費が無いのである。

次は、對外的社會關係として見ようとする交易である。當局は蕃人の經濟生活を順調に行はしめる爲に重要な蕃社には殆どすべてに交易所を設け正當なる價格によつて商品を供給し、蕃産品を引き取つて居る。併し平地との交通が便利な場所或は警察に働いて居るいはゞ先進者は好む品を直接に商人から購買したり賣却したりして居る。當社に於ても一般蕃人は交易所を利用し、警手並に其家族は此外に阿里山鐵道の沿線にある奮起湖或は嘉義に於て賣買すること多く、自由交易としてあげられて居るのは此數字である。如何なる品が多く買はれ又賣却されて居るかを知る爲にこれを分類して列擧して見れば次の如くである。

交易所交易

購買品（供給品）

品目	圓
○飲食物	
食鹽	一九・二〇
砂糖	二八・五〇
煙草（敷島）	一二・六〇
酒	一七六・〇〇
魚類	三八・七五
罐詰	三九・二五
菓子	六八・八〇
醬油	八・〇〇
醬油粕	二一・〇〇
計	四一二・一〇（百分率三七・二四）
○被服・身廻品	
シャツ・ズボン下	三九・四〇
タオル・手拭	一四・一六
足袋・地下足袋	八七・〇〇

下駄	一四・七五
帽子	・九〇
木綿	一五〇・〇〇
ネル	一三三・〇〇
モスリン	六・九四
金巾	一〇・五〇
カタン絲	九・三六
毛絲	・六三
色紐	・五〇
猿又	一四・〇〇
針	・五四
鼻緒	三・四〇
洋服	六・四〇
紺脚絆	一七・五〇
靴下	一・四〇
靴	六・七〇
呉絽キャラコ	八・〇〇
櫛	三・七八
傘・洋傘	一〇・五四
風呂敷	二・七〇
計	五四二・一〇（四八・九九）
○什器・燃料	
鍋	一三・〇〇
洗面器	二・七〇
バケツ	四・六五
洋燈	一・一〇
湯沸	二・一〇
莫蓙	四・五〇
茶碗・湯呑	二・一〇
皿	・〇五
石油	六・三〇
マッチ	二五・〇〇
蠟燭	三・〇〇
タワシ・杓子	一・二四
鋏	〇・四六
鏡	一・二〇
計	六七・四〇

（六・〇九）

○保健衛生品

石鹸　三九・一〇
歯磨粉・楊子　三・三〇
計　四二・四〇
（三・八三）

○教育・娯楽・裝身具

ポマード　四・五〇
白粉　五・〇〇
髪油　一・七五
クリーム　三・二〇
レート・フード　二・四〇
飾具　・二〇

計　一七・〇五
（一・五四）

○農工具・種苗

蕃刀　一六・二〇
鎌　八・七五
斧　・五〇
計　二五・四五
（二・三〇）

總計　一、一〇六・五〇
（一〇〇・〇〇）

一戸當平均

大家族　六五・〇八
小家族　一三・一七

賣却品（畜産品）

○農産物

薏仁　圓 九・三〇
山茶花　五三・二〇
計　六二・五〇
（六・六四）

○林産物

愛玉子　七一六・八〇
計　七一六・八〇
（七六・二三）

○獵獲物

獸皮	三・九九
獸角	二・二四
獸骨	二・一〇
鹿鞭	九・〇二
鹿筋	一・六二
鹿茸	一四二・〇〇
計	一六〇・九七

自由交易

總計	(一七・一一)
	九四〇・二七
	(一〇〇・〇〇)
一戸當平均	
大家族	五五・三一
小家族	一一・一九

購買品

○飲食物

米	一〇〇・〇〇圓
醬油	四〇・〇〇
味噌	八・一〇
酒	五五・〇〇
食鹽	一・六〇
卵	九・九〇
罐詰	三七・五〇
魚類	一五・〇〇
肉類	一五・〇〇
白絞	一三・八六
米粉	一〇・〇〇
饂飩	一八・一〇
饂飩粉	四・五〇
其他副食物	四〇・〇〇
菓子	一二・〇〇
計	三八〇・五六
	(六二・九六)

○被服・身廻品	
木綿	一二・〇〇
絹	二五・五〇
洋服	五・〇〇
絲類	二・〇〇
足袋	一五・〇〇
靴下	二・四〇
ズボン下	一・八〇
計	六三・七〇
	（一〇・五四）
○什器・燃料	
懷中電燈	一二・〇〇
石油	九・六〇
計	二一・六〇
	（三・五七）
○教育・娯樂・裝身具	
化粧品	三・二〇
レコード	二二・五〇
頭飾	八・〇〇
頸飾	・五〇
腕環	二・六〇
指環	三・二〇
雜誌・書籍	九・〇〇
ハーモニカ	一・五〇
文房具	四・〇〇
計	五四・五〇
	（九・〇一）
○農工具・種苗	
鍬	二五・〇〇
除草器	二四・〇〇
鑿	五・〇〇
苗木	三〇・〇〇
計	八四・〇〇
	（一三・八九）
總計	六〇四・三六
	（一〇〇・〇〇）
一戸當平均	
警手家族のみならば	二〇一・四五

全社に割當れば

大家族	三五・五五
小家族	七・一九

賣却品（蕃産品）

○農産物	
甘藷	二五・〇〇圓
里芋	七〇・〇〇
蔬菜	一〇〇・〇〇
芭蕉	四五・〇〇
李	二四・〇〇
南瓜	四五・〇〇
計	三〇九・〇〇
總計	三〇九・〇〇

一戸當平均

警手家族のみならば	一〇三・〇〇
全社に割當れば	
大家族	一八・一七
小家族	〇・三六

交易所よりの購買品にあつては、飲食物、被服・身廻品が大部分を占め、殊に被服類が全額の半に及んで居ることは注目に價する。異る文化が接觸する際に低い文化に屬する者の最も模倣し易いものゝ一つが外部的な被服に關するものであることを示して居る。警察の指導者も亦意識的に服裝の改善に先づ意を用ふるのも與て力がある。表中の木綿・ネル・モスリン・金巾・吳絽キャラコ等は衣服の材料に用ひられるのであつて其額が多いのは當社では早くから本島人と接觸し布類を得易かつた爲に女子が殆ど機織を行はず購買した布を以て衣服を作つて來たか

らである。蕃社の青年が地下足袋を用ふることの多くなつたのは一般調査者の氣のつくところであるがそれがやはり前表にも現はれて居る。什器・燃料に於て鍋・バケツ・湯沸の類及びマッチの購入は土器や古い發火法を追放するに至つた原因である。娯樂・裝身具に於て白粉・髮油・クリーム・レートフード等が出て居るのは若い女子が此方面の模倣に敏感なのを示して居る。ポマードは青年男子の間に用ひられて居る。鐵器を代表する武器・農工具は早くから輸入されたものであつて他の生活必需品と共に彼等にとつて交易の不可缺な事情を物語つて居る。

以上の物品を購買すべき貨幣を、では、彼等は何によつて手に入れることが出來るか。それは先づ蕃產品と言はれるものゝ賣却によつてゞある。領臺以前から本島人は此等蕃產品を得るために色々な方法を講じて居た。現在に於ても交易所で引取つた品物は大部分本島人の商人に拂下げるのであるから、賣却品の表に現はれた蕃產品によつて從來本島人との間に取引されて居た品物をも知ることが出來る。農產物中の山茶花の實は油の原料として搬出される。林產物の愛玉子は本島人の愛好する寒天樣の食物の原料となるものであつて本社では此採集が交易所にて貨幣を得る手段の最も大なるものになつて居る樣である。近くのララウヤ社が棕梠の採集によつて相當多額の金錢を得るのに相對するものであらう。獵獲物の大部分は漢方藥の原料になるものであつて、古來本島人の特に求めたものは鹿鞭・鹿茸等の貴重な藥であつて蕃人に武器を與へ火藥を貸與して獲物の多きを競はしめた。從て古來生活の上から或はそれ自身の興味から狩獵に熱心であつた蕃人は一層これに對する刺戟を與へられたものと言ふべく、今日に於ても蕃産品の主要な部分を占めて居るからこの事からも彼等は狩獵並に狩獵地に對しては極めて敏感である。次表に示す如く、狩獵に赴いた延人員は五四二となつて居るがこれは官で銃を貸與したりして判明して居る人數であつて實際はもつと多數になるべきである。

昭和八年勞力表（現住蕃人）

性別	勞働に堪へ得べき延人員（十五歳―六十歳）	自家の耕作狩獵其他の爲に要したる勞力の延人員			自家以外の爲に提供したる勞力の延人員（義務出役を含む）
		耕作其他	狩獵	計	
男	三六、八九七	三四、二二四	五四二	三四、七六六	二、〇八四
女	三四、二六七	三四、一三八		三四、一三八	一〇六
計	七一、一六四	六八、三六二	五四二	六八、九〇四	二、一九〇

ところが、交易所に於ける賣却品の額は購買品の額に及ばない。此不足を如何にして補つて居るかと言へばそれは物資運搬・土木建築に勞力を提供することによつてである。勿論これは彼等の經濟生活を向上させる爲に、當局に於て出來るだけ提供勞働を報償する樣に努めて居る結果購買品がそれだけ增加するとも見られるが購買品は今後益〻增加するであらうし、賣却品は今の狀態では特に增加するとも見られないから勢ひ勞力の提供に對する熱意は增加して來ると思はれる。そう考へれば、交易關係は兩社會の融合の增進に重要な役割を營んで居ると言ふことが出來るであらう。我國家と高砂族との關係は單なる交易關係では無く統治被統治の政治關係にあるから兩者の融合には理蕃といふものゝ作用が最も大であるが、交易關係だけを取出して考へても低度社會に及ぼす影響は相當に大きなものである。勞働によつて得た賃銀は本人の使用に任されて居るから此事は彼等社會の個人化を助長する傾向を持つて居る。提供勞働の內譯は、

種別	勞働延人員	勞銀
物資運搬	男　五〇二	二五一・〇〇圓
土木建築	男　一〇二〇	五一〇・〇〇
其他	男　五八	二九・〇〇

計	一五八〇	七九〇・〇〇

となつて居る。

次は自由交換に關してゞあるが、これが「蕃人調査表」に述べてあるが如く警手家族に關するものであると假定して見れば、先づ飲食物に於て內地人的若くは本島人的飲食物例へば米・醤油・味噌・饂飩・饂飩粉・米粉・白絞・罐詰（鰯や海產物の罐詰が特に多く出ると交易所では語つて居たが自由交換に於ても同樣な傾向があるであらう）等が種類として增して居るのに氣が附く。更に所謂文化費に當るものゝ多いのは一般社衆よりも進化して居ることを示すものである。これ等購買品に對して賣却品としては農產物のみであるのは職業の性質上家族の農耕の結果だけであるといふ事になるであらう。職業から得るところの現金は警手（三名）の收入七九五・六圓の外給仕、指導生（各一名）の收入三〇六圓になつて居る。品物を購ふ餘裕がこれから出て來ることは明かである。

（2）アタイヤル族バーラン社

バーラン社は昭和八年には戶數一三五、人口五一一名を算し、所有地及び一年間耕作地は次表の如くなつて居る。

種別	所有地			一年間耕作地		
	總面積	占有戸數	一戸平均	總面積	耕作戸數	一戸平均
水田	一一・七七甲	七八	○・一五甲	六・五四甲	三五	○・一八甲
畑地	一、三五一・○四	一三五	一○・○○	二八四・○○	一三五	二・一○
森林牧場	一、八七二・二五	一三五	一三・八六			

收入並びに家計費は次表の如くである。

收入		家計費	
農產收入	九、七九二・三八圓	飲食物費	一一、五五○・七二圓
林產收入	二、一八○・七四	(總額に對する百分率)	(七七・六三)
畜產及獵獲收入	三、五九八・○九	〔內　嗜好品費〕	〔四七一・○三〕
製作品收入其他	五八○・二九		〔三・一六〕
雇傭及勞働收入	一、二二三・七五	被服費	一、一五六・○一
(內　勞働收入)	(二○二・七五)		(七・七七)
雜收入	五八・二○	住居・什器・光熱費	二、○八七・六二
計	一七、四三三・四五		(一四・○三)
一戸當平均	一二九・一三	〔內　光熱費〕	〔一、八八四・五三〕

一人當平均	三四・一一
（貯金より融通せる額	一八二・四二）
（前年よりの農産物繰越高	五、六四一・三五）

		（一二・六六）
保健衞生費	七〇・〇七	（〇・四七）
祭祀交際費	二・一二	（〇・〇一）
教育・娯樂・裝身費	一二・五〇	（〇・〇八）
計	一四、八七九・〇四	（一〇〇・〇〇）
一戸當平均	一一〇・二一	
一人當平均	二九・一一	
（貯金・掛金	四四・〇〇）	
（農工具・種苗費・農業用家屋維持費	三〇三・〇七）	
（食料品繰越高	七、八五二・七二）	

家計に於て飲食物費の割合が大であるのはタバグ社と同様である。祭祀費が少額なのは恐らく調査洩れであつてこれに用ひる獸肉及び自家釀造酒の量が掲げられて居ないのはその爲であらう。此社でも祭祀費はもつと多額に上るべき

筈である。今粟の支出中酒となせるもの一四・五五石をすべて祭祀・交際に當てたとすれば一三〇・九五圓となり、祭祀費の率は〇・八九となる。

交易に就ては、一般社衆は交易所を利用し、警手（四名）家族は霧社酒保及能警購買組合を利用して居る（自由交易）。兩者の內容は次表の如くである。

交易所交易

購買品（供給品）

○飲食物	圓
食鹽	九六・九三
砂糖	九五・一七
米	一〇六・九四
酒	一六三・二五
魚類	一六五・六九
罐詰	一〇・〇六
菓子	二〇・九二
果物・麵類	七・九六
計	六六六・九二
（百分率	二八・八八）

○被服・身廻品	
內地衣	六九・六八
シャツ・ズボン下	四五・九六
タオル・手拭	一四・二六
足袋・地下足袋	四二・〇九
下駄	一・八一
帽子	一・八〇
木綿	一七一・三五
ネル	六七・七五
モスリン	七・一二
木綿絲	八五・九七

毛絲	八三・七一
櫛	六・四三
傘・洋傘	一九・二一
毛布	一四・三三
針	・六〇
簡單服	一四二・一五
紺脚絆	二九・四〇
乘馬袴	五二・八一
猿又其他	三四・九九
計	八九一・四二
	（三八・六一）
○什器・燃料	
鏡	・三二
鍋	三四・四六
釜	二・九〇
洗面器	・二二
バケツ	一一・四〇
湯沸	二・三五
マッチ	三三・三八
鋏	二・三五
小刀	・三九
錠前その他	五・七九
甕	一〇・六五
計	一〇四・二一
	（四・五一）
○保健衞生品	
石鹸	二五・三四
計	二五・三四
	（一・〇九）
○農工具・種苗	
蕃刀	一五・九〇
水牛	五五七・〇〇
その他	四七・八九
計	六二〇・七九
	（二六・八八）
總計	二、三〇八・六八
	（一〇〇・〇〇）
一戸當平均	一七・一〇

賣却品（蕃産品）

品目	圓
○農産物	
陸稲	一二・〇〇
粟	・五〇
小豆	一〇・一三
其他の豆類	四・九六
麻	一一七・一六
柑橘	一〇四・三〇
果物	二・三〇
蔬菜	一・二四
水牛	二〇五・〇〇
豚	四五三・七〇
鶏	四・八〇
計	九一六・〇九 （六一・二〇）
○林産物	
木材	一二・八〇
薪	八・一〇
竹	八五・七九
木耳	七・三〇
計	一一三・九九 （七・六一）
○獵獲物	
獣皮	二四・四二
獣角	三二・九〇
獣骨	九・八七
鹿鞭	一三〇・二八
鹿茸	七五・四九
鹿筋	二九・三三
計	三〇二・二九 （二〇・一九）
○製作品	
籐細工	八・八〇
竹細工	五・四五
木細工	五・五〇
蕃布	四八・八〇
脚絆	七・〇〇

自由交易

帶	一・五〇
蕃衣	二六・四〇
蕃刀	七・五〇
瓢簞	一九・七〇
弓矢	一・九五
櫻笛	一五・〇〇
櫻杖	一二・四〇
首飾	三・〇〇
煙草道具	一・四〇
その他	一・〇〇
計	一六四・四〇
	（一〇・九八）
總計	一、四九六・七七
	（一〇〇・〇〇）
一戸當平均	一一・〇八七

購買品

○飲食物	
米	二〇四・八五
味噌	九・一二
醬油	一三・九二
食鹽	四・六八
落花生油	六・〇八
砂糖	一八・二四
米酒	五三・二八
卵	一〇・〇〇
鹽鱒	四三・二〇
罐詰	一五・六八
キャラメル	四・六〇
菓子	一四・四〇
サイダー	一九・四〇
數島	八・六四
さつき	六・八〇
レッド・ジャスミン	・八四
計	四三三・七三

	(九三・五一)
○被服・身廻品	
タオル	二・〇八
傘	・六九
計	二・七七
	(〇・五九)
○什器・燃料	
マッチ	二・四〇
石油	六・〇〇
計	八・四〇
	(一・八一)

○保健衛生品	
石鹸	一二・四八
賣藥	六・四五
計	一八・九三
	(二・六九)
總計	四六三・八三
	(一〇〇・〇〇)
一戸當平均(贅手四人のみとして)	一一五・九五
全社に割當れば一戸當平均	三・四三

交易所よりの購買品に於て飲食物、被服類の額が多いのはタバグ社と同様である。被服に於て内地衣・簡單服(清涼衣)が多數に出て居るのはアタイヤル族の女子に日本式の服裝を好む傾向があるからであらう。アタイヤル族は本島人を蔑視し本島人の服裝は用ひない。この點ブヌン族の女子の服裝が本島人化して居るのと趣を異にする。乘馬ズボンと稱するのは乘馬の爲では無く青年達が日常に用ふるものである。農工具の項で水牛の購買が目立つて居るのは此社では水牛

黄牛を放牧する慣習があるからであつて肉を食し或は賣却品として交易所に出して居るものもある。また一種の牛車があつて黄牛に牽かせて居るのをよく見受ける。水田にも用ふるであらう。

賣却品に於ては此處では農産物の割合が極めて多くその中でも水牛・豚の畜産品が多いのは此社の特殊性を示して居る(この他黄牛を賣却して居るのに取扱へる七社中パイワン族カピアン社がある)。獵獲物の意義も大きい。製作品の賣却が多いのは全く觀光地としての地理的特性によるものであつて此地を訪れる觀光客が求める蕃産品は多く彼等が提供するのである。當局の指導もあり今後名産品の賣却により貨幣を得る道は大きくなるであらう。現在貨幣を得べき大き

昭和八年勞力表(現住蕃人)

性別	勞働に堪へ得べき延人員(十五歳—六十歳)	自家の耕作狩獵其他の爲に要したる勞力の延人員			自家以外の爲に提供したる勞力の延人員(義務出役を含む)
		耕作其他	狩獵	計	
男	五一、〇二二	四三、一七五	三、五〇九	四六、六八四	二、七五八
女	五二、六五二	五〇、一八七		五〇、一八七	七四五
計	一〇三、六七四	九三、三六二	三、五〇九	九六、八七一	三、五〇三

な手段である勞働に就ては如何になつて居るかと言へば、勞力表と共に擧げて見ると次の様である。

勞銀を獲ることの出來る勞働の內譯は、

種別	勞働延人員		勞銀
物資運搬	男　二〇五、	女　二五二	一四〇・〇五圓
土木建築	男　三、		一・五〇
其他	男　八三、	女　六七	六一・二〇
計	男　二九一、	女　三一九	二〇二・七五

而して賃勞働に對する彼等の態度は、蕃人調査の報告に據れば「勞働ヲ以テ家計ヲ樹ツル者無ク單ニ義務的ニ需要ニ應ジ居ルモノニシテ長期間ノ被傭勞働ニ應ズルヲ厭ヒ單ニ一日若クハ二三日程度ノモノハ之ニ應ジ居ル狀態」であるが「目下ノ生活狀態トナリテハ金錢ノ必要ニ迫ラレ居ルヲ以テ農繁期ヲ他トシテハ好ンデ勞役ニ從事シ金錢ノ收益ヲ計リ居レリ。」となつて居るから此處でも交易は官の指導と相待つて强い變革作用を及ぼしつゝある。

自由交易に就ては飲食物に種類を增して居ることはタバグ社と同様であるが他の項目の額が少いのは恐く交易所を利用したか或は他の場所に於けるその交

易に就ての調査が洩れて居るのであらう。賣却品は交易所を利用するものか掲げられて居ない。警手としての收入は一〇二一圓一名當り二五五圓二五錢である。

（3） アタイヤル族カムジャウ社

カムジャウ社の「調査表」による昭和八年の人口は男一八七・女一八九・計三七六、戸數七六となつて居て所有地及一年間耕作地は次の如くである。

種別	所有地			一年間耕作地		
	總面積	占有戸數	一戸平均	總面積	耕作戸數	一戸平均
水田	ナシ					
畑地	一、一三五・〇〇甲	七六	一四・九三甲	一九二・〇〇甲	七六	二・五二甲
森林牧場	三九七・五〇	七六	五・二三			

水田が無いのは此社が本島の中部以北にあり耕地は四、五〇〇尺から五、五〇〇尺の標高の箇所にあるため水田耕作に適しないのである。

收入並に家計費及び交易に關しては、次表の如き結果になる。

收入

項目	圓
農産收入	一〇、〇七七・二一
林産收入	一、八一七・七一
畜産及獵獲收入	八四三・五八
製作品收入	五七九・五〇
雇傭及勞働收入	一、〇六七・六九
（内　勞働收入）	（四〇七・六九）
雜收入	四〇七・五〇
計	一四、七九三・一九
一戸當平均	一九四・六四
一人當平均	三九・三四
（貯金より融通せる額）	（三〇・〇〇）
（前年よりの農産物繰越高）	（四、六八二・一六）

家計費

項目	圓
飲食物費	一〇、九八八・二一
（總額に對する百分率）	（七七・〇〇）
（内　嗜好品費）	（四九九・五三）
	（三・五〇）
被服費	六六二・四四
	（四・六四）
住居・什器・光熱費	一、七八二・六一
	（一二・四九）
（内　光熱費）	（一、六八七・三一）
	（一一・八二）
保健衛生費	一一・九五
	（〇・〇八）
祭祀交際費	六三〇・〇〇
	（四・四一）
教育・娯樂・裝身費	三・五七
	（〇・〇二）
雜支出	一九一・〇〇
	（一・三三）

計	一四、二六九・七八（一〇〇・〇〇）
一戸當平均	一八七・七五
一人當平均	三七・九五
（貯金	一三九・三六）
（農工具・種苗費・農業用家屋維持費	一六三・七〇）
（食料品繰越高	四、七六五・八三）

交易所交易

購買品（供給品）

	圓
○飲食物	
食鹽	五四・三六
砂糖	二八・八五
米	八八・五〇
酒	七八・八七
魚類	八八・六五
罐詰	一二・〇三
菓子	二〇・〇三
味噌	一一・六九
豚肉・茶・醬油・麵類・ミルク	八七・四五
計	四七〇・四三（百分率三八・三〇）
○被服・身廻品	
内地衣	二八・五六
シャツ・ズボン下	八・九〇
タオル・手拭	七・五一

足袋・地下足袋	六・九八
下駄	二・三八
帽子	・八〇
木綿	一三・〇八
ネル	一七・五〇
木綿絲	一八・〇六
毛絲	四〇・〇八
櫛	・九〇
傘・洋傘	三・二三
毛布	五・七〇
針	・二七
腰卷・脚絆	二三・一〇
竹笠	一・八七
計	一七八・九二 (一四・五六)
○什器・燃料	
鏡	・三六
鍋	四・九〇
バケツ	六・四三
茶碗・湯呑	・八二
石油	七・七四
マッチ	一五・五七
鋏	一・二四
煙管	・七五
柄杓	・二二
甕	八・〇〇
時計	八・〇〇
計	五四・〇三 (四・三九)
○保健衛生品	
石鹼	一一・〇五
齒磨粉	・九〇
計	一一・九五 (〇・九七)
○教育・娯樂・装身具	
白粉	一・六五
髪油	・九二
クリーム	一・〇〇

計	三・五七 （〇・二九）	山刀斧	六・六〇
○農工具・種苗		計	五〇九・二〇 （四一・四六）
種苗	一・五〇		
黄牛	三二・〇〇	總計	一、二二八・一〇 （一〇〇・〇〇）
水牛	四五七・〇〇		
罠	一二・一〇	一戸當平均	一六・一五

賣却品（畜産品）

○林産物		獸骨	一・七二
椎茸	圓 五・〇〇	鹿鞭	一・七〇
木耳	一六・二一		
計	二一・二一 （四二・九二）	計	二八・二〇 （五七・〇七）
○獵獲物		總計	四九・四一 （一〇〇・〇〇）
獸皮	・四一		
獸角	三・一六	一戸當平均	〇・六五〇一

交易所に於ける購買品に就ては大體パーラン社と相似た傾向にあるが農工具の項の黄牛・水牛等の購入の割合が多い。これは特に本年に限つて多かつたと說

明があるから普通は恐らく類似したものと見ることが出來るであらう(但し家畜の頭數は遙に少い)。併し賣却品になると全く異つて來る。此社は奥地であるから製作品の提供が無いのは當然であるが林產物・獵獲物の賣却も極めて少く購買品との釣合がとれて居ない。勿論こゝでは警手一名囑託一名(兩名で收入年六六〇圓)も交易所を利用するものとして購買のみが增すとしても賣却品が餘りに少いのには何か理由が存するのであらう。土地が餘り高過ぎるのが農產物林產物を少くさせるのかも知れない。狩獵にも次の勞力表に見るが如く多くの延人員が出掛けて居てもバーラン社の六分の一位の獲物しか無く賣却品は更に少いのも獵場が惡いのかも知れない。これは何れも推察であつて再度の調査の際明か

昭和八年勞力表

性別	勞働に堪へ得べき延人員(十五歳—六十歳)	自家の耕作狩獵の爲に要したる勞力の延人員			自家以外の爲に提供したる勞力の延人員(義務出役を含む)
		耕作其他	狩獵	計	
男	四二、九二三	三九、〇一六	一、九九三	四一、〇〇九	一、〇三三
女	四二、〇五九	四〇、五六〇		四〇、五六〇	八五二
計	八四、九八二	七九、五七六	一、九九三	八一、五六九	一、八八四

にし度いと考へて居る。

提供すべき蕃産品が少ければ自ら勞働を提供して貨幣を獲得しなければならないが、其傾向が漸次著しくなりつゝあると「蕃人調査」は報告して居る。即ち「近來ハ金錢ノ價値及之ガ使用法ヲ知リ物資運搬其他賃銀ヲ受クル勞働ニハ競フテ出役ヲ申出ヅルモノアリテ賃銀勞働ヲ欲スル傾向アリ」と述べて居る。賃銀勞働の內譯は、

種別	勞働延人員			勞銀
	男	女	計	
物資運搬	五八	一九一	二四九	一七六・二四圓
土木建築	三九六	一六二	五五八	二三一・四五
合計	四五四	三五三	八〇七	四〇七・六九

となつて居る。

（4）ブヌン族ランルン社

ランルン社に就ては巒蕃並に少數の郡蕃も一緒にされて計算されて居るからこゝではそれに從つて置く。それによれば戶數四一人口男二二二・女一八二・計四

〇四となつて居り、所有地及一年間耕作地は次表の如くである。

種別	所有地			一年間耕作地		
	總面積	占有戶數	一戶平均	總面積	耕作戶數	一戶平均
水田	甲 八・六〇	四一	甲 〇・二〇九	甲 八・六〇	四一	甲 〇・二〇九
畑地	四三二・〇〇	四一	一〇・五三	九三・〇四	四一	二・二六
森林牧場	九・五〇	四一	〇・二三			

此社に於ては水田は全社のものとし共同耕作をなさしめて居る。

次に總收入及び家計費更に交易關係に就て次表を掲げる。

收入	
農產收入	圓 七、〇一〇・〇〇
林產收入	三、五〇三・〇七
畜產及獵獲收入	八七二・五二
製作品收入	一七三・一〇
雇傭及勞働收入	八八五・三八
(內　勞働收入)	(二九一・三八)
雜收入	九五・〇〇
計	一二、四三九・〇七

家計費	
飲食費	圓 八、〇七三・九五
(全額に對する百分率)	(七六・六六)
(內　嗜好品費)	(一三四・二一)
	(一・二七)
被服費	二八一・九六
	(二・六七)
住居・什器・光熱費	一、四二四・七七五
	(一三・五二)

一戸當平均	三〇三・三九
一人當平均	三〇・七八
（貯金より融通したる額	二四三・〇〇）
（前年より繰越せる農産物	一、八六〇・八八）

（内 光熱費）	（一、三四三・三四五）
	（一二・七五）
保健衛生費	八四・七六五
	（〇・八〇四）
祭祀交際費	八八〇・〇〇
	（八・三五）
教育・娯樂・裝身費	二六・六三
	（〇・二五）
計	一〇、五三二・〇八
	（一〇〇・〇〇）
一戸當平均	二五六・八八
一人當平均	二六・〇六
（農工具及種苗費	二六〇・五五）

交易所交易

購買品（供給品）

飲食物	
食鹽	一〇・〇二圓
酒	一・四一
魚類	三・九二
豚肉	一五・八〇
麵類	一・〇二

計	三二・一七
	(百分率 五・九六)
○被服・身廻品	
內地衣	八・〇二
本島衣	四・三三
シャツ・ズボン下	一五・四七
タオル・手拭	六・一五
足袋・地下足袋	五・二二
木綿	一一五・五五
木綿絲	一六・一九
毛絲	三〇・九五
櫛	二・五四
傘・洋傘	二・四〇
毛布	一三・八〇
蚊帳	一四・六七
針	・四三
簡單服	九・〇三
洋服	七・〇九
竹笠	二・四〇
脚絆	一・九六
鈕釦	・二〇
乗馬ズボン	三・五六
計	二五九・九六
	(四八・一二)
○什器・燃料	
鏡	・三七
鍋	二五・〇〇
洗面器	・二三
バケツ	・三五
洋燈	・〇六
湯沸	一・一八
石油	一・九四
マッチ	一二・二四五
鋏	一・三〇
小刀	・一八
甕	五・五〇
其の他の家具食器	二・八〇
其の他の日用品	二・四九

項目	金額	割合
計	五三・六四五	（九・九五）
○保健衛生品		
石鹸	六・九八五	
計	六・九八五	（一・二九）
○教育・娯樂・裝身具		
髪油	・三〇	
計	・三〇	（〇・〇五）
○農工具・種苗		
蕃刀	一・五五	
黄牛	一二〇・〇〇	
水牛	三六・〇〇	
その他の農工具	一八六・〇四	（三四・五〇）
總計	五三九・一〇	（一〇〇・〇〇）
一戸當平均	一三・一四八	

賣却品（蕃產品）

項目	金額	割合
○農產物		
里芋	一・六〇圓	
胡麻	一・八〇	
麻	・一二	
計	三・五二	（四・七九）
○林產物		
木耳	四五・二七	
計	四五・二七	（六一・七〇）
○獵獲物		
山豚鞭	・二〇	
穿山甲	一・八六	
羌仔袋角	一・二〇	
山羊皮	・二八	
獸皮	一四・一七	

獸角	○・○八	總計	七三・三七
獸骨	六・七九		(一〇〇・〇〇)
計	二四・五八	一戸當平均	一・七八
	(三三・五〇)		

交易所に於ける購買品に於て飲食物の額や割合が前述の諸社に比べて非常に少い。これは次に述べるイバホ社に就ても同樣であつて、他のブヌン族に就ても同樣な傾向が見られるならば面白い現象であると思ふが、二社のみでは何とも言へない。唯ブヌン族は一般に粟等を多量に貯藏する慣習があるから飲食物に不足しないのかも知れない。併し新しい食物に對する欲望は不足しないといふことでは説明出來ないから他の理由に據るかも解らない。或は全く自由交易によるものを調査し漏らして居るのであれば事情は異つて來るから以上の點はしばらく保留して置くことゝする。被服の項に於て衣服の材料となるべき布類の額の多いのは他社と同樣である。蚊帳があるのは此地はマラリヤの流行地である爲である。

賣却品の少いのは恐らく平地に近い爲に直接商人に賣る者があるからであらう。私が當社を調査中にも米を近くの町で賣却した蕃人があつた。併し乍ら購買品の大部分が警手(三名收入五九四圓)によつて購はれたものであるかも知れない。ブヌン族の如く大家族生活をするところでは自給性が強いと言ふことは言へるであらう。

終りに勞力の狀況並に賃銀勞働の內容を次表によつて示すことゝする。

昭和八年勞力表

性別	勞働に堪へ得べき延人員(十五歲—六十歲)	自家の耕作狩獵其他の爲に要したる勞力の延人員 耕作其他	狩獵	計	自家以外の爲に提供したる勞力の延人員(義務出役を含む)
男	三七、〇九七	三四、九七二	四九二	三五、四六四	一、五〇八
女	三五、九九六	三五、八二三		三五、八二三	五三
計	七三、〇九三	七〇、七九五	四九二	七一、二八七	一、五六一

賃銀勞働

種別	勞働延人員 男	女	計	勞銀
物資運搬	一二六	二四	一五〇	圓 六二・八五
土木建築	三八九		三八九	二二八・五三
計	五一五	二四	五三九	二九五・三八

(5) ブヌン族イバホ社

イバホ社の昭和八年に於ける戸數一七、人口男七五・女九一・計一六六となつて居り、所有地に就ては次表の如くなつて居る。

種別	所有地 總面積	所有地 占有戸數	所有地 一戸平均	一年間耕作地 總面積	一年間耕作地 耕作戸數	一年間耕作地 一戸平均
水田	ナシ					
畑地	二一二・七一甲	一七	一二・五一甲	四九・〇〇甲	一七	二・八八甲
森林牧場	一、〇九二・八二甲	一七	六四・二八			

收入並に家計に於ては次表の如く一人當りは大體他社と相似て居る。

收入		家計費	
農產收入	二、四三〇・九〇圓	飲食費	二、四一八・二二圓
林產收入	一、八六二・二一	(總額に對する百分率)	(五一・四五)
畜產及獵獲收入	四八三・一二	〔內　嗜好品費〕	〔六〇〇・〇〇〕
製作品收入其他	一〇六・〇〇		〔一二・七六〕
雇傭及勞働收入	五三四・七〇	被服費	五一七・三〇五

（内　勞働收入）	（一二六・七〇）
雜　收　入	一一〇・〇〇
計	五、五二六・九四
一戸當平均	三二五・一一
一人當平均	三三・二九
（貯金より融通したる額）	（一二〇・〇〇）
（前年よりの農産物繰越高）	（三九二・七五）

		（一一・〇〇）
住居・什器・光熱費	三二一・九四	（六・八五）
〔内　光熱費〕	〔二七八・九七〕	〔五・九三〕
保健衛生費	一三・七一	（〇・二九）
祭祀交際費	一、二〇九・八〇	（二五・七四）
教育・娯樂・裝身費	一二・六六	（〇・二六）
雜　支　出	二一〇・〇〇	（四・四六）
計	四、六九九・六三五	（一〇〇・〇〇）
一戸當平均	二七六・四四	
一人當平均	二八・三一	
（農工具・種苗費）	二五〇・六六）	

(貯　金	一五三・二九)
(食料品繰越高	三六九・四〇)

交易所の表に於て見得るが如く購買品の中飲食物の割合が極めて少いのはランルン社の際に逃べた通りである。他の項目に就ては種類は普通である。賣却品の額の少いのもランルン社と同様であるが此處は非常な奥地であるから實際に少いのであらう。林産物中の金線蓮・茯苓は漢藥の原料となるものである。奥地ではあるが早くから本島人と接し此奥のイカロと稱するところは領臺前本島人の交易區域の境界(花蓮港側との)になつて居たところで兩方で互に銃器を與へて獲物の多きを競はしめたといふのであるから彼等は生活必需品や鐵器を得る爲には獵獲物を以てそれと交換して居たわけである。交易所から多くの購買をすると思はれる警手二名の收入は四〇八圓である。

交易所交易

購買品(供給品)

○飲食物	
食鹽	二九・一五圓
酒	六・〇〇
魚類	一五・六七
獸肉	一・〇〇
計	五一・八二

○被服・身廻品	（百分率　六・六〇）
內地衣	七・八三
本島衣	九・三七
シャツ・ズボン下	一二・九一
タオル・手拭	九・九三
足袋・地下足袋	一二・九六
帽子	・四〇
木綿	一八九・〇二五
ネル	五〇・九六
木綿絲	一四・八五
毛絲	五九・二五
櫛	一・八三
傘・洋傘	八・八三
毛布	一九・二六
針	・二五
青年團服	五・四六
紺脚絆	一九・二五
簡單服	一七・六七
學生服其他	二〇・五二
靴下	・一五
釦	・四五
風呂敷	・一五
計	四六一・三〇五（五八・七五）
○什器・燃料	
鏡	・二五
鍋	一八・九五
バケツ	二・二八
湯沸	一・〇八
マッチ	一二・二七
鋏	二・二一
小刀	二・九七
煙管	二・五五
錠其他	一・九五
衣類箱	二・〇〇
毛拔	・二〇
計	四六・七一

	(五・九四)
○保健衞生品	
石鹼	一三・七一
計	一三・七一
○教育・娯樂・裝身具	(一・七四)
腕環	・三六
計	・三六
○農工具・種苗	(〇・〇四)
蕃刀	四・五〇

賣却品（蕃產品）

	圓
○林產物	
椎茸	・一〇
金線蓮	三・四〇
木耳	一一・四二
茯苓	一・五九
計	一六・五一
	(三八・九一)

黄牛	一一五・八〇
水牛	六二・五〇
柴刀	五・七〇
罠	一〇・六一
斧	一二・〇八
計	二一一・一九
	(二六・八九)
總計	七八五・〇九五
	(一〇〇・〇〇)
一戶當平均	四六・一八二

○獵獲物	
獸角	二・七七
獸骨	五・七〇
鹿鞭	一五・九七
鹿筋	一・〇八
山豚鞭	・四〇
計	二五・九二

總計	(六一・〇八)		(一〇〇・〇〇)
	四二・四三	一戸當平均	二・四九

狩獵は今述べた交換用の獵獲物を得るために袋角(鹿茸)の出る三・四月頃が盛んであるが(前述の各社に於ても同樣である)、其他の時期に於ても農閑期のみならず一般に盛んであつて判明して居る延人員だけでも次の勞力表に於けるが如くである。

昭和八年勞力表

性別	勞働に堪へ得べき延人員(十五歳―六十歳)	自家の耕作狩獵其他の爲に要したる勞力の延人員			自家以外の爲に提供したる勞力の延人員(義務出役を含む)
		耕作其他	狩獵	計	
男	一五、六七八	一三、五九〇	六五八	一四、二四八	一、〇三二
女	一五、七九三	一五、二七三		一五、二七三	四九
計	三一、四七一	二八、八六三	六五八	二九、五二一	一、〇八一

貨幣を得ることの必要は彼等にあつても益〻多くなつて行くのであるから他所に於けると同樣に勞力提供の方法が先づ採られて居る。「蕃人調査表」の報告も「本年中(昭和八年)楠子脚萬移住問題起ルト共ニ移住後ニ於テ金錢ノ必要ヲ認メタル

カ出役ヲ好ンデ爲ス者續出シタル狀態ニシテ現在ニ於テハ出役ニ對シテハ進ンデナスモノ多クナル狀態ニアリ」と述べて居る。賃銀勞働の內譯は次の如くである。

種別	勞働延人員			勞銀
	男	女	計	
物資運搬	二〇八	四九	二五七	一二三・二〇圓
土木建築	七		七	三・五〇
合計	二一五	四九	二六四	一二六・七〇

(6) パイワン族カビヤガン社

パイワン族になると前述の諸種族に比して外部の影響の程度の著しいことが交易の上に現はれて居る。カビヤガン社は昭和八年には戸數一〇八、人口男二三五・女二〇七・計四四二を算し、土地の廣さに就ては次表の如くである。土地は前述の如く大部分頭目家のものである。

所有地				一年間耕作地		
種別	總面積	占有戸數	一戸平均	總面積	耕作戸數	一戸平均
水田	ナシ					
畑地	七三〇・〇〇甲	一〇八	六・七五甲	二三五・一〇甲	一〇八	二・一七甲
森林牧場	七四八・〇〇	一〇八	六・九二			

次に收入並に家計費を示せば次の様になつて居る。

收入		家計費	
農産收入	一〇、九六五・九七圓	飲食費	一〇、六一四・二三圓
		（總額に對する百分率）	（六二・七〇）
林産收入	四、七六二・八五	〔内 嗜好品費〕	〔一、二一九・五七〕
畜産及獵獲收入	七四五・四二		〔七・二〇〕
製作品收入其他	一四一・九九	被服費	六三一・八二
雇傭及勞働收入	一、〇八一・一六		（三・七三）
（内 勞働收入）	（二九三・六六）	住居・什器・光熱費	三、〇九四・六七
雜收入	四一二・〇三		（一八・二八）
計	一八、一〇九・四二	〔内 光熱費〕	〔二、七七九・六七〕
一戸當平均	一六七・六七		〔一六・四二〕
一人當平均	四〇・九七		

(貯金より融通したる額	一五六・一〇)
(前年よりの農産物繰越高	二、九九六・二五)

保健衛生費	五七・九三	(〇・三四)
祭祀交際費	二、四三六・九九	(一四・三九)
教育・娯樂・裝身費	六七・七三	(〇・四〇)
雜支出	二四・七五	(〇・一四)
計	一六、九二八・一二	(一〇〇・〇〇)
一戸當平均	一五六・七四	
一人當平均	三八・二九	

(農工具・種苗費・農業用家屋維持費	二四六・八六)
(貯金	二七三・五五)
(食料品繰越高	二、三二二・三一)

此社の交易所は平地にある爲、また交通に便利であり且古くから平地の本島人と交渉があつた關係から自由交易が極めて多い。次表に見るが如く交易所から或は自由に購買する品物の種類も非常に多い。賣却品に於ても色々な品物を搬

出して居る。農産物に於ける蜂蜜、林產物に於ける薪・竹等は目立つて居る。そして官の指導によつて繭・虎瓜豆を以て相當の利益を擧げて居る。而して賣却品が購買品を凌いで居るのも珍しい。何れにしても當社は頻繁な交易を通じて平地文化(主として本島人)の影響を受けつゝあつたし現在も亦さうであることは疑へない。以下交易所並に自由交易の狀況を示し兩者の合計をあげて置いた。兩者の合計を示したのはタバグ社、パーラン社の如く一般社衆と警手等の關係先の區別が明瞭で無いからである。當社には蕃人出身の巡査一名(收入四八〇圓)警手二名(收入二三五圓)が居る。

交易所交易

購買品(供給品)

品目	圓
○飲食物	
食鹽	七八・一四
米	二・四五
酒	二二・九九
魚類	四四・七五
菓子	四・四二
檳榔實	六一・四七
計	二一四・二二
○被服・身廻品	
本島衣	一・〇〇
シャツ・ズボン下	一・二二
タオル・手拭	一・二〇

足袋・地下足袋	一・六五
木綿	三六一・四七
ネル	二三・三五
平打紐	三・六〇
木綿絲	一〇・九七
絹絲	・八四
毛絲	四四・七二
櫛	一・七七
扇子	・二〇
毛布	二一・八〇
針	一・八四
釦	八・五九
風呂敷	一・三八
計	四八五・六〇

○什器・燃料

鏡	・一〇
鍋	二一・五八
洗面器	一・九九
バケツ	・七五
蠟燭	・五九
莨入	・一四
金網	三・六八
茶碗湯呑	・六三
陶製鉢	三・五四
石油	五九・三四
マッチ	二四・九九
鋏	・八〇
小刀	・三〇
煙管	・四〇
鈴	・一五
カンテラ	一・〇〇
水甕	七・〇〇
錠	一・八八
錢入	・四九
辨當入	・四六
衣類箱	六・六〇
計	一三六・四一

○保健衛生品

石鹼	三・〇四
計	三・〇四
○教育・娯樂・裝身具	
胸飾	三二・〇〇
腕環	・二三
耳飾	八・八六
指環	・二〇
ハーモニカ	・九〇
計	四二・一九
○農工具	
蕃刀	一・四六
斧	五・三〇
突鍬	四・四七
鎌	一一・六四
山鍬	一・五〇
鑪	・二七
水牛	三五・〇〇
計	五九・六四
總計	五四一・一〇
一戸當平均	八・七一三

賣却品（蓄産品）

○農産物	
小豆	圓 一・二八
落花生	・二五
甘藷	四・五六
里芋	一・一一
南瓜	二・五一
檨仔實	三・六五
甕	一・四九
甘藷蔬	・二七
甘藷莖	八・二一
蜂蜜	一八五・四六
計	二〇八・七九
○林産物	
木材	一三・七四
薪	三八六・六四
木炭	一一・八一

竹	一七〇・四九
金線蓮	一・一二
茅草	一四・四九
木耳	一八・一六
白木耳	一・〇五
鬼茅心	三八・六三
百合實	一・二六
田草	・二八
山棕梠	・一二
計	一、六五七・七九
○獵獲物	
獸骨	一・九二
穿山甲皮	・九八
猿	・二〇
計	三・一〇
○製作品	
月桃細工	・三二
計	・三二
總計	一、八七〇・〇〇
一戶平均	七・三一
△外に換蕃業者に對し	
○農產物	
蘭	五一・四〇
虎瓜豆	三七一・三六
計	四二二・七六
一戶平均	三・九一

自由交易

購買品

○飲食品	
白米	一一三・三五圓
鹽魚	三六・三一
干魚	六・八四
烟草	一二・四八
日本酒	九・五〇
米酒	五六・一五
ビール	・八〇

サイダー	二・一〇
砂糖	四・七八
罐詰	一・八三
醤油	二・二一
味の素	一・八〇
味噌	・五九
食鹽	三・四四
茶	・九〇
菓子	五・〇五
豚肉	八・〇〇
麺類	五・五四
饂飩粉	・六〇
揚油	・四六
家鴨卵	一・四五
玉葱	一・七二
其他の蔬菜	一・三八
檳榔實	九八・三〇
計	三七五・五八

○被服・身廻品

木綿	五〇・九一
綿ネル	三・五〇
セル	六・〇〇
毛絲	三・三〇
木綿絲	・三三
タオル	四・〇四
シャツ・ズボン下	七・二五
足袋	九・一三
下駄	・七二
帽子	・四〇
毛布	二八・〇〇
脚絆	一・〇〇
簡單衣	二・〇〇
傘	三・四〇
針	・一五
草履	・二五
手袋	一・一七
猿又	二・〇〇
風呂敷	一・一〇

帶	一・〇九
蕃布	二・八〇
木綿（密交換）	五・〇〇
綿ネル（〃）	・五〇
計	一三四・〇四
○什器・燃料	
石油	一二・五五
マッチ	五・二五
鍋	二・一〇
釜	一・二〇
茶碗	・五二
バケツ	・三〇
懷中電燈	・八〇
電池	七・二二
電球	一・一五
水杓子	・一五
水甕	一・二〇
煙管	・二九
皿	・一八
ランプのほや	・七九
タワシ	・一二
時計類	・三〇
計	三四・一二
○保健衛生品	
石鹸	二・八八
齒磨粉・楊子	・四六
計	三・三四
○教育・娯樂・裝身具	
髮油	・二〇
ガラス玉	・五〇
文房具	・三七
計	一・〇七
○農工具	
斧	一・三〇
蕃刀	一・一〇
計	二・四〇
總計	五五〇・五五
一戶當平均	五・〇九七

賣却品（蕃産品）

○農産物	
黄牛	八四・〇〇圓
鷄	一・〇〇
蜂蜜	一・〇〇
鷄卵	・二五
芭蕉	・四三
里芋	・四〇
粟	・四〇
計	八七・四八
○林産物	
斑芝綿	一・九五
竹	七・五〇
藺	・一〇
蕨	一・一〇
計	一〇・六五
○獵獲物	
猿	・五〇
山猫	・五〇
山猫皮	・三〇
羌皮	・四五
羌頭	・七〇
計	二・五七
○製作品	
蕃刀	二・〇〇
計	二・〇〇
總計	一〇二・七〇
一戸當平均	〇・九五

交易所及自由交易合計

購買品		賣却品	
飲食物（百分率）	五八九・八〇圓（三九・五四）	農産物	七一九・〇三圓（三〇・〇一）

被服・身廻品	六一九・六四	（四一・五四）
什器・燃料	一七〇・五三	（一一・四三）
保健衛生品	六・三八	（〇・四二）
教育・娯樂・裝身具	四三・二六	（二・九〇）
農工具	六二・〇四	（四・一七）
計	一、四九一・六五	（一〇〇・〇〇）
一戸當平均	一三・八一	

林産物	一、六六八・四四	（六九・六五）
獵獲物	五・六七	（〇・二三）
製作品	二・三二	（〇・〇九）
計	二、三九五・四六	（一〇〇・〇〇）
一戸當平均	二二・一八	

當社に於ては交易の上に出超となつて居る爲か「調査表」にも未だ積極的に賃勞働に向ふ熱意が少い様に說かれて居るが何れは此方面が問題になるであらう。事實に於ても相當數勞力を提供して居る。勞力表及び賃勞働の狀況を示せば次の如くである。

昭和八年勞力表

性別	勞働に堪へ得べき延人員（十五歳－六十歳）	自家の耕作狩獵其他の爲に要したる勞力の延人員			自家以外の爲に提供したる勞力の延人員（義務出役を含む）
		耕作其他	狩獵	計	
男	五三、九六九	四九、九六六	一二二	五〇、〇八八	二、〇三一
女	四四、六八二	四一、六〇六		四一、六〇六	四五六
計	九八、六五一	九一、五七二	一二二	九一、六九四	二、四八七

賃銀勞働狀況

種別	勞働延人員			勞銀
	男	女	計	
物資運搬	二二五	五	二三〇	九一・一六圓
林業	四〇五		四〇五	二〇二・五〇
合計	六三〇	五	六三五	二九三・六六

(7) ルカイ族コチャボガン社

當社は昭和八年には戶數一二七、人口男三二三・女三二五・計六四八を算し、土地は次の如くなつて居る。

種別	所有地			一年間耕作地		
	總面積	占有戶數	一戶平均	總面積	耕作戶數	一戶平均
水田	ナシ					
畑地	一、三九八・四〇甲	一二七	一一・〇甲	二一三・四〇甲	一二七	一・六八甲
森林牧場	二、三三八・六〇	一二七	一八・四一			

次に收入及家計費、交易狀況を示せば左の如くである。

収入	
農産収入	一四、七五〇・四九圓
林産収入	二、五〇五・六二
畜産及獵獲収入	八七三・五三
製作品収入其他	四七八・三七
雇傭及勞働収入	七九五・三二
（内　勞働収入）	（一七六・三二）
雑収入	二六八・八〇
計	一九、六七二・一四
一戸當平均	一五四・八九
一人當平均	三〇・三五
（前年よりの農産物繰越高）	（一、五三〇・三一）

家費	
飲食費	一四、七一三・一三圓
（總額に對する百分率）	（七七・三七）
（内　嗜好品費）	（一、八〇七・二五）
	（九・五〇）
被服費	五八八・四三
	（三・〇九）
住居・什器・光熱費	二、五八三・四一
	（一三・五八）
（内　光熱費）	（一、八九一・一六）
	（九・九四）
保健衛生費	二六・三八
	（〇・一四）
祭祀交際費	八九三・八〇
	（四・七〇）
教育・娯樂・裝身費	一二五・三四
	（〇・六五）
雑支出	八四・四〇
	（〇・四四）

計	一九、〇一四・八九
一戸當平均	一四九・七二
一人當平均	二九・三四
（農工具・種苗費・農業用家屋維持費	四八九・三二）
（貯金	二四・〇〇）
（食料品繰越高	一、六二三・九三）

交易所交易

購買品（供給品）

	圓
○飲食物	
鷄	〇・七〇
食鹽	五・五〇
酒	七・九八
魚類	一・六二
菓子	・一四
著薬	・四二
豚肉	・五〇
煙草	八・九二
檳榔實	一・一七
計	二六・九五
○被服・身廻品	
本島衣	一・七〇
シャツ・ズボン下	一・〇〇
タオル	・九〇
木綿	九四・九二
木綿絲	三・七七
毛絲	・二〇

毛布	五・九〇
計	一〇八・三九
○什器・燃料	
鍋	四・八〇
洗面器	・二〇
煙管	・一八
バケツ	・六〇
石油	二・三二
マッチ	七・〇二
エナメル	・四〇
カンテラ	・一〇
計	一五・六二
○保健衛生品	
石鹸	二・三五
計	二・三五
○教育・娛樂・裝身具	
耳飾	二・二四
計	二・二四
○農工具	
突鍬	・二五
斧	一・四〇
計	一・六五
總計	一五七・二〇
一戸當平均	一・二三

賣却品（蕃産品）

○農産物	
柑橘	圓 ・三五
計	・三五
○林産物	
薯榔	一〇・四〇
木材	二四・八〇
薪	・一〇
祥横	二・六〇
金不換	八・一九
百合實	一〇・三六
木耳	三・六〇
天文冬	・二四

計	八〇・二四
○獵獲物	
獸皮	・六〇
獸角	九・〇〇
獸骨	・二四
鹿鞭	三〇・〇〇
鹿筋	・一四
計	三九・九八
○製作品	
網袋	・八五
計	・八五
總計	一〇一・四二
一戸當平均	〇・七九
△他に換番業者に對し	
○農產物	
繭	三六四・二一
計	三六四・二一
一戸平均	二・八六

自由交易

購買品

○飲食品	
食鹽	圓 一五・七五
豚肉	八四・九五
酒	一一七・八四
鹽魚	九・九〇
檳榔實	五・四八
米	七九・七〇
煙草	・四〇
菓子	三・二〇
荖葉	一・七〇
砂糖	二・〇〇
計	三二〇・九二
○被服・身廻品	
タオル	三・八六

木綿	二六三・四三
地下足袋	一九・一〇
毛布	四八・九〇
シヤツ・ズボン下	一三・八〇
帽子	三・九〇
絲類	一・五〇
毛絲	一・四五
脚絆	一・四〇
釦	・一〇
剃刀	・二五
紐	二〇・五〇
針	二・〇〇
計	三八〇・一九
○什器・燃料	
鏡	一・五七
マッチ	五一・八二
鍋	四九・五〇
洗面器	四・五〇
バケツ	九・五五
煙管	・二〇
甕	一・八〇
石油	・〇五
茶碗	・二五
計	一一九・二四
○保健衛生品	
石鹼	二四・〇三
計	二四・〇三
○教育・娛樂・裝身具	
鉛筆	・一〇
計	・一〇
○農工具	
本島鎌	一六・五五
蕃刀	三一・〇〇
突鍬	・四〇
鋸	一五・〇〇
鉈	九・〇〇
鑿	五・〇〇
斧	二〇・〇〇

計	九六・九五	一戸平均	七・四一
總計	九四一・四二		

交易所及自由交易合計

購買品	圓		賣却品	圓	
飲食物（百分率）	三四七・八七	（三一・六六）	農産物（百分率）	三六四・五六	（七八・二九）
被服・身廻品	四八八・五八	（四四・四七）	林産物	六〇・二四	（一二・九三）
什器・燃料	一三四・八六	（一二・二七）	獵獲物	三九・九八	（八・五八）
保健衛生品	二六・三八	（二・四〇）	製作品	・八五	（〇・一八）
教育・娯樂・裝身具	二・三四	（〇・二一）	計	四六五・六三	（一〇〇・〇〇）
農工具	九八・六〇	（八・九七）	一戸當平均	三・六六	
計	一、〇九八・六二	（一〇〇・〇〇）			
一戸當平均	八・六五				

購買品に於て此社でも飲食物・被服類が大部分を占めて居る。種類は普通である。平地に出る機會多く屏東等で買物をしたのが自由交易として擧げられて居ると報告してある。賣却品が非常に少く賃勞働も少いから購買品の大部分が警手等のなせるものと見られる。

勞力表並に賃勞働狀況は次の通りである。

昭和八年勞力表

性別	勞働に堪へ得べき延人員（十五歳—六十歳）	自家の耕作狩獵其の他の爲に要したる勞力の延人員			自家以外の爲に提供したる勞力の延人員（義務出役を含む）
		耕作其他	狩獵	計	
男	六一、六九八	五〇、七五三	一、九一一	五二、六六四	六、四〇四
女	六一、八七〇	五五、七三二		五五、七三二	一、七四八
計	一二三、五六八	一〇六、四八五	一、九一一	一〇八、三九六	八、一五二

賃銀勞働狀況

種別	勞働延人員			勞銀
	男	女	計	
物資運搬	七三七		七三七	一七六・三二圓
合計	七三七		七三七	一七六・三二

奥地にあつて歸順の遲かつた性か未だ官の勞働に服することを好む度が少いと報告されて居る。

（8）概括

以上「蕃人調査表」に揭げられた數字に基いて五種族七社の交易狀況を見ること

に努めた。生活の大體を示すべき收支經濟に就ては單に經費を差引かない農業及農業以外の收入と實支出を掲げた家計費とを對照せしめたに止まつてそれ以上の分析を行ひ得ないのは前に述べた如く經費を構成する要素の價格が不明だからである。收入並に家計費に就ての數字も完全な家計調査に據つたものでないから極く大體の傾向を觀得るに過ぎない。家計費の各項目に百分率を附したのは八割乃至九割を自給(註)して居る場合には意味は少いが大體の分布を知る意味から掲げたのである。

交易に關して各社毎に交易さるゝ物品の内容を掲げて煩雜さを增して居るが、之は各社の特殊性を示し度いと考へたからである。今一般に共通した傾向を述ぶるならば、先づ購買品の種類が我々が豫想する以上に多いことである。生活のあらゆる面に外部からの品が侵入して居ることは彼等の生活が政治的のみならず經濟的にも自給自足の生活でない事を示すものである。成程品物の種類に於てこそ領臺後豐富にはなつたが、交易は古くから存在し相似た影響を及して居た事は疑へない。殊に南部の諸族に於て著しい。今七社の購買品、賣却品の種類及び一戸平均の購買・賣却額を表にして見れば次の如くになる。

	購買品								賣却品					
	飲食物	被服・身廻品	什器・燃料	保健衛生品	教育・娯樂・装身具	農工具・種苗	計	一戸當平均購買額	農産物	林産物	獵獲物	製作品	計	一戸當平均賣却額
タパグ	一七種	二四	一五	二	一四	七	七九	一〇〇・六三圓 二〇・三六	八種	一	六		一五	三七・四八圓 一一・五五
パーラン	一四	一九	一一	二		三	四九	二〇・五三圓	一一	四	六	一四	三五	一一・〇八圓
カムジヤウ	一三	一七	一一	二	三	六	五二	一六・一五圓		二	四		六	〇・六五圓
ランルン	五	一九	一一	二	一	三	四一	一三・一四圓	三	一	七		一一	一・七八圓
イバホ	四	二一	一一	一	一	六	四四	四六・一八圓		四	五		九	二・四九圓
カビヤガン	二二	二六	三〇	二	八	七	九五	一三・八一圓	一七	一五	八	二	四二	二一・一八圓
コチヤボガン	一一	一四	一一	一	二	七	四六	八・六五圓	二	八	五	一	一六	三・六六圓

備考―各項目の種類數は最小限を示すものである。それは價格の小さいものは『調査表』には「其他」として掲げられて居るからである。
タパグ社の平均額は大家族と小家族との二通りあげた。

次に共通の傾向として擧げられるものは、購買品に於ては飲食物、被服身廻品、農工具が大部分を占めて居ること、賣却品に於ては林產物、獵獲物が主要品であること、警手其他一般よりも進化して居る者、貨幣を得る事の多い者の購買品は種類が豐富となり文化品に當るものゝ額が增して來て居ること、一般社衆は貨幣を獲得する爲に次第に勞役に從事する熱意を增しつゝあること等である。主要購買品・賣却品の性質卽ち一方では飲食物・被服・農工具、他方では林產物・獵獲品といふ傾向は我々と高砂族の如く單に交易關係のみならず政治、敎育その他幾多の面に於て接觸する場合に限らず領臺前に於ける場合に於ても同樣であつたと思はれる。鹽その他の生活必需品や鐵器の他に被服類の多いことは文化接觸の一形式が購買品の上にも現はれて居ると見ることが出來るであらう。交易に必要な貨幣を得るために勞役に從ひ新しい生活規律に服し融合を助長する樣になるのも交易關係の作用の一方面であり、從來の生活法卽狩獵を盛にさせるのもその作用のもう一つの方面である。何れにしても種々なる作用を社會に與へることは疑ひ得ない。

（註）各社の總支出中自給の割合は次の如くであるが、これを渡邊侃氏によつて示された我國及

びアメリカの農家の家計費中自給の百分率（北海道帝大法經會編輯、法經會論叢第四輯昭和十一年一月所載・農家の生計標準）と比較するならば（高砂族の分には農工具に對する支出、貯金等が含まれて居るから家計費中のならば少しばかり率は變化するが甚しくは變らない）。

○高砂族

	タパグ社	パーラン社	カムジヤウ社	ランルン社	イバホ社	カビヤガン社	コチヤボガン社
總支出に對する自給の百分率	八九・二七	八一・四三	八九・三一	九五・〇六	八四・六二	八九・八三	九三・三八

○日本府縣農家經濟調査（昭和五年度農林省調査）

	自作	自小作	小作	平均
家計費總額に對する自給額の百分率	三九・五	四三・七	四七・〇	四二・五

○北海道農家經濟調査（北海道農會調査）

	昭和五年	昭和六年	昭和七年	昭和八年
家計費總額に對する自給額の百分率	三四・七	三六・八	三六・八	三六・三

○北米合衆國農家經濟調査

	山地農家			低地農家			
	オザーク	フオークナー	ローレル	オハイオ西南部	全國	ウイスコンシンデーン	アイオワ
全生活資料總額に對する自給額の百分率	五六	五四	五三	四三	四三	三〇	四〇

(四) 結語

原始社會に於て手工的分業並に交易が如何に重要な意味を持つて居るかに就ては以上の敍述によつて之を明かになし得たと信ずる。私は兩者をそれぞれ內部的及對外的社會關係として見、それが、血緣・地緣・其他機能の相異に基いて成立する社會集團と相並んで、或はその作用を補ひ、或は其の前提となり、或は異つた領域に於て活動し、以て全體社會を維持し、更にこれに大きな變化を與へるといふ作用を有することに就いて述べて來た。具體的事實を例示することに重點を置いた爲に、僅に原始分業、原始交易なる事實の存在並にその重要性を說いたに止まつて多くの問題を後に殘したことは遺憾であるが止むを得ない。例へば手工的分業と氏族或は地域社會との關聯、職業の成立、原始交易に於ける貨幣の意義等論ずべき問題は多い。簡單に觸れては來たが解決は與へられて居ない。

要するに此論文にして意義があるならばそれは從來高砂族に就て組織的に問題にされなかつた部面を指摘したところにあるであらう。從て幾多の誤謬獨斷をなして居ることは明瞭である。是正を冀ふ次第である。(一九三六・三・三一)

後　記

此論文の前半即ち分業の部分はツォウ族の分を除き他はすべて、日本學術振興會の補助により奥田教授の指導の下に筆者の行つた調査の資料の一部を利用させて戴いたものである。後半に就いても奥田教授の教示を受くるところが多かつた。併せて御禮を申上げ度い。ツォウ族に關してゝ本文中に述べた如く上與那原朝光氏の御厚意によるところ多く、こゝに深謝の意を表する。

後半即ち交易の部分は全く理蕃課の厚意によるものであつて、鈴木課長、横尾視學官を始め松崎武夫氏、阿部鐵三郎氏、大畑定一氏等の御厚誼に對して心から謝意を表する次第である。瀬川孝吉氏からは貴重な寫眞を利用させて戴いたが厚く御禮申上げる。土俗學敎室所藏品の撮影を許可された移川教授・宮本延人氏にも厚く御禮申上げる。

色彩好惡と色彩記憶

——關係並に民族的現象に就て——

飯沼龍遠序、圖一、表二〇附

藤澤茽

序

心理學教室主任　飯沼龍遠

我が帝國の版圖内にある未開民族として、北にアイヌがあり南に生番があるのであるが、アイヌの方は古くから我が大和民族と交渉があり、その性質もさして獰猛といふ譯でもなかつたので、早くからその民族性についての研究が試みられて居たのであるが、生蕃の方は領臺後新附の民であり、且首狩りといふ様な物騒千萬な蠻習を持つて居り、一部のものはつひ最近まで天然の險阻に據り、官命に反抗して居つた。歸順して居るもの共でも、山奥に自然生活を營んで居て、世の中の様子を知らず、時折反逆を敢てして、容易に接近することが出來なかつたので、之が心性に關する研究は非常に困難で、大正六年頃蕃族調査が臺灣總督府で相當大規模に行はれた外、討伐なり統治なりに當つた警察官の手に依つて、試みられた調査記錄があるが、是等は非常に周到な用意と、綿密な注意を以てなされて居るにも拘らず、心理學的見地からすると、往々隔痒の感がないでもない。

大正十一年九月、臺灣總督府東京帝國大學及び東照宮三百年祭記念會の援助を得て、桑田先生が淡路君と協同して、內地人兒童と本島人兒童との心性の相違を、實驗的に調査せられたのを初めとし、古くは阿部重孝氏、最近には田中寛一民なども、內臺人心性の比較對照に手をつけて居られるが、蕃童に對してはあまり試みられて居ない。それは蕃人の住居の地理的關係にもよることで、胸をつく樣な險峻を攀ぢて辿りついた部落で、漸く十數人の生徒しか居ない樣な蕃童敎育所を、一々訪ねて行つて檢査をなし、相當數の材料を集めることは、內地からの旅行者では一寸なし得る仕事ではない樣に思はれる。

そこで我が敎室が設けられるや、先づこの方に指を染める必要を感じ、昭和四年以來每年暑中休暇を利用して、之が調査に着手したのであるが、その項目も、最初の間はいろいろ試行的にやつて見た上、遂に十四項目位に落付いたのである。檢査は團體檢査と個人檢査とから成つて居り、之を實施する場合、團體檢査は力丸主として之に當り、個人檢査は飯沼と藤澤とで之を分擔した。この檢査は初めから、敎室同人の協同研究であつて、有ゆる場合協同して行つて來たのであるが、さてこの集つた材料を如何に整理するかに就いて、種々協議の結果、無論種々の點に於て協議打合せはするが、各項目に夫々主任をきめて整理に當り、その觀る處に從つて考を發展させる方がよからうといふ事になつた。それで本論文はその調査項目の一たる、色彩に關する問題である。本項目に關する材料を整理して一論文にまとめた責任者として、藤澤の名で發表した次第である。

尙ほ本年報第一輯に、飯沼・力丸・藤澤の連名で發表した「高砂族の形態の記憶と種族的特色とに就て」なる論文、心理學論文集第五輯に於ける「形態盤檢査成績の民族的相違」なる論文は、何れも前記調査の一部分であつて、後者は飯沼分擔、稍詳細なる考察を加へ、本年報次輯に發表の豫定であること、そして又、同論文の考を發展せしめたものが、心理學研究第十卷第五・六合輯の「形態盤テストに就て」なる論文であること、並びに、力丸助教授もその擔當部分について、目下整理中であることを附記して置く。

第一章　目的

屢々試みられた色彩好悪檢査の統計的結果は、性又は年齢による個人差について、或は民族性について常に興味ある現象を表明する。* そしてその結果は如何にか科學的に活用されることを待つやうに見える。如何に活用さるべきかを考へるときに、顧慮すべきことは色彩好悪の可變性である。――色彩好悪は一個人に就ても常に一定ではなく、多くの條件又は事情に支配されて變化する。それは日常屢々首肯する所であるが、又一二の實驗的研究の證明する所でもある。**

右の檢査結果を活用するためには、この色彩好悪の可變性を念頭におかなければならない。すると、それを活用するに最も適當な場所は、その檢査場に外ならないことになる。そして、こゝに、色彩好悪の影響の研究に活用される可能性がある。

こゝに、色彩好悪に就ての三つの問題に言及した。即ち個人差、又は民族性の問題と、條件の問題と、影響の問題とである。而して、個人差の問題から、影響の問題へ移るのに、條件の問題を顧慮すべきことを述べたのである。

本編は、臺灣に於ける諸民族の民族性の問題に觸れるために試行した檢査系列の中、色彩好惡と色彩記憶の二つの檢査を拔き出して、その結果を整理したものである。而してこの二つの檢査は、同じ場所で、同じ色彩材料を用ひて、前者を先に、後者をそれに連續して行つたのであるから、われ〳〵は右の色彩好惡の影響の問題に觸れる可能性の前にあるのである。それで、色彩好惡の民族性の問題に、臺灣獨自の材料を從屬せしめるだけでなく、色彩好惡の影響の問題に、その材料を活用したい。

この影響の問題は、條件の問題と同樣、法則性を目標としたもので、條件發生的研究方法の委曲をつくすことによつて解かるべきものである。然るに、こゝでは、右の二檢査だけによつて、それに觸れようとするのであるから、その委曲をつくすことは勿論できない。

* 桑田芳藏、內地人兒童と臺灣人兒童との心性比較調査報告、一九二六(心理學研究第一卷)
今田惠、兒童の色彩好惡(同前)
水口ふく、靑木誠四郎、成人に於ける色彩嗜好に關する研究、(同前)
廣橋敏、色彩の美に就ての實驗、(同前)
天野利武、李鎭淑、朝鮮兒童の色彩好惡に就て、一九三六、(心理學論文集、V)

**城戸幡太郎、色及び音の調和に對する感情のあらはれ方、一九二六（心理學研究、第一卷）
Allesch, G. J. von, Die ästhetische Erscheinungsweise der Farben. 1925 (Psychol. Forschung, Bd. 6.)

第二章　檢査方法

われ〳〵が昭和四年以來九年までに、まづ全島各地の高砂族兒童（敎育所並に公學校在學）、次いで臺北市内の小・公學校兒童に課した個人檢査及び團體檢査の中、後者の一部が本編の考察材料になつてゐるのである。

この團體檢査は約八種の問題から成つてゐる。而して問題の提出及びその回答に必要な事項は各一頁又は二頁に（練習あるものは二頁）印刷し、合せて一冊の檢査帳となつてゐる。而して各問題の回答はその印刷された問題事項の上に所要の回答を記入すればよいのである。

色彩の好惡、記憶の兩檢査は、二學年では第四、第五問として、三、四學年では第六、第七問として課したのである。即ち後者では半分以上、前者でも半分檢査系列を濟ませてからこの兩檢査にかゝつたのである。それでこの兩檢査は二學年に於ても三、四學年に於ても、被檢査者が檢査に對する知識を十分に得てから行はれたものと考へられる。

但し、二學年と三、四學年とではその前に來る問題が同じでない。併し何れに於ても先行檢査中には色彩に關するものはなく、色彩の兩檢査は何れに於ても先行檢査に對して獨立性を持つたものである。だから、二學年と三、四學年とに於て先行檢査は同一ではないが、それだからこの檢査が前者と後者とではちがつた事情の下に行はれると考ふべき理由はないと信ずる。

さて、檢査帳の中で、この兩檢査に相當する頁は各一頁づゝあり、どちらも第一圖のやうに印刷されてある。そして前の頁が好惡に、後の頁が記憶に用ひられるのである。而してこの兩頁に印刷された線圖は、被檢査者の前に掲出される色彩掛圖の線描なのである。

その掛圖は横五一、縦八五糎の大きさで、その上に八糎平方の十五種の色紙(廣義の色の定義に從ひ白、灰、黑を含む)を五段に貼付したものである。その樣子はそれの線描である第一圖の示す通りである。

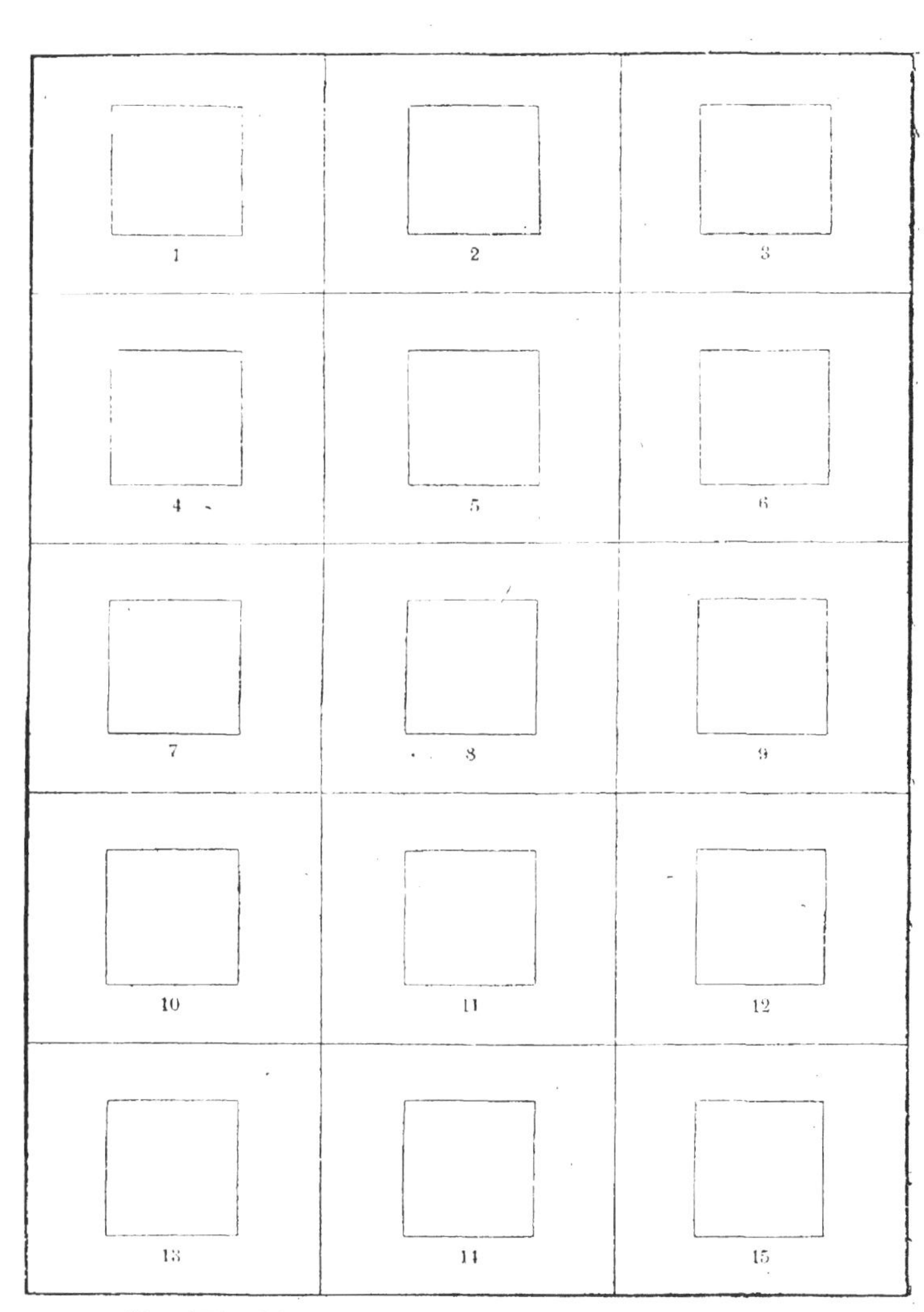

第一圖　檢查用紙（原寸約 17×23 糎）

かく、掛圖の方には實際の色紙を貼付してあるが、檢査用紙の方にはそれは與へられてなく、それに相當する正方形の線圖が與へられてあるのである。而してこの正方形には、最上段左端から始まる1から15までの番號が付してある(第一圖參照)。この番號と掛圖の上の色紙の種類との對應は、第一表の通りである。

番號	色
1	暗紅
2	鮮紅
3	橙紅
4	橙
5	橙黃
6	黃
7	黃綠
8	綠
9	青綠
10	綠青
11	青
12	菫
13	白
14	灰
15	黑

第一表

以下この表によつて、番號を以て色を表はすことがあるが、その際には、番號の上に水平の小線を付し、色の表徴なることを明にする。例へば、黃綠の代りに$\bar{7}$の如く。

これらの色紙はすべて、チンメルマン社の製品で、カタログ番號一二〇のスペクトルム色紙のセット及び、同一三〇の光度標準紙のセットの中から採つたのである。而して前者のセットの中からは、$\bar{1}$—$\bar{13}$、$\bar{15}$(第一表參照)の十四種、後者のセットの中からは14（第一表參照）の灰だけを採つた。前者のセツトは全部で十八種の色紙から成つてをり、その中、こゝに採らなかつたのは、暗紅と鮮紅との中間の紅、濃い方の青、紫及び灰の四種だけである。後者のセツトは、三十段階の標準紙から成つてゐるが、その中からこゝに採つた灰は、第十五段階のものである。

これら十五種の色紙の掛圖の上の配列の順序は第一表の如くであるが、それはスペクトル中の配列の順序に等しくしてある。

掛圖の色紙のバックは光澤の鈍い灰褐色の氣味を帶びた、全面等質の和紙を用ひた。

檢査手續

（1）檢査は何處でも敎室内で行はれ、檢査者は敎壇の上から敎示を與へる。被檢査者は何處でも平常は二人共用になつてゐる机に一人だけづゝ居らせ、各人の間に間隔を取つて隣の人の答を見合ふことを防がうとした。

（2）兩檢査とも、被檢査者に、掛圖と檢査用紙との對應ができてゐることを必要とする。それでまづ掛圖を掲出し、それと檢査用紙とを交互に指示しつゝ、兩者の對應に關して十分領會するまで説明する。そして掛圖の色紙をでたらめの順序に指し、それと檢査用紙の上の番號とを見くらべさせ、その番號を個人的及び團體的に云はせて正しい答が相次ぐやうになるまで説明をくり返す。

(3) 右の説明の時から掛圖は教壇の上の黒板の中央に吊してある。そしてそのまゝ好惡檢査にかゝる。

i　色彩好惡檢査

掛圖を指示しつゝ「この中で一番好きな色の所へスキと書く」及び「この中で一番嫌ひな色の所へキラヒと書く」やうに教示する。而して既に對應ができてゐるのであるからさういへば檢査用紙の方へさうするやうにといふことになるのであるが、そのことを附言する。

右の二つの教示は同時に與へるのではなく、はじめに好の方の教示を與へ、スキの記入をさせてから惡の方の教示を與へ、キラヒの記入をさせるのである。又、好惡には當然個人的相違のあるべきことも説明し、他人の模倣を避けるやう注意する。記入に際しては、檢査者及び補助者(學級擔任)が見廻り、記入を躊躇する者には、何を求められてゐるのかを個人的にくり返し教示し、全部の人が記入するやうに努め、時間の制限はない。又屢〻右の注意をくり返す。

ii　色彩記憶檢査

この檢査には、掛圖の外に、單一色紙を厚紙に貼付したもの七枚を用ひる。厚紙は二一糎平方、掛圖のバックと相似の和紙で上張りしてある。それに貼付した色紙の大きさは一一糎平方。その種類は暗紅、黑、綠、靑、鮮紅、菫、黄で、第一表による番號を以て表はせば夫々、1、15、8、11、2、12、6である。この中はじめの二つは練習用、後の五つが本檢査用である。

この檢査の遣方はまづ、掛圖の下端をあげて上端に合せたゝむやうにして、色を見えないやうにする。そして右の單一色紙を一枚だけ見せ、後、掛圖を開いて、今見た色がどれかを見定めさせ、檢査用紙のそれに相當する所へ一定の符號を記入させるのである。そして全部の單一色紙についてこのことをくり返すのである。單一色紙を見る順序は何處でも一定してをり、練習に於ては、暗紅(1)、黑(15)の順、本檢査に於ては、綠(8)、靑(11)、鮮紅(2)、菫(12)、黄(6)の順。而して本檢査に於て、檢査用紙へ記入させる符號は、8の時はア、11の時はイ、2の時はウ、12の時はエ、6の時はオといふ様にする。

單一色紙を見せる前には、毎回、まづその裏を被檢査者に向けて出しそれに注意を集める。そして何が出るかよく見てゐるやうに云ひながら、皆の凝視がそれに集つた頃合を見計らつてそれを廻轉して色の方を見せる。見せておく間は約一〇秒。それからその色紙を机の上に伏せ、掛圖を開く——その間約五秒、それに引きつゞいて被檢査者が見定め、記入する時間は制限せず十分に與へる(大體三分乃至五分)。記入を終つた者は直に檢査帳を伏せて、他人の模倣を防がしめる。

被檢査者

敎育所、公學校、小學校何れに於ても、二、三、四學年の兒童だけである。年齢は內地人及び本島人兒童に於ては同學年で、算へ歳二つちがふことは稀であるが、高砂族兒童に於ては同學年でもさうは揃はず、三つも四つも違ふことすら珍らしくない。而して平均前者より約二才年長である。しかし年齢に現象を抽象的に結びつけることが目的ではないからそれはそれとしておく。

高砂族の敎育所及公學校の數は合せて三十餘、本島人公學校の數は四、內地人小學校の數も四である。人數は高砂族兒童一、三六一人、本島人兒童九三六人、內地人兒童八四五人である。その學年別、男女別明細は第二表の通りである。

檢査者

助敎授、力丸慈圓氏。(序參照)

第三章　結果並結論

一

檢査の順序とは反對になるが、まづ記憶檢査の結果を第三表の如く表示することにする。この表の組立の方針は、民族別又は部族別に、記憶の各種の誤の箇數を比較するにある。

誤といふのは檢査用紙に、前述の通り記入すべき符號を、示された色の相當位置に記入せず、他の色の位置に記入したのを指すのである。

まづ、第三表、内地人兒童の部に於て、最も多い誤の種類を探すと、それは、8の線に對する符號アを7の黄緑の位置へ記入した誤（8→7）で、誤の總數三六三箇の中、一八五箇、五一％はそれであることを見出す。次に多い誤は6の黄に對する符號オを5の橙黄の位置へ記入した誤で、一七％ある。而してこの二種の誤の率に比べると、他のどの種の誤の率も、殆どニグリジブルに見える。

この二種の誤は、位置の上から云へば、二つとも左隣への誤である。8→7の誤は、8へ記入すべき（機械的な云ひ方だが）アをその左隣の7へ記入したもの、6→5の誤は、6へ記入すべきオをその左隣の5へ記入したものである。

然らば、左隣の位置は誤の記入を受け易い位置であるのか。その問ひは當に否定されなければならない。何となれば、左隣なるが故に誤を受け易いのなら、11→10、2→1、12→11も、左隣への誤なのだから、8→7、6→5と同程度の率になるべきである。然るにその事實は全くない。されば、まづ、8→7及び6→5の率の優勢なのは、位置關係によるのではないと考へられる。

一方、誤の多少は記憶の時間的順序にも依存するやうに考へられるが、それに右二種の誤の優勢を歸する程、それを重大視することは不當である。その根據につ

いてはこの章の終に述べる

そこで、これら二種の誤が優勢な率を以て現れるのは、これらの誤に關係ある色の性質の關係に歸し得るやうに思ふ。 即ち、$\overline{8}$と$\overline{7}$、$\overline{6}$と$\overline{5}$とは、その色の性質上、われ〳〵のとらしめた記憶過程に於ては、一が他に變化し得るやうな關係にあり、それに、これらの誤の優勢が由來すると考へられる。 而して、さう推定することを妨げない程、これらの性質は夫々相近似してゐる。*

* Allesch(前出)の、色彩判斷の可變性の範圍に關する實驗の結果、並に引用もこの推定を助ける。

これらの誤をなした者すべてを、この推定によつて律しようとするのではない。その中に、單に位置關係や順序によつて誤つた者が雜居してゐることは否まない。たゞ、$\overline{8}$→$\overline{7}$又は$\overline{6}$→$\overline{5}$の誤の率とその他の誤の率との相違が右の理由によつて起ることを推定するのみである。 而して、この差は甚だ大きいので、これらの誤の大部分は右の理由によつて起るものと考へられる。

$\overline{8}$→$\overline{7}$、$\overline{6}$→$\overline{5}$以外の誤は、位置關係、順序又は不注意等によるやうに見えるだけで、$\overline{8}$→$\overline{7}$及$\overline{6}$→$\overline{5}$の誤に於けるやうに、色の特性に即した誘因を推定させるやうな率には現れてゐない。

しかし率の小さい誤の中にも、色の特性に即した誤はあり得るのであるから、それを決定することができないだけで、全然あり得ないといふのでは勿論ない。又近似色が隣にあれば必ず記憶の誤の率が優勢になるといふのでもない。事實、三番目の記憶の色2の鮮紅の隣は1の暗紅で、お互ひにかなり近似した色である。そしてその近似の度は綠と黄綠、又は黄と橙黄の近似の度よりは幾分少いやうではあるが、はつきりさうと決しられないやうにわれ／＼には見える――各對を並べて比較して。然るに2→1の誤の率は極めて少く、近似色を隣にもたない11又は12の色の記憶の代表的な誤(第一位の率の誤)よりも少くさへある(第三表)。

しかし、だから8→7の誤も、6→5の誤も近似關係によるのではないといふことはできない。何となれば、こゝでは現れ方の率の大きさを主なる根據として、色の性質に即した誤であることを推定し、その推定を色の近似關係が副次的に支持するだけである。

そこで色の殆ど同樣の近似關係も記憶に於ける機能になると懸隔を生じて來ることが考へられる。近似色の何對かを並べて比較してみて、それらの對が同樣に近似してゐたとしても、各對の二色が繼時的に現れる時には、この近似關係が異つて來る——即ち、繼時的に見ると、ある一對はその近似が强調されて混同し易くなり、又ある一對は近似と同時にあつた相違がそのまゝ確保される——といふやうに。

8↓7、6↓5の誤が極めて多く、2↓1の誤が、極めて少ないといふ現象は、これら三對の近似關係に右の如き機能の相異のあることを示唆するのではなからうか。

又後の第四表に明らかになるやうに2の紅の記憶の誤は2↓1の誤だけでなく、誤の合計も、各色の記憶の誤の合計の中で最も少い。かた〴〵、紅の色の現れ方の根柢には特殊の事情の伏在することを思はせる。

同表、本島人兒童の部を見るに、誤の總數四四一箇の中、8↓7の誤は三五・二%、6↓5の誤は一五・二%で、やはり、この二種の誤の率がその他の誤の率に比して特に優勢である。從つてこれらの誤の成因に關しては、上述の推定が、そのまゝこゝにもあてはまる。

然るに、同表、高砂族の方には、どの部族の部にも、諸種の誤の、誤の總數に對する率の中、特に優勢な率はない。從つて誤の種類の多いことは自明である。この表には、率の大きな方から二つだけ取つて、それ以下の率（の誤の種類）は表示を略したので、誤の種類の多いことはあらはれてゐないが。

第一位、第二位の率の誤の種類は、內地人兒、本島人兒の部に於ては、殆ど全部（位置の上からは）隣接の位置への誤であるが、高砂兒に於てはこの第一位、第二位の誤の中に既に、無記入（0）、又はかなり遠い位置への誤が頻りにあらはれる。しかし何れにせよ、色の特性に卽した誤を推定するに足る根據は見出されない。

高砂族に特に大きな率の誤の種類がないといふことは、勿論誤の數が總人數に比して少いといふことではない。第三表、各族の一人當り誤の數を見るとそのことが明になる。

考察を進めて、次には、色の特性に卽して、優勢となつた誤について、それが色彩好惡の如何により何らかの影響を受けてゐるか否かを究めたい。そのためには高砂族兒の結果は不適當である。又、内地人兒、本島人兒の結果の中でも、8↓7、6↓5の誤を主に檢討することが最も適當と思はれる。

附記。

1. 右の8↓7、6↓5等の種類別の誤の數は同時にこれらの誤の人數である。併し、二つの種類の誤の數を加へて、それが二つの種類の誤の人數の合計であるとはいへない。一人で二種又はそれ以上の誤をした者もあるのであるから。又、例へば8↓7の誤の人數が、一八五人あるといつても、これは8↓7の誤を一つだけした者の人數だけではない。その上に、この誤と他の誤とを一所にした者の數も入つてゐる。次節に於て、一つだけの誤の者と、二つ又はそれ以上の誤の者とを區別する。その理由はそこに述べる。

2. 記憶過程に於て8が7に變化し、6が5に變化し得ることを推定したのは、夫々の二つの色が並べて見ればちがつた色として現れることを前提としてゐる。8と7、6と5とは近似してゐるとはいへ、色調又は明るさに於て、並べて見れば、われ／＼には明瞭に相違して現れる。又われ／＼の被檢査者の中でも、これらの誤をしなかつた者*（約八〇％）には勿論、同樣に相違して現れてゐた筈である。

* 後の第五及び六表參照

併し、これらの誤をした者にも、同樣に、これらの色が相違して現れたかどうかは確められない。われ／＼には、その確めをする考慮の起らなかつた程、これらの色の相違（近似と共にある）は自明とされてゐたのである。しかしその確めを缺く以上、上の推定は次のやうに修正されなければならない。即ち8→7、及び6→5の誤は、位置關係等色の性質に卽さない理由によるよりも寧ろ、これらの被檢査者に、8と7、6と5との性質の區別ができないためか、然らずんば、一が他に移ろひ行くためである。しかし、何れにしても、色の性質に卽してゐることにかわりはない。

3.　さきに、誤の多少が依存する一因として記憶の順序を懸念した。それは、内地人兒、本島人兒に於て、綠の記憶に特に誤の多いのは、一方それが最初の記憶であることに依るのではないかとも考へられるからである。しかしそれを重大視するためには、最初の記憶の時と次の記憶の時とに、檢査に對する知識に格段の差がなければならない。

第四表を見よう。

第三表では、各色の記憶の誤の中に誤の種類を分けたが、第四表では、誤の種類をさう細別せず、各色の記憶に於ける各全體の誤の數だけを表示した。而して各色は記憶の順序と同じ順序で表示してあるから、この第四表によつて、記憶の順序による誤の多少を知ることができよう。

それによれば、內地人兒、本島人兒には第一回の記憶(綠)と、第二回の記憶(青)とには誤の數に格段の差がある。その差と同じ差で、第一回と第二回とに於て、檢査に對する知識が異らなければならないといふことになる。

だが、被檢査者は最初の記憶の前に、十分に準備的說明を與へられ、且、二回の練習を經てゐるのであるから、最初と次とで、それ程檢査に對する知識がちがふとは考へられない。

又、回を重ねるに從つて、誤の數が減ずるのでなくては、順序依存を重大視することはできない。然るに、內地人兒、本島人兒に於ては、四番目(菫)及び最後(黃)の記憶が二番目(青)、三番目(紅)より多く誤る。又、高砂族兒は、殆ど總ての部族に於て、四番目(菫)を最も多く誤り、且、一番目(綠)と五番目(黃)とでも大差がない。內地人兒、本島人兒の方が、特に甚しく、順序による影響を受けるとも考へられない。かたがた、誤の多少の順序依存を重大視するのは不當であらう。

二

色彩好惡判斷と色彩記憶との關係に立入る前に、その主材料たる、8→7、又は6→5の誤をなした者の中に、次のやうな區別をつけたい。それは、これらの誤の何れかを唯一つだけした者と、その誤と他の誤とを一所にした者とを區別することである。例へば、8→7の誤一つだけの者と、8→7と11→10、又は8→7と6→5、又は8→7と11→8と12→9との如く、他の誤を同伴した者とを區別するのである。

而して、8→7、又は6→5何れか唯一つの誤の者が、どの色の最好又は最惡なりし者の中にどれだけあるかを明にしたい。かく、好惡と誤との關係を見るためにこれらの誤の一つだけの者を選擇したのは、そこに如何なる關係があるにせよ、それを見ることを遮る要素を除くためである。而して他の誤を同伴した者は、二つ以上の誤をなした者の中に一括する。

右の誤を、一つだけなした者が、どの色の最好又は最惡なりし者の中にどれだけあるかを明にするためには、同時に、全く誤のなかつた者、及び右の誤以外の誤をなした者が夫々どれだけあるかを對照することを要する。

第五表及び第六表は、この方針によつて組立てたのである。而して第五表は、内地人兒の結果により、第六表は、本島人兒の結果によるものである。これらの表には、學年の區別も、男女の區別もない。その明細の表示は第七―一二表にある。

第五及び第六表何れに於ても、總人數を、最好及び最惡の判斷を下せる色によつて組分けしそれ〲の組の人數の中、どれだけの人數が誤なく(完)、どれだけの人數がどの誤をしたかを表示してある。

たとへば、第五表、最下段を中央より左右に見よ。中央に總人數があり、その左に各色の最好の者の人數、その右に各色の最惡の者の人數がある。即ち、總人數八四五人の中、1の最好の者は五九人、2の最好の者は九九人、……、又1の最惡の者は一六四人、2の最惡の者は七人、……の如く。次に縱に各欄を見よ。こゝには各色の最好及び最惡の者の人數の中、i、記憶の誤なき者(完)、ii、8→7の誤の者、iii、6→5の誤の者、iv、その他の唯一つの誤の者、v、二つ以上の誤の者及び不の者、夫々何人づゝあるかを示してある。即ち、例へば1の最好の者の人數は五九人で、その中、i、完の者三〇人、iiの誤の者一五人、iiiの誤の者〇、ivの誤の者五人、vの誤の者九人の如く。而して、i、ii、iii等各段の%は各色最好又は最惡の者の人數の中の率で、この例では五九人の中の率である。それらの率には夫々P.E.を付記した。P.E.はその率の信賴度としてと同時にそれらの率相互を比較して、その大小を定めようとする時に行き過ぎないためのブレーキとしても必要である。こゝに不といふのは、記憶過程の最終の部分卽ちア、イ、ウ等の符號の記入が、記憶過程をとらなかつたことを告げるやうになされたものを指す。卽ち$\overline{1}$、$\overline{2}$、$\overline{3}$、$\overline{4}$、$\overline{5}$の上へ順にア、イ、ウ、エ、オとある記入、その他これに類似の記入で、明に敎示に從はないと認められるものである。

第六表も右にならつて理解される。

これらの表によつて、色彩好惡の影響が、記憶過程に於ける近似色への移ろひの上に及ぶかどうかを究めようとしたのであるが、統計學的に完全な積極性を以て確め得ることは一つもない。唯幾分の積極性を以て推論し得ることは次の事である。

1、$\overline{8} \to \overline{7}$の誤は、$\overline{7}$の最好の者(內地人兒の中の)、及び$\overline{6}$の最好の者(本島人兒の

中の)の中に最も優勢に現れる。　これは、記憶の色8(とその近似色7と)に對して一定の關係にある色を最好とせしことに影響されて、記憶の色がその近似色に移行する一般的傾向が擴大されて現れることを推論せしめる。7の最好の者の場合には、この色は、記憶の色に對してその近似色それ自身である。6の最好の場合には、この色は、記憶の色に「混合」されるとその近似色となるもので、且、この近似色の上にその「要素」として記憶の色と共に直觀的に見える色である。

2、6→5の誤は、6の最好の者の中に最も劣勢に現れる。(内地人兒では一〇三人中一人、平均的な現れ方は一〇〇人中五・三人)

これは、記憶の色が、最好とせし色と丁度同じであるときには、記憶の色がその近似色へ移行する一般傾向が縮小されて現れることを推論せしめる。

3、右の第一の推論を、6→5の誤についてもなさうとし、又、右の第二の推論を、8→7の誤についてもなさうとすると、極めて不確定になる。

4、最惡とせし色の如何による影響は、－8、－7、－6、－5等を最惡とせしものの人數が少いので見究め難い。

右、第一、第二の推論によれば、記憶の色の近似色への移行が、最好とせし色の如何によつて、擴大され又は縮小されるのであるが、これだけではまだ多分に抽象性を帶びた推論に止る。具體的にその過程が如何に經過するかについては、直接には何もいふことができない―

こゝに既にある色彩記憶の實驗的研究が想起される。エールラーの研究によれば、記憶の色を、その色を中央にして、次第に推移する色の系列の中に再認しようとする時には「はじめに見る部分」(Anfangsqualität)の方へ、同じと認められる部分が引き寄せられる。即ち、黄綠を記憶せしめ、黄の方から見せて行くと、再認された色が元の色よりも黄に近く、綠の方から見せて行くと綠の方に近い。

さきの推論に、その過程を附加へて考へることが許されるならば、このエールラーのとらした實驗手續に準じた過程をとるのではないかと考へ得る。即ち、最好とせし色は、記憶過程の後半に於て、再び(好惡判斷をなした時と同じやうに)色彩掛圖が展げられた時「はじめに見る部分」になるのではないか。そして、それに引き寄せられ、又はそれに引き留められるといふことが、ありさうに思はれる。

* Ehrler, F., Über das Farbengedächtnis und seine Beziehungen zur Atelier- und Freilichtmalerei. 1926 (Neue psychol. Studien, II. Bd.)

三

以上は、色の性質に卽して、色の記憶に於ける誤の傾向、並にその傾向に對する色の好惡の影響を明にしようと、試みたのであるが、そのはじめに、記憶の誤に於て、色の性質による誤と並んで、それよりも寧ろ他の理由に歸すべき誤のあることを明にした。その中最も多いのは、隣接位置への誤であつた。

さて、これらの誤は、又、記憶過程によるといふよりも寧ろ、はじめからか又は記憶檢査の時に特發したかは別として、色彩掛圖と檢査用紙との對應の錯誤によるのではないかと考へられる。而して、はじめから對應に錯誤のあつた者は、さきに、最好とし最惡とした色も眞にその回答通りかどうか疑はしい。そこで、色の好惡の傾向を知るためには、それらの者の回答は、材料にはならない。

記憶過程がつけ加はることによつて、好惡の時の單なる對應よりも、記憶の時の對應が一層困難になるといふことはあり得る。しかし、はじめからの對應の錯誤か、記憶の時に特發した對應の錯誤かを區別することはできない。それで、もしこれを除くとすれば、誤の如何に拘らず、誤の者の回答全部を除いてしまはなければならない。

色の好惡の傾向を知るために、かく、材料の淘汰を行ふことによつて、各族、どれだけの有效材料が殘るか、第一三表を見よ。高砂族兒のそれは極めて小數になる。

又、內地人兒、本島人兒に於ては、8→7の誤の者、及び6→5の誤の者の大部分は、位置による誤ではないことが推定されたのであるから、その者の好惡の回答は有效材料であるべき筈である。しかし、その中には少數の、位置による誤の雜居してゐることも、同時に推定された。この誤の者の回答は除かなければならない。しかし、何れが前者の誤に屬し、何れが後者に屬するかを區別することができない。とすれば、これらの誤の者の回答も全部淘汰しなければならない。その結果、內地人兒には7の最好の者が實際よりは少し少なく表示され、本島人兒には、6の好の者がさうなることを追つて考慮すればよい。

このやうに、色の好惡の傾向を知るために、記憶の完の者の回答だけを材料とすると、材料の數を大分犧牲にしなければならないが、檢査手續に由來する、曖昧な材料によつて結果を無意味にすることを救ふことができる。而して、各色に對する好惡の回答の中、幾何の率が、この選に入るかは、內地人兒並に本島人兒については、第五表並に第六表によつて知ることが出來る。卽ち各表の完の段の%がそれである。高砂族兒についても、それにならつて、各色に對する好惡の回答中、有效回答が幾何の率あるかを表示すると第一四表の如くになる。

かくして色の好惡の傾向を、各族、學年・男女別に表示すると第一五―一八表の如くになる。各表には、各族、學年別を廢して、男女別だけに大約した結果も擧げてある。而して、學年・男女別の人數は、少いので、その結果から發達的傾向を知るには適しない。寧ろ、それは補助資料とし、主に男女別だけの大約の結果によつて民族的傾向を知るべきである。

第一九表は、右の大約の民族的傾向を明瞭にするために、第一五―一八表の全男、女の結果を段階的に組立てたものである。而して、こゝに設けた段階は五%づゝの間隔を持つてをり、各段階に屬する率を持つた最好又は最惡の者の人數のある色を、各段階の高さに記入したのである。

第二〇表は、第一九表と對照するために、學年・男女別の補助資料(第一五―一八表)を第一九表にならつて段階的に組立てたものである。

これらの表に於て、高砂族兒を、種族別に詳しく分けることを廢したのは、右の如く有效材料を選んだために、各種族の人數が極めて少くなるからである。而してさきの六種族を二大別し、パンツア及びパナパナヤン族を一とし、タイヤル、パイワン、ブヌン及びツォウ族を一としたのは、前者は、東海岸平地に居住し、後者は、山岳地帶の高地に居住し、環境の異ることを顧慮せしめるためである。

さて、第一九表を見よう。

1、　好の色について。

(イ)　各族、男女何れに於ても、11の最好の者の率が優れてゐる。而して、內地人男女兒、本島人男女兒及び平地の高砂族男兒に於ては、この率が第一位にある。又平地並に高地の高砂族女兒に於ては、1の最好のものの率と並んで、第一位にある。高地の高砂族男兒に於ては、2の最好の者に次いで、第二位にある。

(ロ) 平地の高砂族兒にあつては、男女別に、內地人兒並に本島人兒に比べて、11の最好の者の率が同じ段階にあるか、叉はより高い段階にある。

(ハ) 2の最高の者の率は、各族、男女を通じて、第一位から第三位までに入つてゐる。而して、男兒に於ては、高地の高砂族兒の率が最高で、平地の高砂族兒の率がこれに次ぎ、順次、本島人兒、內地人兒と下る。而して、皆同じく、二段階づゝ下つてゐる。

(ニ) 內地人兒に著しき傾向は、6の最好の者の率が、男女とも、一〇―一四・九%の段階にあることとである。

本島人兒に於ては、12の最好の者の率が男女とも、一〇―一四・九%の段階にあり、內地人兒の6と並んで、民族的好尙であるかの如くに現れてゐる。

2、惡の色について。

(イ)各族、男女を通じて、13、14、15の三種が、最惡とされる色の尤なるものである。而して、内地人兒及び本島人兒に於ては、男女とも、15の最惡の者の率が第一位にある。然るに、高砂族に於ては、平地のそれも、高地のそれも、男女とも、13の最惡の者の率が第一位にある。

(ロ)内地人男兒に於ては、1の最惡の者の率が、15の最惡の者の率に次いで、第二位にあることは、最も特異な現象である。

第一九表によれば、これは、學年の進むに從つて高い段階に進むが、しかし各學年とも高い段階にあり、最低の二學年に於ても、二〇―二四.九%の段階にある。

これらの現象的傾向を、考へ得る色彩の表情等を媒介として、一般的な民族性又は民族的氣質に還元して考へてしまふことは尙早である。こゝでは、唯、色彩に對する態度に、特異な民族的現象のあることを知ることができるだけで、その結果の科學的擴充のためには、また新に想を練らなければならない。（昭一一・四・一四）

彙報

哲學科講義題目　昭和十一年度

（括弧内の數字は每週時數）

東洋哲學

特殊講義　朱子研究（二）　後藤助教授

講讀及演習　禮記注疏（二）　後藤助教授

西洋哲學

哲學概論（二）　岡野教授

西洋哲學史概說　西洋古代中世哲學史（二）　淡野助教授

講讀及演習

Aristoteles : Metaphysica (tr. by W. D. Ross)
（二）　岡野教授

Descartes : Méditations.（二）　淡野助教授

倫理學

東洋倫理學概論（二）　今村教授

倫理學概論（二）　世良教授

西洋倫理學史　近世倫理學史　カント以後（二）　柳田助教授

講讀及演習

Hegel : Grundlinien der Philosophie des Rechts.（二）　世良教授

Spinoza : Ethik (Philos. Bibliothek Bd. 92)
（二）　柳田助教授

心理學

心理學概論(二)　飯沼教授

特殊講義　最近心理學の諸傾向(二)　力丸助教授

講讀及演習

Ch. Bühler & H. Hetzer: Kleinkinder Tests. (二)　飯沼教授

Gesammelte Aufsätze zur Gestalttheorie, 4 Heft. (二)　力丸助教授

心理學實驗(三)　飯沼教授　力丸助教授

教育學

教育學概論(二)　伊藤教授

教育史概說(二)　福島助教授

講讀及演習

小西重直著　教育の本質觀(二)
同　勞作教育　伊藤教授

P. Petersen: Der Ursprung der Pädagogik (二)　福島助教授

社會學

社會學概論(二)　岡田講師

族	學年	内地人兒 小學校數	内地人兒 人數	本島人兒 公學校數	本島人兒 人數	パンツアー兒 公學校數	パンツアー兒 人數	バナバナヤン兒 公學校數	バナバナヤン兒 人數	パンツアー兒以下合計 公學校數	パンツアー兒以下合計 人數	アタヤル兒 教育所數	アタヤル兒 人數	パイワン兒 教育所數	パイワン兒 人數	ブヌン兒 教育所數	ブヌン兒 人數	ツオウ兒 教育所數	ツオウ兒 人數	アタヤル兒以下合計 教育所數	アタヤル兒以下合計 人數
男	Ⅱ	3	153	3	151	5	98	2	12	6	110	7	49	5	47	8	54	6	19	26	169
	Ⅲ	3	140	4	161	5	69	2	13	6	82	6	39	5	44	8	36	4	10	23	129
	Ⅳ	3	142	4	169	5	102	2	17	6	119	7	35	5	45	8	31	6	23	26	134
	計	4	435	4	481	6	269	2	42	6	311	7	123	5	136	8	121	8	52	28	432
女	Ⅱ	3	122	3	143	3	64	2	18	5	82	7	40	5	[illegible]	8	51	5	10	25	142
	Ⅲ	3	154	4	162	5	70	2	8	6	78	6	45	5	[illegible]	8	34	2	4	21	122
	Ⅳ	2	134	4	150	4	69	2	15	6	84	7	40	5	[illegible]	7	34	1	5	20	110
	計	4	410	4	455	5	203	2	41	6	244	7	125	5	111	8	119	6	19	26	374
男女計		4	845	4	936	6	472	2	83	6	555	7	248	5	247	8	240	9	71	29	806

第二表　被検査者

記憶の色、並に記入の符號	族	内地人兒(845人) 誤ノ種類	箇數	%±P.E.	本島人兒(936人) 誤ノ種類	箇數	%±P.E.	パンツアー兒(472人) 誤ノ種類	箇數	%±P.E.	バナバナヤン兒(83人) 誤ノ種類	箇數	%±P.E.
紫 8	ア	8→$\overline{7}$	185	51.0±1.77	$\overline{8}$→$\overline{7}$	155	35.2±1.53	8→9	28	8.6±1.05	8→$\overline{9}$	3	(5.0±1.90)
		8→9	14	3.9±0.67	$\overline{8}$→$\overline{9}$	34	7.7±0.80	$\overline{8}$→7	14	4.3±0.76	8→$\overline{1}$	2	(3.3±1.56)
青 11	イ	11→$\overline{10}$	6	(1.7±0.48)	$\overline{11}$→8	11	2.5±0.50	1→0	12	3.7±0.71	11→$\overline{8}$	3	(5.0±1.90)
		$\overline{11}$→$\overline{8}$	5	(1.4±0.42)	11→10	11	2.5±0.50	1→8	9	2.8±0.62	11→$\overline{2}$	1	(1.7±1.13)
紅 2	ウ	2→$\overline{1}$	5	(1.4±0.42)	2→$\overline{1}$	10	2.3±0.48	2→$\overline{1}$	15	4.6±0.78	$\overline{2}$→$\overline{1}$	2	(3.3±1.56)
		2→3	4	(1.1±0.37)	$\overline{2}$→3	4	(0.9±0.30)	2→$\overline{14}$	12	3.7±0.7	$\overline{2}$→$\overline{3}$	2	(3.3±1.56)
菫 12	エ	12→11	11	3.0±0.60	12→9	19	4.3±0.65	$\overline{12}$→$\overline{11}$	22	6.8±0.94	$\overline{12}$ $\overline{11}$	4	(6.7±2.18)
		12→$\overline{9}$	7	1.9±0.48	$\overline{12}$→$\overline{11}$	17	3.9±0.62	$\overline{12}$→$\overline{10}$	14	4.3±0.76	$\overline{12}$→$\overline{14}$	3	(5.0±1.90)
黄 6	オ	6→5	61	16.8±1.32	$\overline{6}$→$\overline{5}$	67	15.2±1.15	6→$\overline{5}$	17	5.2±0.83	$\overline{6}$→5	4	(6.7±2.18)
		$\overline{6}$→$\overline{3}$	3	(0.8±0.32)	$\overline{6}$→$\overline{4}$	6	(1.4±0.38)	6→4	9	2.8±0.62	$\overline{6}$→9	3	(5.0±1.90)
			大計 363 一人當リ 0.43	大計 100		大計 441 一人當リ 0.47	大計 100		大計 326 一人當リ 0.69	大計 100		大計 60 一人當リ 0.72	大計 100

記憶の色、並に記入の符號	族	アタヤル兒(248人) 誤ノ種類	箇數	%±P.E.	パイワン兒(247人) 誤ノ種類	箇數	%±P.E.	ブヌン兒(240人) 誤ノ種類	箇數	%±P.E.	ツオウ兒(71人) 誤ノ種類	箇數	%±P.E.
紫 8	ア	$\overline{8}$→$\overline{0}$	24	6.3±0.84	$\overline{8}$→$\overline{0}$	21	6.9±0.98	$\overline{8}$→$\overline{0}$	27	8.6±1.07	$\overline{8}$→5	5	(6.0±1.75)
		8→$\overline{7}$	12	3.2±0.61	$\overline{8}$→1	14	4.6±0.81	8→$\overline{7}$	17	5.4±0.86	$\overline{8}$→1	3	(3.6±1.37)
青 11	イ	$\overline{11}$→$\overline{0}$	34	9.0±0.99	$\overline{11}$→0	13	4.3±0.79	$\overline{11}$→$\overline{0}$	23	7.3±0.99	$\overline{11}$→$\overline{8}$	4	(5.0±1.57)
		$\overline{11}$→8	9	2.4±0.53	$\overline{11}$→8	7	2.3±0.58	$\overline{11}$→$\overline{8}$	11	3.5±0.70	$\overline{11}$→9	2	(2.4±1.13)
紅 2	ウ	2→$\overline{3}$	13	3.4±0.63	$\overline{2}$→$\overline{12}$	15	5.0±0.84	$\overline{2}$→$\overline{0}$	9	2.9±0.64	$\overline{2}$→$\overline{1}$	5	(6.0±1.75)
		2→$\overline{0}$	9	2.4±0.53	2→$\overline{1}$	7	2.3±0.58	$\overline{2}$→$\overline{5}$	6	(1.9±0.52)	$\overline{2}$→$\overline{6}$	2	(2.4±1.13)
菫 12	エ	$\overline{12}$→$\overline{0}$	34	9.0±0.99	12→11	21	6.9±0.98	12→$\overline{0}$	30	9.5±1.11	$\overline{12}$→$\overline{11}$	6	(7.1±1.89)
		$\overline{12}$→7	29	7.6±0.92	12→$\overline{0}$	17	5.6±0.84	$\overline{12}$→$\overline{11}$	12	7.0±0.97	$\overline{12}$→9	4	(4.8±1.57)
黄 6	オ	$\overline{6}$→$\overline{5}$	23	6.1±0.83	$\overline{6}$→$\overline{5}$	19	6.3±0.94	$\overline{6}$→$\overline{5}$	12	3.8±0.73	$\overline{6}$→5	5	(6.0±1.75)
		$\overline{6}$→$\overline{10}$	9	5.0±0.75	$\overline{6}$→$\overline{4}$	8	2.6±0.62	$\overline{6}$→$\overline{0}$	11	3.5±0.70	$\overline{6}$→$\overline{4}$	3	(3.6±1.37)
			大計 380 一人當リ 1.53	大計 100		大計 303 一人當リ 1.23	大計 100		大計 315 一人當リ 1.31	大計 100		大計 84 一人當リ 1.18	大計 100

第三表　記憶の各種の誤の箇數

注意　(1) 各色について箇數第一，二位の誤のみを示し，第三位以下は種類も箇數も省略した。從つてこの表の箇々の誤の箇數を合計しても大計の數には滿たない。又%を合計しても 100. には滿たない。(2) 箇數第二位の誤の種類二つ以上ある時は，その中番號の最も小さい色への誤を取つた。第二位の箇數の小さいものには誤りそれがある。(3) $\overline{8}$→$\overline{0}$，$\overline{11}$→0 等は夫々ア，イ等の符號が何處にも記入されなかつたことを指す。

記憶の色 誤に入っての種類 \ 族		内地人兒		本島人兒		パンツアー兒		パナパナヤン兒		アタヤル兒		パイワン兒		ブヌン兒		ツオウ兒	
		箇數	%±P.E.	箇數	%±P.E.	箇數	%±P.E.	箇數	%±P.E.	箇數	%±P.E.	箇數	%±P.E.	箇數	%±P.E.	箇數	%±P.E.
綠 $\overline{8}$	ア	219	60.3±1.73	22[illegible]	51.0±1.60	69	21.2±1.53	14	23.3±3.2	65	17.1±1.30	65	21.5±1.59	69	21.9±1.57	13	15.5±2.66
靑 $\overline{11}$	イ	23	6.3±0.86	49	11.1±1.01	55	16.9±1.40	9	15.0±3.11	69	18.2±1.33	43	14.2±1.35	64	20.3±1.53	14	16.7±2.75
紅 $\overline{2}$	ウ	10	2.8±0.58	18	4.1±0.64	47	14.4±1.31	11	18.3±3.37	41	10.8±1.07	50	16.5±1.44	36	11.4±1.21	13	15.5±2.66
菫 $\overline{12}$	エ	38	10.5±1.09	70	15.9±1.17	97	29.8±1.71	14	23.3±3.68	124	32.6±1.62	94	31.0±1.79	90	28.6±1.72	26	31.0±3.40
黃 $\overline{6}$	オ	73	20.1±1.42	79	17.9±1.23	58	17.8±1.43	12	20.0±3.48	81	21.3±1.42	51	16.8±1.45	56	17.8±1.45	18	21.4±3.02
		計 363	100	計 4[illegible]1	100	計 326	100	計 60	100	計 380	100	計 303	100	計 315	100	計 84	100

第四表　各色の記憶の誤の各全體の箇數

完及び誤の種類 \ 好惡	色	好 $\overline{1}$	$\overline{2}$	$\overline{3}$	$\overline{4}$	$\overline{5}$	$\overline{6}$	$\overline{7}$	$\overline{8}$	$\overline{9}$	$\overline{10}$	$\overline{11}$	$\overline{12}$	$\overline{13}$	$\overline{14}$	$\overline{15}$	$\overline{0}$	計	惡 $\overline{1}$	$\overline{2}$	$\overline{3}$	$\overline{4}$	$\overline{5}$	$\overline{6}$	$\overline{7}$	$\overline{8}$	$\overline{9}$	$\overline{10}$	$\overline{11}$	$\overline{12}$	$\overline{13}$	$\overline{14}$	$\overline{15}$	$\overline{0}$
完	人數	30	72	16	19	14	68	24	28	13	15	175	21	15	9	8		527	104	5	7	14	2	3	3	2	7	13	3	9	27	90	218	20
	%	50.9	72.7	69.6	50.0	58.3	66.0	48.0	68.3	68.4	65.2	64.3	45.7	62.5	81.8	66.7		62.4	63.4	71.4	70.0	66.7	100.	50.0	37.5	100.	33.3	65.0	50.0	52.9	58.7	62.9	63.6	69.0
	P.E.	4.39	3.09	6.47	5.47	6.79	3.15	4.77	4.90	7.19	6.70	1.96	4.95	6.67	7.85	9.18		1.12	2.54	11.52	9.78	6.94	0	13.77	11.55	0	6.94	7.19	13.77	8.17	4.89	2.72	1.75	5.79
$\overline{8}\rightarrow\overline{7}$	人數	15	14	3	10	3	20	19	5	1	2	54	14	5	1	2	1	169	33	1	1	3			5		5	5	3	2	8	33	65	5
	%	25.4	14.1	13.0	26.3	12.5	19.4	38.0	12.2	5.3	8.7	19.9	30.4	20.8	9.1	16.7	100.	20.0	20.1	14.3	10.0	14.3			62.5		23.8	25.0	50.0	11.8	17.4	23.1	19.0	17.2
	P.E.	3.82	2.36	4.73	4.82	4.55	2.63	4.63	3.45	3.47	3.96	1.63	4.57	5.59	5.85	7.26	0	0.93	2.11	8.92	6.40	5.15			11.55		6.27	6.53	13.77	5.28	3.77	2.38	1.43	4.73
$\overline{6}\rightarrow\overline{5}$	人數		4		4	3	1	1	3		1	21	4	1		2		45	9					2			8			3	5	6	10	2
	%		4.0		10.5	12.5	1.0	2.0	7.3		4.4	7.7	8.7	4.2		16.7		5.3	5.5					33.3			38.1			17.7	10.9	4.2	2.9	6.9
	P.E.		1.33		3.35	4.55	0.66	1.34	2.74		2.88	1.09	2.80	2.76		7.26		0.52	1.20					12.98			7.15			6.24	3.10	1.13	0.61	3.17
其他ノ一誤	人數	5	5	2	2	1	10	1	3	3	4	8	5	1	1			51	11	1	1	2								1	6	6	21	2
	%	8.5	5.1	8.7	5.3	4.2	9.7	2.0	7.3	15.8	17.4	2.9	10.9	4.2	9.1			6.0	6.7	14.3	10.0	9.5								5.9	13.0	4.2	6.1	6.9
	P.E.	2.45	1.49	3.96	2.45	2.76	1.97	1.34	2.74	5.64	5.33	0.69	3.10	2.76	5.85			0.55	1.32	8.92	6.40	4.32								3.85	3.34	1.13	0.87	3.17
二，三，四，五誤，不	人數	9	4	2	3	3	4	5	2	2	1	14	2	2				53	7		1	2		1			1	2		2		8	29	
	%	15.3	4.0	8.7	7.9	12.5	3.9	10.0	4.9	10.5	4.4	5.1	4.4	8.3				6.3	4.3		10.0	9.5		16.7			4.8	10.0		11.8		5.6	8.5	
	P.E.	3.16	1.33	3.96	2.95	4.55	1.29	2.86	2.27	4.74	2.88	0.90	2.04	3.80				0.56	1.07		6.40	4.32		10.27			3.15	4.52		5.28		1.30	1.02	
計	人數	59	99	23	38	24	103	50	41	19	23	272	46	24	11	12	1	845	164	7	10	21	2	6	8	2	21	20	6	17	46	143	343	29
	%	100	100	100	100	100	100	100	100	100	100	100	100	100	100	100	100	100	100	100	100	100	100	100	100	100	100	100	100	100	100	100	100	100

第五表　内地人兒色の好惡と記憶との關係

完及び誤の種類 ＼ 好惡・色		好																計	惡															
		1	2	3	4	5	6	7	8	9	10	11	12	13	14	15	0		1	2	3	4	5	6	7	8	9	10	11	12	13	14	15	0
完	人數	95	94	31	18	7	15	24	39	6	12	149	65	14	3	5	3	580	22	6	8	6	6	18	16		8	19	4	12	77	136	241	1
	%	65.5	59.1	46.3	60.0	70.0	48.4	61.5	75.0	50.0	46.2	62.9	74.7	66.7	37.5	62.5	75.0	62.0	62.9	66.7	100.	54.6	54.6	75.0	64.0		53.3	61.3	50.0	54.6	59.2	64.5	61.5	25.0
	P.E.	2.66	2.63	4.11	6.03	9.78	6.05	5.26	4.05	9.74	6.60	2.12	3.14	6.94	11.55	11.55	14.60	1.07	5.51	10.59	0	10.13	10.13	5.96	6.48		8.69	5.90	11.93	7.16	2.91	2.22	1.66	14.60
8→7	人數	21	19	17	4	1	10	8	5	2	6	28	7	5	2		1	136	6	1		1		3	4		5	4	1	7	16	27	59	2
	%	14.5	11.9	25.4	13.3	10.0	32.3	20.5	9.6	16.7	23.1	11.8	8.1	23.8	25.0		25.0	14.5	17.1	11.1		9.1		12.5	16.0		33.3	12.9	12.5	31.8	12.3	12.8	15.1	50.0
	P.E.	1.97	1.73	3.59	4.18	6.40	5.66	4.36	2.75	7.26	5.58	1.41	1.97	6.27	10.33		14.60	0.77	4.29	7.06		5.85		4.55	4.95		8.21	4.06	7.89	6.70	1.94	1.55	1.22	16.86
6→5	人數	5	7	5	3			1	2		2	16	1	1	1	2		46	4						1		1	3			6	10	21	
	%	3.4	4.4	7.5	10.0			2.6	3.9		7.7	6.8	1.2	4.8	12.5	25.0		4.9	11.4						4.0		6.7	9.7			4.6	4.7	5.4	
	P.E.	1.01	1.10	2.17	3.69			1.72	1.81		3.53	1.10	0.79	3.15	7.89	10.33		0.47	3.62						2.64		4.36	3.58			1.24	0.98	0.77	
其他ノ一誤	人數	14	20	10	2	1	3	3	2	2	4	23	9					93	2	1		1	3	2	4		1	3	1	1	11	21	41	1
	%	9.7	12.6	14.9	6.7	10.0	9.7	7.7	3.9	16.7	15.4	9.7	10.3					9.9	5.7	11.1		9.1	27.3	8.3	16.0		6.7	9.7	12.5	4.6	8.5	10.0	10.5	25.0
	P.E.	1.66	1.78	2.93	3.08	6.40	3.58	2.88	1.81	7.26	4.77	1.30	2.20					0.66	2.64	7.06		5.85	9.06	3.80	4.95		4.36	3.58	7.89	3.01	1.65	1.39	1.05	14.60
二, 三, 四, 五誤, 不	人數	10	19	4	3	1	3	3	4	2	2	21	5	1	2	1		81	1	1		3	2	1				2	2	2	20	17	30	
	%	6.9	11.9	6.0	10.0	10.0	9.7	7.7	7.6	16.7	7.7	8.9	5.8	4.8	25.0	12.5		8.7	2.9	11.1		27.3	18.2	4.2				6.5	25.0	9.1	15.4	8.1	7.7	
	P.E.	1.42	1.73	1.96	3.69	6.40	3.58	2.88	2.48	7.26	3.53	1.25	1.69	3.15	10.33	7.89		0.62	1.91	7.06		9.06	7.85	2.76				2.99	10.33	4.14	2.14	1.27	0.91	
計	人數	145	159	67	30	10	31	39	52	12	26	237	87	21	8	8	4	936	35	9	8	11	11	24	25		15	31	8	22	130	211	392	4
	%	100	100	100	100	100	100	100	100	100	100	100	100	100	100	100	100	100	100	100	100	100	100	100	100		100	100	100	100	100	100	100	100

第六表　本島人兒，色の好惡と記憶との關係

男女	記憶 \ 色	好 $\overline{1}$	$\overline{2}$	$\overline{3}$	$\overline{4}$	$\overline{5}$	$\overline{6}$	$\overline{7}$	$\overline{8}$	$\overline{9}$	$\overline{10}$	$\overline{11}$	$\overline{12}$	$\overline{13}$	$\overline{14}$	$\overline{15}$	$\overline{0}$	計	惡 $\overline{1}$	$\overline{2}$	$\overline{3}$	$\overline{4}$	$\overline{5}$	$\overline{6}$	$\overline{7}$	$\overline{8}$	$\overline{9}$	$\overline{10}$	$\overline{11}$	$\overline{12}$	$\overline{13}$	$\overline{14}$	$\overline{15}$	$\overline{0}$
男	完	5	11	1	2	2	17	3	6	6	3	37	5	3	2	4		107	25	1	1	5	1	1	1		1	2			12	13	44	
	$\overline{8}\to\overline{7}$				1		2	1				5	4	3				16	4						1						3	2	6	
	$\overline{6}\to\overline{5}$				1				1			2	2			1		7	2								1			1	3			
	其他ノ一課	3	1	1	1		1				2	1	1	1				12	1		1										4	1	5	
	二,三,四,五課,不	1		1	1	2	1					3	1	1				11	1		1	1		1				1				2	4	
	計	9	12	3	6	4	21	4	7	6	5	48	13	8	2	5		153	33	1	3	6	1	2	2		2	3		1	22	18	59	
女	完	12	12	5	3	5	8	2	1			24	6	2				80	3		2	1			1		2				4	13	54	
	$\overline{8}\to\overline{7}$	4	4				1	1			1	7						18													1	6	11	
	$\overline{6}\to\overline{5}$				1							2						3									1					1	1	
	其他ノ一課	1	1	1	1					2		1	1		1			9													1		8	
	二,三,四,五課,不	5	2		1	1	1	1						1				12														3	9	
	計	22	19	6	6	6	10	4	1	2	1	34	7	3	1			122	3		2	1			1		3				9	23	83	

第七表　二學年，內地人兒，色の好惡と記憶との關係

男女	記憶 \ 色	好 $\overline{1}$	$\overline{2}$	$\overline{3}$	$\overline{4}$	$\overline{5}$	$\overline{6}$	$\overline{7}$	$\overline{8}$	$\overline{9}$	$\overline{10}$	$\overline{11}$	$\overline{12}$	$\overline{13}$	$\overline{14}$	$\overline{15}$	$\overline{0}$	計	惡 $\overline{1}$	$\overline{2}$	$\overline{3}$	$\overline{4}$	$\overline{5}$	$\overline{6}$	$\overline{7}$	$\overline{8}$	$\overline{9}$	$\overline{10}$	$\overline{11}$	$\overline{12}$	$\overline{13}$	$\overline{14}$	$\overline{15}$	$\overline{0}$
男	完	6	12	1	6	3	13	2	3	1	5	30	2	3	1	1		89	26	1		3	1	1		1	2	2	1		3	13	35	
	$\overline{8}\to\overline{7}$	2			2	1	1	3				8	2					19	4						2						1	2	10	
	$\overline{6}\to\overline{5}$		2			1		1				6	1	1				12	1					1			1			1	1	2	5	
	其他ノ一課		1				3		2			3	1					10	3			1								1		2	3	
	二,三,四,五課,不	1					1		1	1	1	4	1					10	1			1								1		1	6	
	計	9	15	1	8	5	18	6	6	2	6	51	7	4	1	1		140	35	1		5	1	2	2	1	3	2	1	3	5	20	59	
女	完	3	14	5	3		10	6	5	3	3	19	1	2	1			75	11			1		1		1	1	5	1	5	1	14	34	
	$\overline{8}\to\overline{7}$	4	6	2	3	1	6	8	1	1	1	20	3	1	1		1	59	12			2			1		1	5	3		1	15	19	
	$\overline{6}\to\overline{5}$		2		1				1			2						6	1					1			2					2		
	其他ノ一課		2			1	1	1										5	2													2	1	
	二,三,四,五課,不			1			1	2		1		4						9	3											1			5	
	計	7	24	8	7	2	18	17	7	5	4	45	4	3	2		1	154	29			3		2	1	1	4	10	4	6	2	33	59	

第八表　三學年，內地人兒，色の好惡と記憶との關係

男女	記憶 \ 色（好惡）	好 1	好 2	好 3	好 4	好 5	好 6	好 7	好 8	好 9	好 10	好 11	好 12	好 13	好 14	好 15	好 0	計	惡 1	惡 2	惡 3	惡 4	惡 5	惡 6	惡 7	惡 8	惡 9	惡 10	惡 11	惡 12	惡 13	惡 14	惡 15	惡 0
男	完	1	4		2		8	3	10	3	3	40	5	5	5	2		91	33	3	3	4			1		1	2	1	4	6	12	12	9
	8→7		1		3		7	3	3			7	3	1		2		30	12	1	1	1			1		1			1	2	3	3	4
	6→5								1		1	6				1		9	3								3				1		2	
	其他ノ一誤						3				2	1	2					8	3			1									1		2	1
	二，三，四，五誤，不		1		1				1			1						4	1								1						2	
	計	1	6		6		18	6	15	3	6	55	10	6	5	5		142	52	4	4	6			2		6	2	1	5	10	15	21	14
女	完	3	19	4	3	4	12	8	3		1	25	2			1		85	6		1							2			1	25	39	11
	8→7	5	3	1	1	1	3	3	1			7	2					27	1								3			1		5	16	1
	6→5				1	2	1					3	1					8	2											1		1	2	2
	其他ノ一誤	1					2		1	1		2						7	2	1												1	2	1
	二，三，四，五誤，不	2	1					2				2						7	1									1				2	3	
	計	11	23	5	5	7	18	13	5	1	1	39	5			1		134	12	1	1						3	3		2	1	34	62	15

第九表　四學年，內地人兒，色の好惡と記憶との關係

男女	記憶 \ 色（好惡）	好 1	好 2	好 3	好 4	好 5	好 6	好 7	好 8	好 9	好 10	好 11	好 12	好 13	好 14	好 15	好 0	計	惡 1	惡 2	惡 3	惡 4	惡 5	惡 6	惡 7	惡 8	惡 9	惡 10	惡 11	惡 12	惡 13	惡 14	惡 15	惡 0
男	完	11	17	2	1	1	3	2	11		1	15	12	2		1		79	2	1	1	1		1	2		1		1	1	24	16	28	
	8→7	5	5	1			3	1	1	1		7			2			26	1						1					2	8	2	10	2
	6→5		1		1			1	1			3				1		8	2						1		1					1	3	
	其他ノ一誤	4	2	1			1	1		1	1	3	3					17				1	1		1			1			2	4	6	1
	二，三，四，五誤，不	2	7				1	1		1		8			1			21				2							2		6	4	7	
	計	22	32	4	2	1	8	6	13	3	2	36	15	2	3	2		151	5	1	1	4	1	1	5		2	1	3	3	40	27	54	3
女	完	26	14	6	2	2	1	5	4		1	8	8				1	78	1	1	2	1	1	3				4		1	5	19	39	1
	8→7	7	5	4	2		1	4			2	1	1					27				1					1		1		4	8	12	
	6→5	1	3	1								1						6	1												2	2	1	
	其他ノ一誤	2	6	1	1	1						4	3					18							2			1	1		2	5	7	
	二，三，四，五誤，不	3	2	2	1				1			3	2					14					1							1	4	[illegible]	4	
	計	39	30	14	6	3	2	9	5		3	17	14				1	143	2	1	2	2	2	3	2		1	5	2	2	17	38	63	1

第一〇表　二學年，本島人兒，色の好惡と記憶との關係

男女	好惡 / 記憶 \ 色	好																	惡															
		$\overline{1}$	$\overline{2}$	$\overline{3}$	$\overline{4}$	$\overline{5}$	$\overline{6}$	$\overline{7}$	$\overline{8}$	$\overline{9}$	$\overline{10}$	$\overline{11}$	$\overline{12}$	$\overline{13}$	$\overline{14}$	$\overline{15}$	$\overline{0}$	計	$\overline{1}$	$\overline{2}$	$\overline{3}$	$\overline{4}$	$\overline{5}$	$\overline{6}$	$\overline{7}$	$\overline{8}$	$\overline{9}$	$\overline{10}$	$\overline{11}$	$\overline{12}$	$\overline{13}$	$\overline{14}$	$\overline{15}$	$\overline{0}$
男	完	10	26	4	4	1	1	2	7	1	3	31	8	3		1		102	5		2	1	1	2	2		2			3	9	25	50	
	$\overline{8}\to\overline{7}$	3	3	2		1		1	2		1	2	1	2				18	1						1					2	1	5	8	
	$\overline{6}\to\overline{5}$		1									5		1	1			8	1													1	6	
	其他ノ一誤	3	5	1			1		2			5	2					19	1	1			1	1				1			1	1	12	
	二,三,四,五誤,不	1	3	2	2	1			1			2	1			1		14		1								1			5	2	5	
	計	17	38	9	6	3	2	3	12	1	4	45	12	6	1	2		161	8	2	2	1	2	3	3		2	2		5	16	34	81	
女	完	22	15	5		1	2	5	6	1		23	13	2			2	97	3	1		1	2	4	2		1	5		1	13	30	34	
	$\overline{8}\to\overline{7}$	2	2	4	1				1	1	1	4	3				1	20	1	1				2	1		2	1			1	4	7	
	$\overline{6}\to\overline{5}$	3		2	2				1			1				1		10										2			2	4	2	
	其他ノ一誤	4	5	4								5	1					19									1			1	2	6	9	
	二,三,四,五誤,不	4	4					1	1			5	1					16				1	1					1			4	3	6	
	計	35	26	15	3	1	2	6	9	2	1	38	18	2		1	3	162	4	2		2	3	6	3		4	9		2	22	47	58	

第一一表　三學年,本島人兒,色の好惡と記憶との關係

男女	好惡 / 記憶 \ 色	好																	惡															
		$\overline{1}$	$\overline{2}$	$\overline{3}$	$\overline{4}$	$\overline{5}$	$\overline{6}$	$\overline{7}$	$\overline{8}$	$\overline{9}$	$\overline{10}$	$\overline{11}$	$\overline{12}$	$\overline{13}$	$\overline{14}$	$\overline{15}$	$\overline{0}$	計	$\overline{1}$	$\overline{2}$	$\overline{3}$	$\overline{4}$	$\overline{5}$	$\overline{6}$	$\overline{7}$	$\overline{8}$	$\overline{9}$	$\overline{10}$	$\overline{11}$	$\overline{12}$	$\overline{13}$	$\overline{14}$	$\overline{15}$	$\overline{0}$
男	完	9	10	5	9	1	7	4	6	1	6	30	14	3	3	2		110	5	2	1	1	1	3	7		3	5	1	2	13	22	44	
	$\overline{8}\to\overline{7}$	2	4	1	1		5	1	1		2	7	1	3				28	3					1	1		1	2		3	2	3	12	
	$\overline{6}\to\overline{5}$	1	1									2						4													1		3	
	其他ノ一誤	1	2	2			1	1		1	2	3						13	1												3	4	5	
	二,三,四,五誤,不		3				2	1		1	1	3	1	1	1			14	1					1						1	1	3	7	
	計	13	20	8	10	1	15	7	7	3	11	45	16	7	4	2		169	10	2	1	1	1	5	8		4	7	1	6	20	32	71	
女	完	17	12	9	2	1	1	6	5	3	1	42	10	4		1		114	6	1	2	1	1	5	3		1	5	2	4	13	24	46	
	$\overline{8}\to\overline{7}$	2		5			1	1				7	1					17									1	1				5	10	
	$\overline{6}\to\overline{5}$		1	2							2	4	1					10										1			1	2	6	
	其他ノ一誤			1	1			1			1	3						7					1	1	1						1	1	2	
	二,三,四,五誤,不								1		1							2														1	1	
	計	19	13	17	3	1	2	8	6	3	5	56	12	4		1		150	6	1	2	1	2	6	4		2	7	2	4	15	33	65	

第一二表　四學年,本島人兒,色の好惡と記憶との關係

		內地人兒				本島人兒				バンツアー，バナバナヤン兒					アタヤル，パイワン，ブヌン，ツオウ兒				
		人數	完	一課	二,三,四,五課,不	人數	完	一課	二,三,四,五課,不	人數	完	一課	二課	三,四,五課,不	人數	完	一課	二課	三,四,五課,不
Ⅱ	男	153	69.9	22.9	7.2	151	52.3	33.8	13.9	110	43.6	21.8	14.5	20.0	169	22.5	9.5	13.0	45.0
	女	122	65.6	24.6	9.8	143	54.5	35.7	9.8	82	40.2	23.2	9.8	26.8	142	21.8	13.4	14.1	50.7
Ⅲ	男	140	63.6	29.3	7.1	161	63.4	28.0	8.7	82	56.1	22.0	8.5	13.4	129	11.6	20.2	18.6	49.6
	女	154	48.7	45.5	5.8	162	59.9	30.2	9.9	78	71.8	14.1	1.3	12.8	122	23.8	18.0	13.9	44.3
Ⅳ	男	142	64.1	33.1	2.8	169	65.1	26.6	8.3	119	65.5	25.2	6.7	2.5	134	31.3	26.9	14.2	27.6
	女	134	63.4	31.3	5.2	150	76.0	22.7	1.3	84	58.3	20.2	7.1	14.3	110	32.7	28.2	19.1	20.0
全	男	435	66.0	28.3	5.7	481	60.5	29.3	10.2	311	55.3	23.2	10.0	11.6	432	22.0	22.0	15.0	41.0
	女	410	58.5	34.6	6.8	455	63.5	29.5	7.0	244	56.6	19.3	6.1	18.0	374	25.7	19.3	15.5	39.6

第 一 三 表 各族兒，學年，男女別の，色の記憶の完の者及び誤の者の率（%）

族	記憶＼色（好惡）	好 1	2	3	4	5	6	7	8	9	10	11	12	13	14	15	0	(計)
バンツアー、バナバナヤン兒	完 %	47.0	62.4	40.0	66.7	16.7	41.7		40.0		25.0	66.9	69.8	100.	50.0	50.0	44.4	55.9
	一誤 %	20.5	21.8	20.0	33.3	66.7	41.7	33.3	16.0		25.0	19.1	23.3		50.0	33.3	11.1	21.4
	二誤 %	12.7	4.0	10.0		16.7			16.0		50.0	7.0	2.3			16.7		8.3
	三,四,五誤 %	9.0	9.9	20.0			16.7	50.0	20.0	100.		5.7	4.7				11.1	9.2
	不 %	10.8	2.0	10.0				16.7	8.0			1.3					33.3	5.2
	計（人數）	(166)	(101)	(10)	(3)	(6)	(12)	(6)	(25)	(2)	(4)	(157)	(43)	(3)	(2)	(6)	(9)	(555)
	計 %	100.	100.	100.	100.	100.	100.	100.	100.	100.	100.	100.	100.	100.	100.	100.	100.	100.
アタヤル、パイワン、ブヌン、ツオウ兒	完 %	23.4	29.2	12.0	26.3	4.4			26.1		16.7	32.6	31.8		14.3	40.0	8.3	23.7
	一誤 %	24.4	25.0	12.0	10.5	8.7			17.4		33.3	23.9	36.4			30.0	8.3	20.7
	二誤 %	15.4	13.0	12.0	15.8	21.7		50.0	23.9		33.3	18.1	4.5		14.3	10.0	12.0	15.3
	三,四,五誤 %	21.9	22.4	28.0	31.6	34.8	100.	50.0	13.0	50.0	16.7	15.9	13.6		28.6	20.0	31.5	22.6
	不 %	14.9	10.4	36.0	15.8	30.4			19.6	50.0		9.4	13.6	100.	42.9		39.8	17.7
	計（人數）	(201)	(192)	(25)	(19)	(23)	(1)	(4)	(46)	(2)	(6)	(138)	(22)	(2)	(7)	(10)	(108)	(806)
	計 %	100.	100.	100.	100.	100.	100.	100.	100.	100.	100.	100.	100.	100.	100.	100.	100.	100.

族	記憶＼色（好惡）	惡 1	2	3	4	5	6	7	8	9	10	11	12	13	14	15	0
バンツアー、バナバナヤン兒	完 %	60.0	24.1	15.4	55.6	38.9	54.5	50.0	46.4	33.3	70.0	52.0	73.7	62.2	76.2	60.5	46.9
	一誤 %	10.0	34.5	30.8	11.1	27.8	18.2	25.0	28.6	33.3	30.0	16.0	10.5	25.2	11.1	22.4	20.4
	二誤 %	15.0	10.3	7.7	11.1	5.6	12.1	5.0	7.1	20.0		16.0	10.5	6.7	4.8	5.3	10.2
	三,四,五誤 %	10.0	17.2	15.4	16.7	22.2	9.1	15.0	14.3	13.3		12.0		4.2	6.4	9.2	8.2
	不 %	5.0	13.8	30.8	5.6	5.6	6.1	5.0	3.6			4.0	5.3	1.7	1.6	2.6	14.3
	計（人數）	(20)	(29)	(13)	(18)	(18)	(33)	(20)	(28)	(15)	(10)	(25)	(19)	(119)	(63)	(76)	(49)
	計 %	100.	100.	100.	100.	100.	100.	100.	100.	100.	100.	100.	100.	100.	100.	100.	100.
アタヤル、パイワン、ブヌン、ツオウ兒	完 %	11.1	15.2	18.8	12.1	17.6	18.5	35.7	16.7	20.0	11.1	12.5	45.5	31.6	36.1	30.8	2.9
	一誤 %	11.1	18.2	25.0	15.2	23.5	25.9	28.6	11.1	16.0	11.1	18.7	18.2	23.0	26.2	27.5	8.6
	二誤 %	25.0	15.2	37.5	15.2	11.8	11.1	7.1	22.2	16.0		31.3	18.2	13.4	14.8	19.3	8.6
	三,四,五誤 %	25.0	27.3	12.5	27.3	35.3	22.2	14.3	27.8	28.0	55.6	31.3	18.2	21.4	15.6	15.0	30.5
	不 %	27.8	24.2	6.3	30.3	11.8	22.2	14.3	22.2	20.0	22.2	6.3		10.7	7.4	7.5	49.5
	計（人數）	(36)	(33)	(16)	(33)	(34)	(27)	(14)	(18)	(25)	(9)	(16)	(11)	(187)	(122)	(120)	(105)
	計 %	100.	100.	100.	100.	100.	100.	100.	100.	100.	100.	100.	100.	100.	100.	100.	100.

第 一 四 表 高砂族兒，色の好惡と記憶との關係

學年	男女	人數	好 1	好 2	好 3	好 4	好 5	好 6	好 7	好 8	好 9	好 10	好 11	好 12	好 13	好 14	好 15	好 0	惡 1	惡 2	惡 3	惡 4	惡 5	惡 6	惡 7	惡 8	惡 9	惡 10	惡 11	惡 12	惡 13	惡 14	惡 15	惡 0
II	男	107	4.7	10.3	0.9	1.9	1.9	15.9	2.8	5.6	5.6	2.8	34.6	4.7	2.8	1.9	3.7		23.4	0.9	0.9	4.7	0.9	0.9	0.9		0.9	1.9			11.2	12.1	41.1	
	女	80	15.0	15.0	6.3	3.8	6.3	10.0	2.5	1.3			30.0	7.5	2.5				3.8		2.5	1.3			1.3		2.5				5.0	16.3	67.5	
III	男	89	6.7	13.5	1.1	6.7	3.4	14.6	2.2	3.4	1.1	5.6	33.7	2.2	3.4	1.1	1.1		29.2	1.1		3.4	1.1	1.1		1.1	2.2	2.2	1.1		3.4	14.6	39.3	
	女	75	4.0	18.7	6.7	4.0		13.3	8.0	6.7	4.0	4.0	25.3	1.3	2.7	1.3			14.7			1.3		1.3		1.3	1.3	6.7	1.3	6.7	1.3	18.7	45.3	
IV	男	91	1.1	4.4		2.2		8.8	3.3	11.0	3.3	3.3	44.0	5.5	5.5	5.5	2.2		36.3	3.3	3.3	4.4			1.1		1.1	2.2	1.1	4.4	6.6	13.2	13.2	9.9
	女	85	3.5	22.4	4.7	3.5	4.7	14.1	9.4	3.5		1.2	29.4	2.4			1.2		7.1		1.2							2.4			1.2	29.4	45.9	12.9
全	男	287	4.2	9.4	0.7	3.5	1.7	13.2	2.8	6.6	3.5	3.8	37.3	4.2	3.8	2.8	2.4		29.3	1.7	1.4	4.2	0.7	0.7	0.7	0.3	1.4	2.1	0.7	1.4	7.3	13.2	31.7	3.1
	女	240	7.5	18.8	5.8	3.8	3.8	12.5	6.7	3.8	1.3	1.7	28.3	3.8	1.7	0.4	0.4		8.3		1.3	0.8		0.4	0.4	0.4	1.3	2.9	0.4	2.1	2.5	21.7	52.9	4.6

第一五表　內地人兒——色の好惡

學年	男女	人數	好 1	好 2	好 3	好 4	好 5	好 6	好 7	好 8	好 9	好 10	好 11	好 12	好 13	好 14	好 15	好 0	惡 1	惡 2	惡 3	惡 4	惡 5	惡 6	惡 7	惡 8	惡 9	惡 10	惡 11	惡 12	惡 13	惡 14	惡 15	惡 0
II	男	79	13.9	21.5	2.5	1.3	1.3	3.8	2.5	13.9		1.3	19.0	15.2	2.5		1.3		2.5	1.3	1.3	1.3		1.3	2.5		1.3		1.3	1.3	30.4	20.3	35.4	
	女	78	33.3	17.9	7.7	2.6	2.6	1.3	6.4	5.1		1.3	10.3	10.3				1.3	1.3	1.3	2.6	1.3	1.3	3.8				5.1		1.3	6.4	24.4	50.0	1.3
III	男	102	9.8	25.5	3.9	3.9	1.0	1.0	2.0	6.9	1.0	2.9	30.4	7.8	2.9		1.0		4.9		2.0	1.0	1.0	2.0	2.0		2.0			2.9	8.8	24.5	49.0	
	女	97	22.7	15.5	5.2		1.0	2.1	5.2	6.2	1.0		23.7	13.4	2.1			2.1	3.1	1.0		1.0	2.1	4.1	2.1		1.0	5.2		1.0	13.4	30.9	35.1	
IV	男	110	8.2	9.1	4.5	8.2	0.9	6.4	3.6	5.5	0.9	5.5	27.3	12.7	2.7	2.7	1.8		4.5	1.8	0.9	0.9	0.9	2.7	6.4		2.7	4.5	0.9	1.8	11.8	20.0	40.0	
	女	114	14.9	10.5	7.9	1.8	0.9	0.9	5.3	4.4	2.6	0.9	36.8	8.8	3.5		0.9		5.3	0.9	1.8	0.9	0.9	4.4	2.6		0.9	4.4	1.8	3.5	11.4	21.0	40.4	
全	男	291	10.3	18.2	3.8	4.8	1.0	3.8	2.7	8.2	0.7	3.4	26.1	11.7	2.7	1.0	1.4		4.1	1.0	1.4	1.0	0.7	2.1	3.8		2.1	1.7	0.7	2.1	15.8	21.6	41.9	
	女	289	22.5	14.2	6.9	1.4	1.4	1.4	5.5	5.2	1.4	0.7	25.3	10.7	2.1		0.3	1.0	3.5	1.0	1.4	1.0	1.4	4.2	1.7		0.7	4.8	0.7	2.1	10.7	25.3	41.2	0.3

第一六表　本島人兒——色の好惡

學年	男女	人數	好 1	好 2	好 3	好 4	好 5	好 6	好 7	好 8	好 9	好 10	好 11	好 12	好 13	好 14	好 15	好 0	惡 1	惡 2	惡 3	惡 4	惡 5	惡 6	惡 7	惡 8	惡 9	惡 10	惡 11	惡 12	惡 13	惡 14	惡 15	惡 0
Ⅰ	男	48	29.2	27.1	4.2	4.2							25.0	8.3	2.1				6.2	2.1	2.1	2.1	6.2	10.4	2.1	6.2		2.1			14.6	10.4	10.4	25.0
	女	33	36.4	18.2	3.0					3.0			24.2	12.1				3.0	6.1			9.1	3.0	12.1	3.0	3.0	3.0	3.0	6.1	3.0	6.1	12.1	3.0	27.3
Ⅱ	男	46	21.7	17.4	2.2			4.3		4.3			39.1	6.5			2.2	2.2	4.3		2.2		2.2		4.3		2.2	8.7	4.3	10.9	41.3	13.0	4.3	2.2
	女	56	33.9	7.1			1.8	1.8		5.4			35.7	10.7				3.6		10.7				5.4		1.8	1.8		5.4	5.4	30.4	19.6	17.9	1.8
Ⅳ	男	78	12.8	20.5				2.6		3.8			41.0	5.1	2.6		2.6		1.3			2.6	1.3	1.3	3.8	2.6		1.3	5.1	3.8	28.2	19.2	29.5	
	女	49	26.5	18.4						2.0		2.0	30.6	18.4		2.0			8.2			8.2	2.0	10.2	6.1	12.2	4.1		4.1	4.1	16.3	14.3	10.2	
全	男	172	19.8	25.6	1.7	1.2		2.3		2.9			36.0	6.4	1.7		1.7	0.6	3.5	0.6	1.2	1.7	2.9	3.5	3.5	2.9	0.6	3.5	3.5	4.7	27.9	15.1	17.4	7.6
	女	138	31.9	13.8	0.7		0.7	0.7		3.6		0.7	31.2	13.8		0.7		2.2	4.3	4.3		5.1	1.4	8.7	2.9	5.8	2.9	0.7	5.1	4.3	19.6	15.9	11.6	7.2

第一七表　パンツアー，パナパナヤン兒——色の好惡

學年	男女	人數	好 1	好 2	好 3	好 4	好 5	好 6	好 7	好 8	好 9	好 10	好 11	好 12	好 13	好 14	好 15	好 0	惡 1	惡 2	惡 3	惡 4	惡 5	惡 6	惡 7	惡 8	惡 9	惡 10	惡 11	惡 12	惡 13	惡 14	惡 15	惡 0
Ⅰ	男	38	18.4	39.5						10.5			21.1	2.6			5.3	2.6	7.9	2.6	6.3	2.6	5.3	5.3		2.6	2.6		2.6	5.3	31.6	15.8	10.5	
	女	31	22.6	25.8	3.2	6.5				3.2			22.6	12.9				3.2		3.2			6.5	3.2	3.2	3.2		3.2			29.0	25.8	22.6	
Ⅱ	男	15	20.0	40.0		6.7							20.0				13.3		6.7	6.7					6.7					13.3	20.0	6.7	33.3	6.7
	女	29	27.6	24.1		3.4				10.3		3.4	24.1	3.4				3.4		3.4	3.4	3.4					6.9				31.0	34.5	17.2	
Ⅳ	男	42	23.8	31.0	4.8	2.4	2.4			7.1			23.8			2.4		2.4		2.4		4.8				2.4	2.4			2.4	33.3	23.8	26.2	2.4
	女	36	33.3	19.4						2.8			27.8	2.8				13.9					5.6	5.6	8.3		2.8		2.8		33.3	25.0	13.9	2.8
全	男	95	21.1	35.8	2.1	2.1	1.1			7.4			22.1	1.1		1.1	4.2	2.1	4.2	3.2	2.1	3.2	2.1	2.1	1.1	2.1	2.1		1.1	5.3	30.5	17.9	21.1	2.1
	女	96	28.1	22.9	1.0	3.1				5.2		1.0	25.0	6.3				7.3		2.1	1.0	1.0	4.2	3.1	4.2	1.0	3.1	1.0	1.0		31.3	28.1	17.7	1.0

第一八表　アタヤル，パイワン，ブヌン，ツオウ兒——色の好惡

好悪の% ＼ 族	好							
	内地人兒	本島人兒	パンツアー，パナパナヤン兒	タイヤル，パイワン，ブヌン，ツオウ兒	内地人兒	本島人兒	パンツアー，パナパナヤン兒	タイヤル，パイワン，ブヌン，ツオウ兒
-45.0								
44.9-40.0						$\overline{15}$		
39.9-35.0	$\overline{11}$		$\overline{11}$	$\overline{2}$				
34.9-30.0					$\overline{15}$			$\overline{13}$
29.9-25.0		$\overline{11}$	$\overline{2}$		$\overline{1}$		$\overline{13}$	
24.9-20.0				$\overline{1}$, $\overline{11}$		$\overline{14}$		$\overline{15}$
19.9-15.0		$\overline{2}$	$\overline{1}$			$\overline{13}$	$\overline{14}$, $\overline{15}$	$\overline{14}$
14.9-10.0	$\overline{6}$	$\overline{1}$, $\overline{12}$			$\overline{14}$			
9.9-5.0	$\overline{2}$, $\overline{8}$	8	$\overline{12}$	$\overline{8}$	13	$\overline{1}$	$\overline{0}$	$\overline{12}$
4.9-0	その他	その他	その他	その他	その他	その他	その他	その他

女

好悪の% ＼ 族	好				悪			
	内地人兒	本島人兒	パンツアー，パナパナヤン兒	タイヤル，パイワン，ブヌン，ツオウ兒	内地人兒	本島人兒	パンツアー，パナパナヤン兒	タイヤル，パイワン，ブヌン，ツオウ兒
-55.0								
54.9-50.0					15			
49.9-45.0								
44.9-40.0						$\overline{15}$		
39.9-35.0								
34.9-30.0			$\overline{1}$, $\overline{11}$					$\overline{13}$
29.9-25.0	$\overline{11}$	$\overline{11}$		$\overline{1}$, $\overline{11}$		$\overline{14}$		$\overline{14}$
24.9-20.0		$\overline{1}$		$\overline{2}$	$\overline{14}$			
19.9-15.0	$\overline{2}$						$\overline{13}$, $\overline{14}$	$\overline{15}$
14.9-10.0	$\overline{6}$	$\overline{2}$, $\overline{12}$	$\overline{2}$, $\overline{12}$			$\overline{13}$	$\overline{15}$	
9.9-5.0	$\overline{1}$, $\overline{3}$, $\overline{7}$	$\overline{3}$, $\overline{7}$, $\overline{8}$		$\overline{8}$, $\overline{12}$, $\overline{0}$	$\overline{1}$		$\overline{4}$, $\overline{6}$, $\overline{8}$, $\overline{11}$, $\overline{0}$	
4.9-0	その他	その他	その他	その他	その他	その他	その他	その他

第一九表 各族兒男女別色彩好悪段階表

好惡の% ＼ 好惡・族・學年	好												惡											
族	内地人兒			本島人兒			パンツアー，パナパナヤン兒			アタヤル，パイワン，ブヌン，ツオウ兒			内地人兒			本島人兒			パンツアー，パナパナヤン兒			アタヤル，パイワン，ブヌン，ツオウ兒		
學年	Ⅰ	Ⅱ	Ⅳ	Ⅰ	Ⅱ	Ⅳ	Ⅰ	Ⅱ	Ⅳ	Ⅰ	Ⅱ	Ⅳ	Ⅰ	Ⅱ	Ⅳ	Ⅰ	Ⅱ	Ⅳ	Ⅰ	Ⅱ	Ⅳ	Ⅰ	Ⅱ	Ⅳ
49.9—45.0																	$\overline{15}$							
44.9—40.0			$\overline{11}$						$\overline{11}$		$\overline{2}$		$\overline{15}$					$\overline{15}$		$\overline{13}$				
39.9—35.0								$\overline{11}$		$\overline{2}$				$\overline{15}$	$\overline{1}$	$\overline{15}$								
34.5—30.0	$\overline{11}$	$\overline{11}$			$\overline{11}$							$\overline{2}$				$\overline{13}$						$\overline{13}$	$\overline{15}$	$\overline{13}$
29.9—25.0					$\overline{2}$	$\overline{11}$	$\overline{1}$, $\overline{2}$, $\overline{11}$		$\overline{2}$					$\overline{1}$					$\overline{0}$		$\overline{13}$, $\overline{15}$			$\overline{15}$
24.9—20.0				$\overline{2}$				$\overline{1}$		11	$\overline{1}$, $\overline{11}$	$\overline{1}$, 11	$\overline{1}$			$\overline{14}$	$\overline{14}$	$\overline{14}$					$\overline{13}$	$\overline{14}$
19.9—15.0	$\overline{6}$			$\overline{11}$, $\overline{12}$				$\overline{2}$		$\overline{1}$											$\overline{14}$	$\overline{14}$		
14.9—10.0	$\overline{2}$	$\overline{2}$, $\overline{6}$	8	$\overline{1}$, $\overline{8}$		12			$\overline{1}$	$\overline{8}$	$\overline{15}$		$\overline{13}$, 14	$\overline{14}$	$\overline{14}$, $\overline{15}$			$\overline{13}$	$\overline{6}$, $\overline{13}$, $\overline{14}$, $\overline{15}$	$\overline{12}$, $\overline{14}$		$\overline{15}$	$\overline{12}$	
9.9—5.0	8, 9	$\overline{1}$, $\overline{4}$, $\overline{10}$	$\overline{6}$, $\overline{12}$, $\overline{13}$, $\overline{14}$		1, 8, 12	$\overline{1}$, $\overline{2}$, $\overline{4}$, $\overline{6}$, 8, 10	12	$\overline{12}$	$\overline{12}$	$\overline{15}$	4	8			$\overline{13}$		$\overline{13}$	$\overline{7}$	$\overline{1}$, $\overline{5}$, $\overline{8}$	$\overline{10}$	$\overline{11}$	$\overline{1}$, $\overline{3}$, $\overline{5}$, $\overline{6}$, $\overline{12}$	$\overline{12}$, 7, $\overline{14}$, $\overline{0}$	
4.9—0	その他	その他	その他	その他	その他	その他	その他	その他	その他	その他	その他	その他	その他	その他	その他	その他	その他	その他	その他	その他	その他	その他	その他	その他

女

好惡の% ＼ 好惡・族・學年	好												惡											
族	内地人兒			本島人兒			パンツアー，パナパナヤン兒			アタヤル，パイワン，ブヌン，ツオウ兒			内地人兒			本島人兒			パンツアー，パナパナヤン兒			アタヤル，パイワン，ブヌン，ツオウ兒		
學年	Ⅰ	Ⅱ	Ⅳ	Ⅰ	Ⅱ	Ⅳ	Ⅰ	Ⅱ	Ⅳ	Ⅰ	Ⅱ	Ⅳ	Ⅰ	Ⅱ	Ⅳ	Ⅰ	Ⅱ	Ⅳ	Ⅰ	Ⅱ	Ⅳ	Ⅰ	Ⅱ	Ⅳ
69.9—65.0													$\overline{15}$											
64.9—60.0																								
59.9—55.0																								
54.9—50.0																$\overline{15}$								
49.9—45.0														$\overline{15}$	$\overline{15}$			$\overline{15}$						
44.9—40.0																	$\overline{15}$							
39.9—35.0	$\overline{1}$			$\overline{1}$		$\overline{11}$	1	$\overline{11}$									$\overline{14}$							
34.9—30.0	$\overline{11}$							$\overline{1}$	$\overline{11}$			$\overline{1}$								$\overline{13}$			$\overline{13}$, 14	13
29.9—25.0		$\overline{11}$	$\overline{11}$						$\overline{1}$	$\overline{2}$	$\overline{1}$	$\overline{11}$			$\overline{14}$	14		$\overline{14}$	$\overline{0}$			$\overline{13}$, $\overline{14}$		$\overline{14}$
24.9—20.0			$\overline{2}$		$\overline{1}$, $\overline{11}$		11			$\overline{1}$, $\overline{11}$	$\overline{2}$, $\overline{11}$											$\overline{15}$		
19.9—15.0	1, 2	$\overline{2}$		$\overline{2}$	$\overline{2}$		$\overline{2}$		$\overline{2}$, $\overline{12}$			$\overline{2}$	14	$\overline{14}$						$\overline{14}$, $\overline{15}$	$\overline{13}$		$\overline{15}$	
14.9—10.0	$\overline{6}$	6	$\overline{6}$	$\overline{11}$, $\overline{12}$	$\overline{12}$	$\overline{1}$, $\overline{2}$	$\overline{12}$	$\overline{12}$		$\overline{12}$	$\overline{8}$	$\overline{0}$		$\overline{1}$	$\overline{0}$		$\overline{13}$	$\overline{13}$	6, 14	$\overline{2}$	$\overline{6}$, $\overline{8}$, $\overline{14}$, 15			$\overline{15}$
9.9—5.0	3, 5, 12	3, 7, $\overline{8}$	$\overline{7}$	$\overline{3}$, 7, $\overline{8}$	3, 7, 8	$\overline{3}$, 7, $\overline{12}$		$\overline{2}$, 8		4			$\overline{13}$	$\overline{10}$, $\overline{12}$	1	10, $\overline{13}$	$\overline{10}$	$\overline{1}$	$\overline{1}$, $\overline{4}$, $\overline{11}$, 13	$\overline{6}$, 11, 12	1, 4, 7	5	$\overline{9}$	5, 6, 7
4.9—0	その他	その他	その他	その他	その他	その他	その他	その他	その他	その他	その他	その他	その他	その他	その他	その他	その他	その他	その他	その他	その他	その他	その他	その他

第二〇表　各族兒，學年・男女別色彩好惡段階表

昭和十一年九月廿一日印刷
昭和十一年九月廿五日發行

哲學科研究年報（第三輯）

編輯兼發行者 臺北帝國大學文政學部

東京市神田區錦町三丁目十一番地
印刷者 白井赫太郎

發賣所 東京市神田區神保町二丁目 巖松堂書店
電話九段(33) 四一三五 四一三六 四一三七 四一三八
振替口座東京六五五六